KB019341

학교에서는 배울 수 없는 민족비사 1

한중사서에 실린
한국고대사의
비밀

송종성

서림재

학교에서는 배울 수 없는 민족비사 1
한중사서에 실린 한국고대사의 비밀

2017년 8월 25일 초판 인쇄
2017년 8월 31일 초판 발행

지은이   송종성
발행인   이영렬
발행처   서림재

등록번호   제13-654호(1995. 5.18.)
　　　　　서울 중구 충무로5길 17 오양빌딩 4F
　　　　　Tel. 02-2268-8094

공급처　　가나북스
　　　　　Tel. 031-408-8811(대) Fax. 031-501-8811

책값 18,000원

ISBN : 978-89-952901-4-9 04910
ISBN : 978-89-952901-5-6(세트) 04910

E-mail. js6367@dreamwiz.com(저자)
　　　　isaclee3000@hanmail.net(출판사)

이 도서의 국립중앙도서관 출판예정도서목록(CIP)은 서지정
보유통지원시스템 홈페이지(http://seoji.nl.go.kr)와 국가자
료공동목록시스템(http://www.nl.go.kr/kolisnet)에서 이용
하실 수 있습니다.(CIP제어번호: CIP2017022291)

머리말

학계에는 아직도 알려져 있지 않은 내용이지만, 대륙사서에는 영토에 대한 역사적 연고권을 탈취하기 위하여 특정시대의 특정그룹이 한인 조상들 나라의 강역과 관련하여 육하원칙 중 where를 조작해 선대의 사서를 일제히 개작한 사실이 있었다. where를 조작하는 가장 기본적인 기법으로는 1) 고대의 요수인 영정하를 지금의 요하로, 2) 고대의 압록수인 난하를 지금의 압록강으로, 3) 천진에 있던 패수를 지금의 대동강으로 치환하고 이 세 강들 주변의 모든 국가와 군현들을 강 따라 평행이동시켜 사서를 기술하는 수법이었다.

이러한 사실을 흔히 음모론 정도로 치부하여 학계에서는 무시하고 있는지 모르겠지만 놀랍게도 특정그룹이 사서를 개작했다는 사실이 현재도 남아 있는 사서기록과 지명들에 의해 어렵지 않게 증명이 되고 있다는 것이다. 이런 내용들의 중요한 근거와 골자를 이미 10년 전에 졸저 <삼국사기 초기기록/서림재/2007>에 담아 출판하였지만 학계는 철저히 외면하였다. 부득이 10년에 걸쳐 더 깊이 연구하여 많은 근거들을 추가로 찾아내 보강하여 드디어 본서를 출간하게 된 것이다.

본서에는 전한 무제시 설치된 한사군이 난하 중하류 동서에 걸쳐 있었다는 것과 고대의 요수가 북경과 천진을 흐르는 강이라는 것, 패수가 천진을 흐르는 강이라는 점을 기록과 지도로 밝히고 있다. 더 나아가 여수전쟁 전장지명이나 여당전쟁 전장지명, 나당전쟁 전장지명이 하북성 북부에 있었다는 사실도 밝히고 있고 유성과 요택이 지금의 천진 서남방에 있었다는 사실도 밝히고 있다. 유성과 요택이 천진 서남방에 있었는데 어떻게 지금의 요하가 고대의 요수일 수 있느냐 하는 것이다.

동시에 반도서북부의 낙랑유적유물과 압록강 중류북안의 고구려유적이라는 것이 여태 알려진 것과는 다른 사유로 생겨난 것들이라는 점도 역시 밝히고 있다.

 한 나라의 국민성은 역사를 바탕으로 형성되고 나라를 생각하는 애국심도 역사에서 비롯되는 것이다. 그래서 역사를 바르게 해석하여 배우고 익히는 것이야말로 국가의 영속성을 보장하는 부국강병의 첫 걸음이 될 수 있는 것이다. 한국인들 정신 차리고 바른 역사에 하루 빨리 눈을 떠야 한다.

 이 연구에는 많은 대륙의 지도들이 활용되었는데 대부분 <www.coo2.net>의 운영자인 송준희 선생의 도움을 크게 받았기에 깊이 감사드린다. 또한 인터넷에 올라 있는 대륙사서 원문이 없었다면 이 연구는 거의 불가능한 것이었기에 대륙사서 원문 漢字 한 자 한 자를 정성껏 타자 쳐서 인터넷에 올려준 분들께 진심으로 감사드린다. 마지막으로 출간을 도와준 서림재 이영렬 대표와 편집 스탭에도 감사드린다.

2017. 8.
송종성 씀

목 차

제1장 _ 한사군

  1. 한사군의 위치 ·· 8
  2. 전한 낙랑군지는 마한고지 ······································· 44
  3. 반도서북부 낙랑군 유물유적의 성격 ·················· 51

제2장 _ 고대의 요수

  1. 선비정동저요수 ··· 56
  2. 치명적인 트릭 ·· 72
  3. 지명근거 ·· 88

제3장 _ 강 찾기

  1. [수경주] 권14 ·· 110
  2. 기타 강들 ·· 132

제4장 _ [요사] 지리지

  1. 상경도 ·· 170
  2. 동경도 ·· 178
  3. 중경도 ·· 192
  4. 남경도 ·· 199

제5장 _ 조선계 국가들

  1. 고조선 ·· 208
  2. 낙랑 ·· 212
  3. 부여 ·· 212
  4. 예맥 ·· 229

5. 옥저 ……………………………………………………… 253

6. 마한 ……………………………………………………… 253

7. 진한 ……………………………………………………… 253

8. 고구려 …………………………………………………… 285

9. 백제 ……………………………………………………… 295

제6장 _ 대륙사서의 위사

1. 연오군 …………………………………………………… 298

2. 진개 동정전후의 연지 ………………………………… 300

3. 각종 장성들 ……………………………………………… 304

4. 갈석산 …………………………………………………… 312

제7장 _ 누가 역사를 조작하였나?

1. 역사조작 그룹 …………………………………………… 326

2. 동이전 주석 ……………………………………………… 326

3. 유물과 유적 ……………………………………………… 339

4. 학계의 이중적인 기준 ………………………………… 340

제8장 _ 삼국시대 이후의 영토변천

1. 여수전쟁 전장지명 ……………………………………… 342

2. 여당전쟁 전장지명 ……………………………………… 344

3. 나당전쟁 전장지명 ……………………………………… 345

4. 동서분립 ………………………………………………… 347

5. 고려초기 ………………………………………………… 348

6. 요대 ……………………………………………………… 348

7. 금대 ……………………………………………………… 348

8. 원대 ……………………………………………………… 348

9. 만주의 고려지명 ………………………………………… 348

참고서적 ………………………………………………… 351

제1장

ଔ

한사군

제1장 _ 한사군

1. 한사군의 위치

한국의 古代史를 논함에 있어 육하원칙 중 where에 해당하는 것으로 여러 부족과 그들 나라의 영역비정은 대단히 중요한데 그 중에서도 가장 핵심이 되는 내용은 한사군의 위치라고 할 수 있다. 그런데 한국의 고대사서에는 한사군 이전의 고조선시대 사료들이 거의 없다(정치적인 동기에 의해 절사된 것인데 역사서술의 속지주의적 관점에서 절사된 것이고 역으로 생각해보면 고조선중심지는 12,13세기 당시의 고려지에는 포함되지 않는다고 이해할 수 있다). 그러다보니 신라와 고구려, 백제 등 고대사를 서술함에 있어서도 지금처럼 한사군과의 접촉사부터 시작해야 하는 상황에 이르게 된 것이다.

한사군의 위치를 정확하게 파악하고 난 다음으로 거기서 시대를 거슬러 올라가면 그 전 고조선의 영역을 찾을 수 있고 또한 고조선이라는 큰 테두리 내의 여러 세력들의 범위를 찾아볼 수 있게 된다.

고조선은 중앙집권적 단일국가가 아니었던 것으로 나타난다. '朝鮮'이란 국호도 스스로 지어 붙인 국호가 아니고 중원세력이 동이국가를 총칭한 것이었으며 그들 내에서는 소국연맹체 성격이었다.

한사군의 정확한 위치를 찾게 되면 동시대에 이들 군현들과 접촉한 신라와 고구려, 백제 등 삼국의 위치도 바르게 찾을 수 있게 된다. 그래서 한국고대사와 상고사에 있어 여러 세력들의 정확한 활동영역을 알기 위해 전한 무제시에 설치되기 시작하여 4세기초까지 유지되었다고 하는 대륙국가 군현들의 영역을 찾아보기로 한다.

한인들은 어릴 때부터 각급 학교에서 고대사에 대해, <가. 대륙의 漢(한)이 서기전 2세기말에 위만조선과의 전쟁에서 이긴 후에 그 곳에 네 郡(군)을 설치하였다>, <나. 이 군들의 위치는 대체로 지금의 요동반도에서부터 한반도 중부 황해도와 강원도북부까지였고, 이들 군현보다 수세기나 늦게 삼국이 생겨났다>, <다. 네 군들 중 진번과 임둔은 일찍 소멸되고 후에 고구려의 성장과 더불어 4세기초에 마지막으로 요동의 현도군과 평안·황해도의 낙랑·대방군이 고구려에 의해 소멸되었다>고 배워왔다.

그런데 이러한 학계의 통설은 여러 가지 의문점이 있는데 무엇보다도 군현이 설치되었다는 영역이 實史(실사)와는 너무 다르다는 점이다. 여기에는 여러 가지 이유가 있겠으나 의도적이든 오해이든 학자들이 사서의 관련기록을 잘못 해석한 탓이 크다고 할 수 있다. 그래서 한이 조선을 멸하고 설치했다는 한사군의 위치를 사서기록의 과학적인 해석을 통해 추적해본 결과, 이들 군현들은 지금의 요하 이동에는 설치된 적이 없는 것으로 나타난다. 말하자면 요하 이동에 설치된 적이 없는 것을 전부 요동반도에서부터 한반도 중부지방까지 설치되어 무려 4세기 가까이나 유지되었다는 듯이 가르치고 배우며 그렇게 알아왔다는 뜻이다.

그러나 대륙국가의 군현들은 근본적으로 지금의 요하 이동에 설치된 적이 없다는 것을 다음과 같이 밝히면서 하루빨리 기존의 잘못된 학설들이 바로 잡히기를 바라는 바이다.

1) 3세기 조위의 대방군 위치

[후한서] 한전[1])에 『한은 삼종이 있는데 마한·진한·변진이라 한

---

1) [후한서] 한전 『韓有三種 一曰馬韓 二曰辰韓 三曰弁辰. 馬韓在西 有五十四國 其北與樂浪 南與倭接. 辰韓在東 十有二國 其北與濊貊接. 弁辰在辰韓之南 亦十有二國 其南亦與倭接. 凡七十八國 伯濟是其一國焉. 大者萬餘戶 小者數千家 各在山海間 地合方四千餘里 東西以海爲限 皆古之辰國也』

다. 마한은 서에 위치하는데 54국이 있고 북으로는 낙랑, 남으로
는 왜와 접한다. 진한은 동에 위치하는데 12국이 있고 북으로 예
맥과 접한다. 변진은 진한의 남에 위치하는데 역시 12국이 있고
남으로 왜와 접한다. 모두 78국인데 伯濟(백제)는 그 중 한 나라
이다. 대국은 만여 호, 소국은 수천 가인데 각각 산과 바다 사이
에 있고 땅은 합쳐 사방 4천여 리이며 동서가 바다로 막히고 모
두 옛 진국이다』

　　[삼국지] 한전2)에 『한은 대방의 남에 있고 동서가 바다로 막히
고 남으로 왜와 접하며 사방 4천 리나 된다. 3종이 있는데 마한·
진한·변한이라 한다. 진한은 옛 진국이다. 마한은 서에 있다…(중
략)…진한은 마한의 동에 있다…(중략)…변진은 진한과 섞여 산
다…(중략)…그 중 독로국은 왜와 계를 접한다』

　　[삼국지] 예전에 『예의 남으로 진한이 있다…[濊南與辰韓…]』

　　[후한서]와 [삼국지] 한전에서, 사방 4천 리에 동서가 바다로
막히고 남으로 열도의 '倭(왜)'와 가까운 곳은 분명히 반도 남부를
가리키고 있고, 그곳을 '韓(한)'이라 간주하고 쓴 것임을 알 수 있
다. 마한은 반도 남부의 서쪽 경기·충청·전라 정도로, 진한은 경북
정도로, 예맥은 강원도 정도로, 변진은 경남 정도로 간주하고, 이
런 삼한의 북에 각 낙랑과 대방이 있다고 본 것이다.

　　그렇다면 [후한서]의 「땅은 합쳐 사방 4천여 리이다[地合方四
千餘里]」라든가 [삼국지]의 「사방 4천 리나 된다[方可四千里]」라는
삼한의 크기는 동서[橫;횡]·남북[縱;종] 각 2천 리라는 의미로 보아

_____

2) [삼국지] 한전 『韓在帶方之南 東西以海爲限 南與倭接 方可四千里. 有三
　　種 一曰馬韓 二曰辰韓 三曰弁韓 辰韓者 古之辰國也. 馬韓在西…(중략)…
　　辰韓在馬韓之東…(중략)…弁辰與辰韓雜居…(중략)…其瀆盧國與倭接界』

야 할 것이다. 즉 경남 동남단에서 전남 서남단까지 동서 2천 리, 전남 서남단에서 경기만(황해도)까지 남북 2천 리로 보았다는 뜻이다. 弁辰(변진)을 弁韓(변한)으로도 부르고 있고, 변진 소국 중 왜에 가장 가까운 나라가 독로국으로 보이는데 지금의 부산 정도될 것이다.

그런데 [삼국지] 왜인전에는 한전과는 전혀 다른 내용이 들어있다는 것이다.

대방에서 구야한국까지 7천 리

[삼국지] 왜인전3)에서 「왜인은 대방의 동남 큰 바다 가운데 있다…(중략)…군에서 왜까지 해안을 따라 물길로 간다. '韓國(한국)'을 거쳐 가는데 남으로 잠깐, 동으로 잠깐 가면 그 북안의 구야한국에 이르는데 7천여 리이다[倭人在帶方東南大海之中…(중략)…從

---

3) [삼국지] 왜인전 『倭人在帶方東南大海之中 依山島爲國邑 舊百餘國. 漢時有朝見者 今使譯所通三十國. 從郡至倭 循海岸水行 歷韓國 乍南乍東 到其北岸狗邪韓國 七千餘裏. 始度一海 千餘裏至對馬國 其大官曰卑狗 副曰卑奴母離 所居絶島 方可四百餘裏 土地山險 多深林 道路如禽鹿徑 有千餘戶 無良田 食海物自活 乖船南北市糴. 又南渡一海千餘裏 名曰瀚海 至一大國 官亦曰卑狗 副曰卑奴母離 方可三百裏 多竹木叢林 有三千許家 差有田地 耕田猶不足食 亦南北市糴. 又渡一海 千餘裏至末盧國 有四千餘戶 濱山島居 草木茂盛 行不見前人 好捕魚鰒 水無深淺 皆沈沒取之. 東南陸行五百裏 到伊都國 官曰爾支 副曰泄謨觚 柄渠觚 有千餘戶 世有王 皆統屬女王國 郡使往來常所駐. 東南至奴國百裏 官曰兕馬觚 副曰卑奴母離 有二萬餘戶. 東行至不彌國百裏 官曰多模 副曰卑奴母離 有千餘家. 南至投馬國 水行二十日 官曰彌彌 副曰彌彌那利 可五萬餘戶. 南至邪馬壹國 女王之所都 水行十日 陸行一月 官有伊支馬 次曰彌馬升 次曰彌馬獲支 次曰奴佳鞮 可七萬餘戶. 自女王國以北 其戶數道裏可得略載 其餘旁國遠絶 不可得詳. 次有斯馬國 次有已百支國 次有伊邪國 次有都支國 次有彌奴國 次有好古都國 次有不呼國 次有姐奴國 次有對蘇國 次有蘇奴國 次有呼邑國 次有華奴蘇奴國 次有鬼國 次有爲吾國 次有鬼奴國 次有邪馬國 次有躬臣國 次有巴利國 次有支惟國 次有烏奴國 次有奴國 此女王境界所盡. 其南有狗奴國 男子爲王 其官有狗古智卑狗 不屬女王. 自郡至女王國萬二千餘裏』

郡至倭 循海岸水行 歷韓國 乍南乍東 到其北岸狗邪韓國 七千餘里]」라고 하므로, 위의 [후한서]·[삼국지]의 한전과 [삼국지]의 왜인전을 비교해보면 한전의 '韓(한)'이 왜인전의 '韓國(한국)'과 같은 의미로 대응된다. 그리고 반도에서 대마도로 건너가기 직전의 구야한국은 경남의 동남단으로 볼 수 있다. 그러면 '韓(한)'은 남북 2천 리, 동서 2천 리이므로 왜인전의「한국을 거쳐 가는데 남으로 잠간 동으로 잠간 가면 그 북안인 구야한국에 이른다[歷韓國 乍南 乍東 到其北岸狗邪韓國]」고 한 구절과 비교할 때 乍南(사남)은 경기만에서 전남 서남단까지의 남북 2천 리에 대응되고, 乍東(사동)은 전남 서남단에서 경남 동남단 狗邪韓國(구야한국)까지의 동서 2천 리에 정확히 대응된다4). 구야한국은 [삼국지] 변진전의 변진 소국들 중 弁辰狗邪國(변진구야국)에 해당하는데 대마도로 건너가기 직전이므로 대체로 지금의 경남 김해 정도로 보고 있다. 변진의 소국들 중 왜에 가장 가까운 독로와 구야국 중 왜로 가는 배가 출입하는 항구는 구야국에 있었던 것으로 보인다. 사신행정에 대방군에서 경기만(황해도)까지의 과정은 설명이 생략되어 있다.

그런데 대방에서 구야한국까지는 7천 리라 하고, 경기만(황해도)에서 경남 동남단 구야한국까지는 4천 리이므로 나머지 3천 리가 대방에서 경기만(황해도)까지의 거리가 된다.

---

4) 반도남부 '방사천리'가 남북이방[縱;종] 2천 리, 동서이방[橫;횡] 2천 리였음을 뒷받침하는 기록이 있다. [구당서] 신라국전에「新羅國 本弁韓之苗裔也. 其國在漢時樂浪之地 東及南方俱限大海 西接百濟 北高麗. 東西千裏 南北二千裏. 有城邑村落. 王之所居曰金城 周七八裏. 衛兵三千人 設獅子隊」. [신당서] 신라전에「新羅 弁韓苗裔也. 居漢樂浪地 橫千裏 縱三千裏 東拒長人 東南日本 西百濟 南瀕海 北高麗. 而王居金城」. [구당서]의「동서천리 남북이천리」는 진흥왕의 영토확장 이전을 표현한 것으로 지금의 경상도와 강원도 정도에 해당되고, [신당서]의「횡천리 종삼천리」는 진흥왕세의 영토확장 이후의 상황을 그린 것으로 보이는데 지금의 경상도와 강원도에 함경남도가 추가된 정도로 이해된다. 이것을 볼 때 <대륙사가들은 반도 남부의 크기를 횡으로도 2천 리, 종으로도 2천 리 정도로 인식하고 사서를 썼다>는 것이다.

왜나 일본은 지금의 열도

「구야한국」 다음으로 이어지는 구절을 보면, 반도 동남단 이곳에서 「처음으로 한 바다를 건너 천여 리 가면 대마국이다[始度一海 千餘裏至對馬國]」라고 했는데 이 바다는 대한해협을 가리키고 반도 동남단에서 지금의 대마도까지 천 리 정도로 보았다는 뜻이다. 그 이후 여러 소국을 거쳐 「…남으로 야마다국에 이르는데 여왕의 도읍지이다…(중략)…(대방)군에서 여왕국까지 가는데 만이천여 리이다[…南至邪馬壹國 女王之所都…(중략)…自郡至女王國萬二千餘裏]」라고 하므로, 구야한국에서 왜의 수도 야마다까지가 5천 리라는 뜻이다.

[양서] 왜전5)에 『왜는 자칭 태백의 후예라 하고 문신을 하는 습속이 있다. 대방을 떠나 만이천여 리 되고, 대략 회계의 동쪽에 있는데 멀리 떨어져 있다. 대방에서 왜로 가는데 바다를 따라 물길로 한국을 거쳐 동으로 잠깐 남으로 잠깐 칠천여 리를 가서 처음으로 한 바다를 건너, 너비 천여 리의 한해라 하며, 일지국에 이른다. 다시 한 바다를 천여 리 건너가면 말로국이다. 다시 동남으로 육로 오백 리를 가면 이도국에 이르고, 다시 동남으로 백 리 가면 노국에 이르고, 다시 동으로 백 리 가면 불미국에 이르고, 다시 남으로 물길 20일을 가면 투마국에 이르고, 다시 남으로 물길 10일과 뭍길 한 달을 가면 야마다국에 이르는데 왜왕이 거하는 곳이다』

[구당서] 왜국전6)에 『왜국은 옛날 왜노국이다. 수도를 떠나 만

---

5) [양서] 왜전 『倭者 自雲太伯之後 俗皆文身. 去帶方萬二千餘裏 大抵在會稽之東 相去絶遠. 從帶方至倭 循海水行 歷韓國 乍東乍南 七千餘裏 始度一海 海闊千餘裏 名瀚海 至一支國 又度一海千餘裏 名未盧國 又東南陸行五百裏 至伊都國 又東南行百裏 至奴國 又東行百裏 至不彌國 又南水行二十日 至投馬國 又南水行十日 陸行一月日 至邪馬臺國 即倭王所居』

사천 리이고 신라의 동남 대해 중에 있다. 산이 많은 섬에 의지하여 거한다…(후략)』

[신당서] 일본전7)에 『일본은 옛 왜노이다. 수도를 떠나 만사천리, 신라의 바로 동남 바다 속 섬에 거한다…(후략)』

[양서]에는 「대략 회계의 동쪽이고 멀리 떨어져 있다[大抵會稽之東 相去絶遠]」고 하는데, 회계의 위치는 양자강 하구의 바로 남쪽으로서 대륙에서 동지나해 쪽으로 가장 돌출한 곳이다. 「회계의 동쪽[會稽之東]」이란 단순히 방향만을 가리키고, 위치는 「멀리 떨어져 있다[相去絶遠]」고 하였다. 그래서 오늘날의 정밀한 지도로 보면 회계를 지나는 위도가 대략 구주 남단보다 약간 아래쪽에 있는 섬들을 지나가는 것을 확인할 수 있다. [후한서] 왜전8)에도 「其地大較在會稽東冶之東」이라 하여 같은 내용이다. 즉 당시 왜는 구주를 비롯한 열도를 가리키는 것이다.

그런데 [양서] 왜전은 [삼국지] 왜인전의 사신행정과 같은데 [삼국지]의 풍물기사는 생략하고 사신행정은 옮긴 것임을 알 수 있

6) [구당서] 왜국전 『倭國者 古倭奴國也. 去京師一萬四千裏 在新羅東南大海中 依山島而居 東西五月行 南北三月行. 世與中國通. 其國 居無城郭 以木爲柵 以草爲屋 四面小島五十餘國 皆附屬焉. 其王姓阿每氏 置一大率 檢察諸國 皆畏附之 設官有十二等』

7) [신당서] 일본전 『日本古倭奴也. 去京師萬四千裏 直新羅東南 在海中 島而居. 東西五月行 南北三月行. 國無城郭 聯木爲柵落 以草茨屋 左右小島五十餘 皆自名國 而臣附之. 置本率一人 檢察諸部 其俗多女少男 有文字 尙浮屠法 其官十有二等 其王姓阿每氏』

8) [후한서] 왜전 『倭在韓東南大海中 依山島爲居 凡百餘國. 自武帝滅朝鮮 使驛通於漢者三十許國. 國皆稱王 世世傳統. 其大倭王居邪馬臺國 樂浪郡徼 去其國萬二千里 去其西北界拘邪韓國七千餘里. 其地大較在會稽東冶之東 與朱崖儋耳相近 故其法俗多同…(중략)…建武中元二年 倭奴國奉貢朝賀 使人自稱大夫 倭國之極南界也 光武賜以印綬 安帝永初元年 倭國王帥升等 獻生口百六十人 願請見』

다. 다만 [삼국지]의 내용 중에서 '대마국' 관련한 내용이 누락되어 있는 정도이다. [삼국지]의 一大國이 [양서]에는 一支國으로 되어 있는데 '大'와 '支'는 글자가 비슷하다. 그리고 전체적으로 대방군에서 왜까지의 거리 12,000리는 대방군에서 여왕이 다스리던 야마다의 수도까지의 거리를 나타내는 것이다[9].

[후한서] 왜전에 「광무가 인수를 주었다[光武賜以印綬]」고 하여 광무제가 왜노국왕에게 준, '漢委奴國王(한위노국왕)'이란 글이 새겨진 金印(금인)이 서기 1784년 후꾸오까[福岡] 志賀島(지하도)에서 발견되었고 委는 倭와 같으므로 [구당서]와 [신당서]의 왜노국은 후한세의 위노국과 같은 것이다.

대륙사서에서 한과 왜를 기술할 때 가장 자주 사용한 기준지명이 '대방'과 '신라'인데, [삼국지]에는 왜의 여왕이 위에 사신을 보내면 반드시 대방군에서 내리고 이때 대방태수가 대방관리를 붙여 수도 낙양으로 보내고 왜로 가는 위의 사신도 역시 대방에서 출발하여 해로로 왜에 가고 있다[10]. 이를 볼 때 대방은 바다를 낀 군현이라 하지 않을 수 없고, 그래서 대륙사서에 왜의 위치를 말할 때도 대방을 기준으로 기술한 경우가 많은 것으로 판단되며, (경주)신라를 기준 삼은 것은 왜국과 가장 가까운 나라였기 때문일 것이다.

---

9) 왜국까지의 거리; [후한서] 왜전의 「其大倭王居邪馬臺國 樂浪郡徼 去其國 萬二千里 去其西北界拘邪韓國七千餘里」, [삼국지] 왜인전의 「倭人在帶方東 南大海之中…(중략)…從郡至倭…(중략)…自郡至女王國萬二千餘裏」, [양서] 왜전의 「倭者…(중략)…去帶方萬二千餘裏 大抵在會稽之東…(중략)…從帶方 至倭…(중략)…至邪馬臺國 卽倭王所居」 등의 구절들은 같은 내용이다.

10) [삼국지] 왜인전 「王遣使詣京都帶方郡諸韓國及郡使倭國 皆臨津搜露 傳 送文書賜遺之物詣女王…(중략)…景初二年六月 倭女王遣大夫難升米等詣 郡 求詣天子朝獻 太守劉夏遣吏將送詣京都…(중략)…正始元年 太守弓遵 遣建中校尉梯俊等奉詔書印綬詣倭國 拜假倭王 幷齎詔賜金帛錦罽刀鏡采 物 倭王因使上表答謝恩詔」

한편 [후한서] 왜전[8)]에는「그 대왜왕은 야마다국에 거한다. 낙랑군 변방에서 그 나라에 가는데 12,000리 되고, 그 서북계 구야한국에 가는데 7,000리 된다[其大倭王居邪馬臺國 樂浪郡徼 去其國萬二千里 去其西北界拘邪韓國七千餘里]」고 하고, 영초원년(107) 10월조 주에는「왜국은 낙랑군과 12,000리 떨어져 있다[倭國去樂浪萬二千里]」고 하여 낙랑 기준으로 기술하였는데, 대방군은 [삼국지] 한전에 의하면 후한말 건안중(196~219) 공손강이 낙랑군의 남부를 분할하여 설치하였으므로, 후한세의 낙랑군은 3세기 위의 대방군과 같고 후한세나 위세나 외교사신이 드나든 항구가 동일한 곳이었다는 뜻이다.

낙양에서 대방까지는 2천 리

따라서 [후한서]·[삼국지]·[양서]의「낙랑·대방에서 12,000여 리[去帶方(樂浪)萬二千餘裏]」를 [구당서]·[신당서]의「수도에서 14,000리[去京師一萬四千裏]」와 비교하면 대륙국가의 수도에서 대방까지 육로로 2,000리라는 뜻으로 이해된다.

그런데 [삼국지]의 거리기록은 사신이 직접 다니면서 남긴 가장 상세한 기록이므로 [양서] 왜전과 [구당서] 왜국전, [신당서] 일본전의 왜국과의 거리들은 [삼국지]의 내용을 관행적으로 답습하여 기록한 것임을 충분히 알 수 있다. 따라서 수도에서 대방까지의 거리도 3세기 위의 수도 낙양에서 대방까지의 거리를 나타내는 것으로 보아야 할 것이다. 대방에서 당의 수도 장안은 낙양보다 더 멀다.

위의 기사들을 분석해본 결과, 고대에 대륙과 열도를 오갈 때는 반드시 대방이란 지역의 항구를 출입하였고, 열도로 갈 때는 거기서 출발하여 반도 서남부 해안을 거쳐 반도 동남단에서 대마도로 건너다닌 것을 알 수 있다.

그 行程(행정)의 구간별 거리를 계산해보면, 〈낙양(조위수도) -- 대방 -- 반도 동남단(구야한국) -- 왜(구주·야마다)〉 ==> 〈낙양 -- 2,000리 -- 대방 -- 7,000리 -- 반도 동남단(구야한국) -- 5,000리 -- 왜(야마다)〉로 간주한 것이다.

그런데 [후한서]와 [삼국지]에서 반도남부의 거리가 동서·남북 각 2,000리, 합 4,000리로 간주되었으므로 대방에서 구야한국까지 거리 7,000리는 〈대방 -- 3천리 -- 경기만(황해도) -- 4천리 -- 구야한국〉이라는 결론이 나온다.

대방은 낙양에서 2천 리, 황해도에서 3천 리

이것을 보면 3세기 위의 수도 낙양에서 대방까지는 2,000리이고, 대방에서 경기만(황해도)까지는 3,000리라는 것이다. 말하자면 3세기 위의 대방군의 위치는 〈낙양에서 2,000리, 경기만(황해도)에서 3,000리〉라는 두 거리조건을 동시에 만족시키면서 <항구를 끼고 있어야 한다>는 점이다.

여기서 다시 [후한서] 군국지[11])에, 수도 낙양에서 각 군까지의

---

11) [후한서] 군국지 『勃海郡高帝置 雒陽北千六百里 八城 戶十三萬二千三百八十九 口百一十萬六千五百 南皮 高城侯國 重合侯國 浮陽侯國 東光 武陽信延光元年復 脩故屬信都. 涿郡高帝置 雒陽東北千八百里 七城 戶十萬二千二百一十八 口六十三萬三千七百五十四 涿 遒侯國 故安易水出雹水出 范陽侯國 良鄉 北新城有汾水門 方城故屬廣陽有臨鄉有督[亢]亭. 廣陽郡高帝置為燕國 昭帝更名為郡 世祖省并上谷 永平(元)八年復 五城 戶四萬四千五百五十 口二十八萬六百 薊本燕國刺史治[1] 廣陽 昌平故屬上谷 軍都故屬上谷 安次故屬勃海. [1]漢官曰 雒陽東北二千里. 漁陽郡秦置

거리가 2천 리 내외인 동북방의 군들을 보면 다음과 같다.

　발해군은 천진의 서남방으로 황하 하류[東河;동하]에 가까운 지역이고 그 속현 南皮(남피)·東光(동광) 등이 지금도 滄州(창주)와 衡水(형수) 사이에, 武(무) 역시 그 일대에 지금도 武邑(무읍)으로 남아 있는데 1,600리라 한다.

　탁군은 지금의 북경 남쪽에 해당하고 그 속현 涿(탁)은 지금의 涿州(탁주)로, 故安(고안)은 固安(고안)으로, 良鄕(양향)은 북경시내 서남에 지금도 그대로, 北新城(북신성)도 북경 남쪽에 新城(신성)으로 남아 있는데 1,800리라 한다.

　광양군의 경우, 昌平(창평)과 軍都(군도)는 본래 전한 상곡군 속현으로 북경시내 서북 정도이며 安次(안차)는 지금도 북경과 천진 사이의 廊坊市(낭방시) 안차구로 남아 있고 薊(계)는 지금도 천진시내 북 薊縣(계현)으로 남아 있는데 2,000리라 한다.

　어양군은 광양군의 동북방이고 그 속현 平谷(평곡)이 북경시내 동쪽에 지금도 남아 있는데 2,000리라 한다.

　우북평군은 광양군에 인접한 동쪽이고, 그 속현 無終(무종)이 玉田(옥전)으로 바뀌었다 하는데 지금도 천진시 동북 인근에 남아 있고 2,300리라 한다.

대방군의 항구는 지금의 천진항

　따라서 대방군에 항구가 있으므로 낙양에서 2,000리 떨어졌다던 이 항구는 광양군의 薊(계)가 포함된 지금의 천진항으로 볼 수 있

雒陽東北二千里　九城　戶六萬八千四百五十六　口四十三萬五千七百四十 漁陽有鐵 狐奴 潞 雍奴 泉州有鐵 平谷 安樂 傂奚 獷平. 右北平郡秦置 雒陽東北二千三百里　四城　戶九千一百七十　口五萬三千四百七十五　土垠 徐無 俊靡 無終』

는 것이다. 동시에 천진 일대가 3세기 위의 대방군이라면 낙랑군 역시 이 대방군과 인접한 북에 있었다는 점이다. 왜냐하면, [삼국지] 한전12)에 의하면 「환제·영제 말기에 한예가 강성하여 군현이 통제할 수 없어 민이 한국으로 많이 흘러 들어갔다. 건안중에 공손강이 둔유현 이남 황지를 분할하여 대방군으로 삼았다」고 하여, 낙랑군의 남부지역을 나누어 대방군을 설치했다 하였기 때문이다. 이 결과를 보면 지금의 천진 일대의 대방군과 나머지 낙랑군이 [후한서] 군국지의 우북평군과 위치가 겹치는 것을 알 수 있다. 후한의 낙랑군과 대방군은 대략 천진~난하 정도로 볼 수 있는 것이다.

지도1. 3세기 조위의 대방군

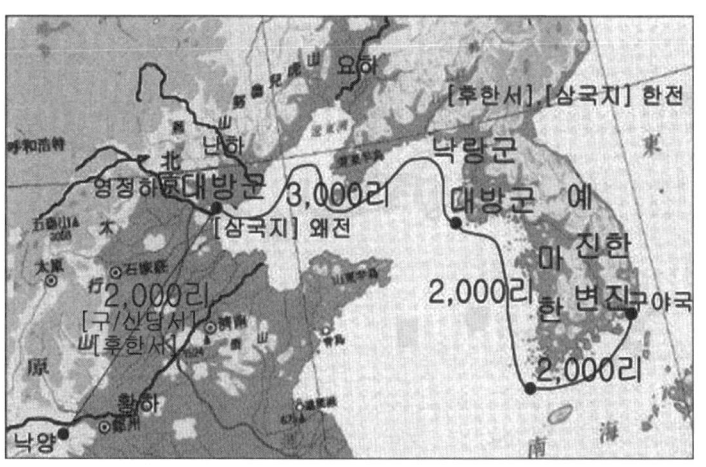

※ [후한서]나 [삼국지]의 한전을 보면 삼한이 반도 남부, 낙랑과 대방이 반도 서북부로 기술되어 있다. 그러나 [삼국지] 왜전을 보면 조위의 대방항이 지금의 천진항으로 나타난다.

---

12) [삼국지] 한전 『桓靈之末 韓濊彊盛 郡縣不能制 民多流入韓國. 建安中 公孫康分屯有縣以南荒地爲帶方郡 遣公孫模張敞等收集遺民 興兵伐韓濊 舊民稍出 是後倭韓遂屬帶方. 景初中 明帝密遣帶方太守劉昕樂浪太守鮮 于嗣越海定二郡 諸韓國臣智加賜邑君印綬 其次與邑長. 其俗好衣幘 下戶 詣郡朝謁 皆仮衣幘 自服印綬衣幘千有餘人. 部從事吳林以樂浪本統韓國 分割辰韓八國以與樂浪 吏譯轉有異同 臣智激韓忿 攻帶方郡崎離營. 時太 守弓遵樂浪太守劉茂興兵伐之 遵戰死 二郡遂滅韓』

지도2. 후한군국도

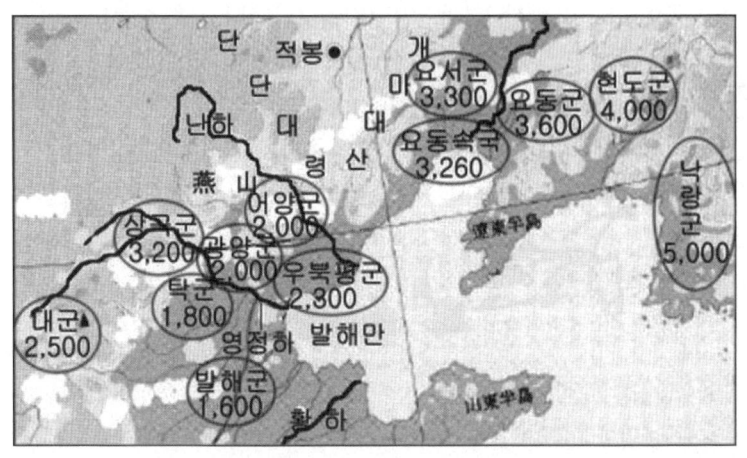

　　그런데 [후한서] 군국지 右幽州刺史部(우유주자사부)조에 수도 낙양에서 각 군까지 거리들을 좀 더 살펴보면 다음과 같이 나타난다.
(　　)의 이름들은 지금도 남아 있는 지명들이다.

　　지금의 천진 서남방, 황하 하류 서북방(남피·무·동광)의 발해군은 낙양 북 1,600리

　　지금의 북경 남쪽(탁·고안·북신성)에 해당하는 탁군은 낙양 동북 1,800리

　　지금의 북경·천진 일대(계·창평·안차)에 해당하는 광양군은 낙양 동북 2,000리

　　지금의 산서성 동북부(대)에 해당하는 대군은 낙양 동북 2,500리

　　지금의 북경 서쪽(거용·탁록)에 해당하는 상곡군은 낙양 동북 3,200리

　　지금의 북경시 동부(평곡)에 해당하는 어양군은 낙양 동북 2,000리

　　지금의 천진 동북(옥전;무종)에 해당하는 우북평군은 낙양 동북

2,300리

　지금의 난하 하류 동편으로 설정된 요서군은 낙양 동북 3,300리

　지금의 요하 하류 동편으로 설정된 요동군은 낙양 동북 3,600리

　전한세의 요서·요동군의 현을 3개씩 분할하여 만든 요동속국은 낙양 동북 3,260리

　지금의 요하 하류 동편의 요동보다 멀게 설정된 현도군은 낙양 동북 4,000리

　지금의 천진~난하에 해당하는 낙랑군은, 현도군보다 더 멀게 설정되어 낙양 동북 5,000리

　여기서 발해·탁·광양·어양·우북평군 등의 경우는 상대적으로 거리에 무리가 없으나 대·상곡군 등은 거리가 잘못된 것임을 한 눈에 알 수 있는 것이다. 또 요서·요동군의 경우는 겉보기로 보면 지금의 요하를 기준으로 동서에 위치한 듯하여 대체로 부합하는 것 같지만 이 위치는 작위적으로 설정된 것으로서 어디까지나 위사인 것이다. 왜냐하면 후한의 낙랑군과 대방군이 천진~난하에 있는데 그 동쪽에 요서군과 요동군이 있을 수는 없기 때문이다.

　〈3세기 위나라 대방군 위치는 낙양에서 2천 리, 경기만(황해도)에서 3천 리〉이므로 결과적으로 낙양에서 경기만(황해도)까지 5천 리가 되는 셈인데, 이것은 경로가 일부 다르기는 하지만 낙랑군이 낙양 동북 5천 리라는 [후한서] 군국지의 거리와 일치하고 있다. 즉 낙양에서 천진(대방)까지는 육로 2천 리로 같고, 거기서 왜로 가는 사신길은 해로로 경기만(황해도)까지 3천 리인데, 군국지의 낙랑군 거리는 육로로 3천 리라는 것이다. 말을 바꾸면 원래는 하북성 동북부 천진~난하에 있던 낙랑군을, 반도 남부로 간주한 삼한의 북에 있다고[馬韓在西　有五十四國　其北與樂浪] 미리 설정하고 [후한서] 한전과 군국지를 썼다는 것이다. [삼국지] 한전에는 낙랑군의 남부를

분할하여 만든 대방의 남에 삼한이 있다 하여[韓在帶方之南], 대방이 영락없이 황해도로 보이게 되어 있다는 것이다. 이것은, <(후한)낙랑군남부=(위)대방군=황해도>로 의도적으로 설정하고 동으로 3천리나 밀어내기하여 위사를 쓴 것이다.

각도를 달리해 보면, [후한서] 군국지 낙랑군조에 속현들이 「朝鮮(조선) 訥邯(남한) 浿水(패수) 含資(함자) 占蟬(점제) 遂城(수성) 增地(증지) 帶方(대방) 駟望(사망) 海冥(해명) 列口(열구)[1] 長岑(장잠) 屯有(둔유) 昭明(소명) 鏤方(누방) 提奚(제해) 渾彌(혼미) 樂都(낙도). [1]郭璞注山海經曰 列 水名 列水在遼東[13]」 등인데, [진서] 지리지 평주조에는 낙랑군 속현으로 「朝鮮周封箕子地 屯有 渾彌 遂城秦築長城之所起 鏤方 駟望」 등 6현이고, 대방군 속현은 「帶方 列口 南新 長岑 提奚 含資 海冥」 등 7현이다. 대방군의 경우 南新(남신)을 제외하고는 전부 후한의 낙랑군 속현들 그대로임을 확인할 수 있다. 낙랑군을 분할하여 만든 군이기 때문이다.

[한서] 조선전[14]에 보면, 한무제 원봉3년(BC108) 여름 조선인 尼谿相(이계상) 叁(삼)이 「사람을 시켜 조선왕 우거를 살해하고 항복해 왔다[使人殺朝鮮王右渠來降]」고 하였고, 그 후 「마침내 조선을 평정하고 진번·임둔·낙랑·현도 네 군으로 삼았다[遂定朝鮮爲真

---

13) 열수가 있는 열구현이 대방군 속현으로 되어 있는데 학계의 통설에 따르자면 황해도에 열수가 있었다는 말이 된다. 이 경우 열수를 대동강으로 보기 쉽지만 곽박은 열수가 요동에 있다 하였으므로 이에 따르자면 대방군이 요동에 있었다는 말이 된다. 실사로도 대방군은 요동지역에 있었다.

14) [한서] 조선전 『左將軍已井兩軍 即急擊朝鮮 朝鮮相路人 相韓陶 尼谿相 叁 將軍王唊 相與謀曰 始欲降樓船 樓船今執 獨左將軍并將 戰益急 恐不能與 王又不肯降 陶 唊 路人 皆亡降漢 路人道死 元封三年夏 尼谿相叁 乃使人殺朝鮮王右渠來降 王險城未下 故右渠之大臣成已又反 復攻吏 左將軍使右渠子長 降相路人子最 告諭其民 誅成已 故遂定朝鮮爲真番臨屯 樂浪玄菟四郡 封叁爲澅清侯 陶爲秋苴侯 唊爲平州侯 長爲幾侯 最以父死頗有功 爲沮陽侯 左將軍徵至 坐爭功相嫉乖計 棄市 樓船將軍亦坐兵至列口當待左將軍 擅先縱 失亡多 當誅 贖爲庶人』

番臨屯樂浪玄菟四郡]」고 한다.

임둔군의 위치

여기서 최근 臨屯太守章(임둔태수장) 封泥(봉니)가 발견된 錦西市(금서시)를 포함한 지금의 난하 하류 동편 요서의 남부 일대를 임둔군으로 비정하면 낙랑은 역시 지금의 난하부터 천진까지로 볼 수 있다. 낙랑군의 남부를 분할하여 설치한 대방군의 항구가 지금의 천진항으로 비정되므로, 최초의 낙랑군은 난하 하류 서편에 있었던 것이 된다.

현도군의 위치

한편 [후한서] 군국지에서 현도군은 낙랑군보다 낙양에서 1,000리나 가까운 것으로 되어 있는데, 낙랑군의 위치가 실제로는 낙양에서 2,300리 된다는 우북평의 위치와 비슷하므로 대략 보아도 5,000리의 반인 2,500리 정도밖에 안 되는 거리이다. 같은 요령으로 현도군 4,000리를 반으로 보면 대략 낙랑의 서북 정도로 추정할 수 있는데, [후한서] 동옥저전에 의하면 (진번과 임둔을 각각 현도와 낙랑에 합쳐 두 군으로 만들었을 때 위치로부터) 이맥의 침입으로 고구려 서북으로 옮겼다[後爲夷貊所侵 徙郡於高句驪西北]고 하는 위치로 볼 수 있다. 따라서 최초의 현도군 위치를 낙랑군의 북으로 보면 난하 중류 서쪽으로 볼 수 있다. 그러면 [후한서] 군국지의 어양군(평곡현이 낙양에서 2,000리) 위치와 겹치게 된다.

지도3. 무령산과 난하 중류

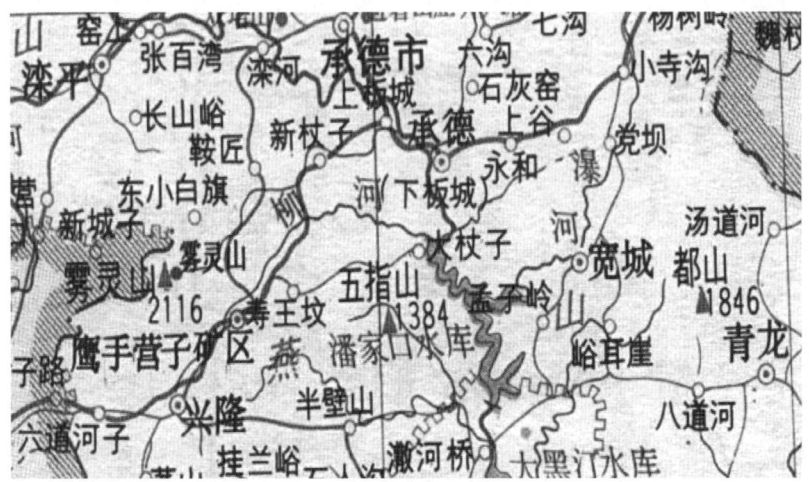

※ 지도 왼편 霧靈山(무령산;2116m)은 북경에서 동으로 나가는 통로인 연산
도 서쪽 입구에 있다. 그 서쪽의 新城子(신성자)가 고구려 서변요해처로 연산
도 서쪽 입구를 지키던 신성이다. 그 남쪽 興隆(흥륭)이 현도군 중심인 고구
려현으로 추정되고 중앙 위쪽의 承德市(승덕시)가 근세 熱河市(열하시)이다.
현도군의 동으로 난하 건너 승덕시의 동남에 있는 舊승덕이 고구려 초기수도
졸본으로 비정되고 다시 그 동남의 寬城(관성)이 국내성으로 비정된다. 국내
성을 끼고 흐르는 瀑河(폭하)가 비류수이며, 그 동남의 都山(도산;1846m)이
바로 고구려 丸都山(환도산)이다. 졸본으로 비정되는 舊승덕의 동북에 보이는
석회굴이 고구려인들이 매년 禳神(수신)을 제사지냈다던 '國東大穴(국동대혈)'
로 보이고 [삼국사기] 민중기에 왕을 장사지낸 동굴로도 추정된다. 고구려는
현도군과 압록수(난하)를 경계로 하였다.

진번군의 위치

그런데 [한서] 지리지 현도군[15])에 대한 應劭(응소)의 주에 「故眞番 朝鮮胡國」이라 하여 진번이 현도군에 흡수된 것으로 되어 있는데 소제 시원5년(BC82) 군현 통합시의 일일 것이다. 이에 따르면 진번이 낙랑의 북 난하 중류 서편에 있던 현도군지로 편입되었으므로, 진번은 난하 중류 동편에 있었다고 볼 수 있다.

따라서 최초 설치했던 당시 4군의 동방한계는 임둔군이 되고 진번은 임둔의 서북에 있었다고 볼 수 있다. [한서] 무제 원봉3년 가을 4군 설치기사에 '茂陵書(무릉서)'를 인용한 臣瓚(신찬)의 주에 의하면 진번이 임둔보다 1,500리 멀었다고도 한다. 이 정도라면 진번은 지금의 요동반도 동쪽 정도로 보아야 하고, 이 경우 군현들이 천진부터 지금의 요동의 동쪽까지 길게 늘어선 모양새가 되는데 이런 것은 현실적으로 생각하기 어려운 일이다.

이와 같이 후한의 동북부를 차지하고 성립된 3세기 위의 대방군이 지금의 천진 일대였고, 위나라의 동방한계였던 낙랑군은 대방군과 동북으로 인접한 '난하이서'에 존재했던 것이다. 후한의 낙랑군 동쪽경계는 난하에 해당하고, 그 전에 난하 중하류의 동부는 낙랑군 領東七縣(영동칠현)이었는데 전한말에 고구려가 차지하여 오래도록 중심부로 삼았던 곳이다.

---

15) [한서] 지리지 현도군조 『玄菟郡 武帝元封四年開 高句驪 莽曰下句驪.屬幽州[1] 戶四萬五千六 口二十二萬一千八百四十五 縣三 高句驪 遼山遼水所出 西南至遼隊入大遼水. 又有南蘇水 西北經塞外[2] 上殷台 莽曰下殷[3] 西蓋馬 馬訾水西北入鹽難水 西南至西安平入海 過郡二 行二千一百里 莽曰玄菟亭. [1]應劭曰 故眞番 朝鮮胡國. [2]應劭曰 故句驪胡. [3]如淳曰 台音鮐 師古曰 音胎』

단단대령은 칠로도산

전한말 고구려가 차지한 낙랑군 영동칠현에 대해서는 [후한서]와 [삼국지]의 예전과 동옥저전에 상세히 기술되어 있다. 이 '嶺(영;嶺)'은 單單大嶺(단단대령)을 가리키는데, 그 비정조건으로 <전한시 동부도위 설치 이후의 낙랑군 영역 내에까지 산맥이 뻗쳐들어 있어야 하고, 후한세의 낙랑군(천진~난하)과는 인접해야> 하므로, 난하 일대 낙랑군의 북쪽이자 적봉의 서쪽에, 서북에서 동남으로 약간 기울어져 비스듬히 달리는 지금의 七老圖山(칠로도산)으로 보지 않을 수 없는 것이다.

지도4. 전한 4군

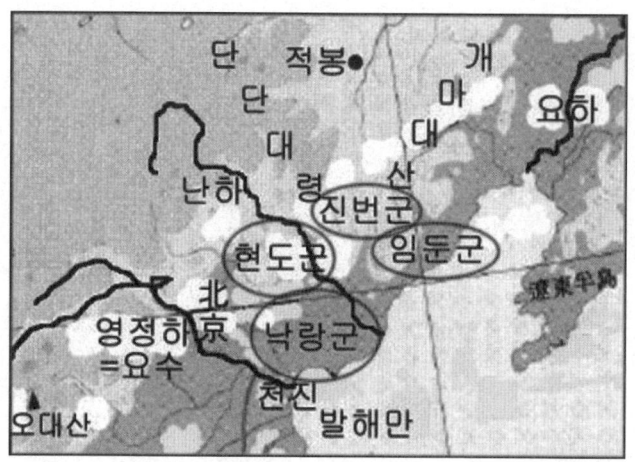

※ 전한 무제 원봉3년(BC108) 조선구지에 최초로 설치된 한사군이다.

※ 진번은 동예와 북옥저에 설치되었고 임둔은 남옥저에 설치되었다.

지도5. 전한 2군

※ 전한 소제 시원5년(BC82년) 낙랑과 현도 두 군으로 통폐합한 상황이다.

※ 위의 상황에서 후에 夷貊(이맥)의 침입으로 舊진번지역에서 밀려난 현도군은 난하(압록수) 서쪽으로만 국한되게 되었고, 다시 한은 舊진번지역까지 아우른 난하 동편의 7개현을 묶어 낙랑군에 편입시키게 된다. 영동칠현은 단단대령의 동에 있는 7현인데 그 중 화려와 불이가 동예였고 나머지 5현은 옥저였다. 그 후 화려와 불이에서 고구려가 일어난 것을 보면 舊진번지역을 침공했던 이맥이 바로 고구려건국세력임을 알 수 있다(淸의 丁謙도 이맥을 고구려로 보았다). 華麗(화려)는 고구려의 최초수도 졸본으로 지도3에서 승덕시의 동남에 있는 舊승덕으로 추정되며, 不而(불이)는 고구려 국내성이 있던 곳인데 관성이 그곳이다. 고구려는 예맥고지(하북성 북부 및 중동부의 발해만서안) 중에서도 가장 동쪽의 난하(압록수) 중류 동편의 동예에서 일어났던 것이다.

한사군의 정확한 위치를 찾기 위한 기본적인 기록은 [후한서]와 [삼국지]의 한전과 왜전인데 이로써 3세기 조위의 대방군을 정확히 찾을 수 있다. 이 대방군을 찾으면 후한의 낙랑군(18현)을 찾을 수 있고, 여기서 시대를 다시 거슬러 올라가면 전한 낙랑군의 위치와 현도군의 위치를 찾을 수 있고 다시 최초 한사군 전체의 위치도 찾을 수 있게 되는 것이다.

고구려 위치

[후한서] 고구려전16)에 『고구려는 요동의 동으로 천 리에 있다. 남으로 조선과 예맥이 있고, 동에는 옥저가 있고, 북으로는 부여와 접한다. 큰 산과 깊은 계곡이 많고, 그에 따라 사람들이 산다…(중략)…무제가 조선을 멸하고 고구려를 현으로 삼아 현도에 속하게 했다…(중략)…옥저와 동예가 모두 속한다』

고구려의 위치가 요동에서 천 리 되는 곳이라 한다. 즉 고구려의 서쪽 천 리 정도에 요동이 있다는 뜻이다. 고구려가 「남으로 조선과 예맥을 접한다[南與朝鮮濊貊]」고 하는데 조선은 앞에서 본 낙랑군(천진~난하)을 가리키는 것이고, 동예는 초기고구려 자체이며, 동으로 옥저는 난하 중하류 동쪽 즉 지금의 요하 하류 서방일대에 해당하고, 북으로 부여가 있다는 것은 적봉의 북으로 부여고지에 해당할 것이다. 이때 고구려의 위치는 난하 중하류의 동편이며 적봉이남 정도로 볼 수 있다.

다만 여기서 조선과 부여, 옥저, 예맥 등과의 상대적인 위치는 [후한서]와 [삼국지] 동이전의 위사에 따른 지금의 요동반도이남 한반도의 낙랑·옥저·예맥과 동만주의 동부여 등과의 상대적인 위치와도 대체로 비슷하다는 것이다.

[삼국사기]에 의하면 고구려는 서기전 37년에 건국되었는데, 위의 기록을 보면 한무제 이전 고조선시대에도 또 다른 고구려가 있었던 것으로 되어 있다. 한이 조선을 멸했을 때 그 전부터 있던 고구려는 현으로 하여 현도군에 소속시켰다[武帝滅朝鮮 以高句驪

---

16) [후한서] 고구려전 『高句驪 在遼東之東千里 南與朝鮮濊貊 東與沃沮 北與夫餘接 地方二千里 多大山深谷 人隨而爲居…(중략)…武帝滅朝鮮 以高句驪爲縣 使屬玄菟…(중략)…沃沮東濊皆屬焉』

爲縣 使屬玄菟]고도 한다. 이것은 현도군 고구려현으로서 주몽이 건국한 고구려라는 고대국가와는 다른 것으로 되어 있다. [한서] 지리지 현도군조[15] 고구려현에 대한 [응소]의 주2에도 보인다[故句驪胡]. 주몽의 고구려와는 다른 이 고구려를 [후한서]와 [삼국지]에서는 각각 句驪(구려)와 句麗(구려)라 하고 [요사] 지리지에서는 稾離國(고리국)이라 하였으며 중인학자들은 高夷(고이)라 부르기도 한다.

[후한서] 군국지 현도군조[17]와 [한서] 지리지 현도군조[15]를 비교해보면 고구려와 서개마, 상은대 3성은 그대로인데 전한세 요동군의 고현과 후성, 요양 등 3현이 현도군으로 이관된 것으로 되어 있다.

[후한서] 동옥저전[18]에 『…(전략)…무제가 조선을 멸하고 옥저 땅을 현도군으로 삼았다. 후에 이맥의 침입으로 군을 고구려 서북으로 옮기고, 다시 옥저를 현으로 하여 낙랑 동부도위에 속하게 했다. 광무에 이르러 도위관을 없앴다. 후에 모두 그 거수를 봉하여 옥저후로 삼았다. 그 땅이 좁고 작아 대국의 사이에 끼어 있어 마침내 구려에 신속하였다. 구려는 다시 그 곳에 대인을 두어 사자로 삼아…』

한무제가 조선을 멸하고 옥저를 현도군으로 삼았다는 것은 난

---

17) [후한서] 군국지 현도군조 『玄菟郡武帝置 雒陽東北四千里 六城 戶一千五百九十四 口四萬三千一百六十三 高句驪遼山遼水出 西蓋馬 上殷台 高顯故屬遼東 候城故屬遼東 遼陽故屬遼東』
18) [후한서] 동옥저전 『東沃沮在高句驪蓋馬大山之東[蓋馬 縣名 屬玄菟郡 其山在今平壤城西 平壤即王險城也] 東濱大海 北與挹婁夫餘 南與濊貊接 其地東西夾 南北長 可折方千里…(중략)…武帝滅朝鮮 以沃沮地為玄菟郡 後為夷貊所侵 徙郡於高句驪西北 更以沃沮為縣 屬樂浪東部都尉 至光武罷都尉官 後皆以封其渠帥為沃沮侯 其土迫小 介於大國之間 遂臣屬句驪 句驪復置其中大人(遂)為使者…』

하 중류의 동편이 옥저였다는 뜻인데, 소제 때의 진번 통합을 무제 때의 일로 기록한 것으로 보인다. 「후에 이맥의 침입으로 군을 고구려 서북으로 옮겼다[後為夷貊所侵 徙郡於高句驪西北]」고 하는데 이때 이맥은 고구려건국세력이다. 다시 옥저를 현으로 하여 낙랑 동부도위에 속하게 한 것은, 현도군을 고구려 서북으로 옮겨가면서 현도에 속했던 난하 동편의 옥저고지 일부(북옥저)를 낙랑군 영동칠현에 소속시켰다는 뜻이다. 그런데 후한 광무 건무6년(30년)에 도위관을 없애고 직할통치를 파한 후 거수들을 옥저후로 삼았는데 마침내 구려(고구려)에 복속하여 구려(고구려)가 다스렸다 한다.

그렇다면 현도군 중 난하 동편(북옥저)은 고구려로 넘어간 영동칠현에 속하므로 후한세에는 이미 고구려령이 되어 있는 것이다. 그런데 현도군을 고구려의 서북으로 이동한 후 [후한서] 군국지에는 전한세의 원래 3현에 요동군 소속의 3현이 새로 추가된 듯이 기술되어 있다. 고구려현은 진세에도 보이지만 전한세의 상은대·서개마 두 현이 그대로 유지되고 있는 것은 이상한 기록이다. 군국지에는 고구려로 넘어간 두 현도 그대로 있다는 듯이 걸쳐둔 것인데 사실은 틀린 것이다. 蓋馬大山(개마대산)은 지금의 요서 努魯兒虎山(노로아호산)이므로 그 서쪽 북옥저(舊진번)에 서개마와 상은대 두 현이 있었던 것 같다.

현도는 최초 속현이 고구려(고리) 하나로 출발하였고 진번을 합쳤을 때 고구려(고리), 상은대, 서개마 등 세 현이 되었다가 고구려 서북으로 옮겨갔을 때 고구려(고리), 고현, 후성, 요양 등 네 개였을 터인데 상은대와 서개마도 있다는 듯이 기술한 것이다.

낙랑군 영동칠현이 고구려령이 된 것이 [삼국사기]에는 유리왕 3년기(BC17)에 영토를 여성으로 의인화하여, 「겨울 10월, 왕비 송씨가 훙했다. 왕은 다시 두 여인을 취해 계실로 삼았다. 한 사람은 화희인데 골천인의 딸이었다. 한 사람은 치희인데 한인의 딸이었다[冬十月 王妃松氏薨. 王更娶二女以繼室, 一曰禾姬 鶻川人之女也, 一曰雉姬 漢人之女也]고 하였다. 「漢人之女(한인지녀)」란 <한의 영토의 일부>라는 뜻이다[19]. 고대사서상의 신화설화 또는 신화설화체 기사에 등장하는 여인은 실존인물이 아니고 영토(통치권)를 의인화한 인물이다.

[후한서] 예전[20]에 『…조선후 준에 이르러 스스로 왕을 칭했다. 한나라 초기 대란이 나자 연·제·조인 중 난을 피해 간 사람들이 수만 명이나 되었는데 연인 위만이 준을 쳐서 깨뜨리고 스스로 조선의 왕이 되어 나라가 손자 우거에까지 전해졌다. 원봉3년에 이르러 조선을 멸하고 낙랑·현도·진번·임둔 4군을 나누어 설치했다. 소제 시원5년에 이르러 임둔·진번을 파하고 낙랑과 현도에 합쳤는데 현도는 다시 구려로 옮겼다. 단단대령 동쪽의 옥저와 예맥은 모두 낙랑에 소속시켰다. 후에 지역이 넓고 멀어 다시 대령의 동쪽 7현을 나누어 낙랑 동부도위를 두었다…(중략)…건무6년 도위관을 없애고 마침내 영동의 땅을 포기하면서 전부 그곳 거수들을 현후로 봉했는데 세시마다 조하하였다』

---

19) 신화설화의 여성;「玉이 변하여 된 처가 도망하였다 하여 왕권을 상실한 것으로 표현하고 있다…(중략)…이렇게 말한 처는 말 그대로 처가 아니라 玉이 변하여 되었다 하였으므로 왕권을 의인화한 것이다. 부언하자면 [紀記]상에 수많은 여인이 등장하지만 거의 모두가 위의 경우처럼 속령관계를 의인화한 암호로 쓰이고 있다<백제에 의한 왜국통치 삼백년사/윤영식/하나출판사/1987년/p36>」, 「신화설화의 알과 여성<삼국사기 초기기록/송종성/서림재/2007년/p116>」

20) [후한서] 예전 『…至朝鮮侯準 自稱王 漢初大亂 燕齊趙人往避地者數萬口 而燕人衛滿擊破準而自王朝鮮 傳國至孫右渠 元朔元年 滅君南閭等畔右渠 率二十八萬口詣遼東內屬 武帝以其地爲蒼海郡 數年乃罷 至元封三年 滅朝鮮 分置樂浪臨屯玄菟眞番四郡 至昭帝始元五年 罷臨屯眞番 以幷樂浪玄菟 玄菟復徙居句驪 自單單大領已東 沃沮濊貊悉屬樂浪 後以境土廣遠 復分領東七縣 置樂浪東部都尉…(중략)…建武六年 省都尉官 遂棄領東地 悉封其渠帥爲縣侯 皆歲時朝賀』

네 군의 설치는 전한 무제 원봉3년(BC108)인데 26년 만인 소제 시원5년(BC82년)에 낙랑과 현도 두 군으로 줄였다고 한다.

설치한 지 26년 만에 두 군을 파할 정도면 처음부터 한의 힘이 임둔·진번에는 미치지 못한 상태로 정치적 통치행위와는 무관하다 할 수 있는 것이다. 후한세에도 지역이 넓고 멀어 포기했다고 할 정도이므로, 애초에 거수들에게 그냥 직함만 주고서 국명을 열거하여 군을 설치했다고 과장한 것으로 보아야 할 것이다. 형식적으로 직함만 주어도 태수장 같은 인장은 있을 수 있는 것이다. 정치·군사력이 미치지 못하는 곳인데도 威勢(위세)로 외교를 하는 방법이라 할 수 있다. [한서] 조선전에는 진번·임둔이 소국의 이름으로 나온다. [한서] 무제 원봉6년기(BC105)에는 3군이라고도 하고, 원정5년기(BC111)에는 「원봉중에 낙랑·현도 2군을 설치했다」고도 하며, 소제 시원5년기(BC82)에는 「진번군을 파했다」고도 한다. [후한서] 예전과는 달리 임둔에 대해서는 말이 없다.

그러다가 「현도는 다시 구려로 옮겨 거했다[玄菟復徙居句驪]」는 것은 고구려가 현도군지 중 난하 동편(동예)을 차지하자, 현도는 난하 서편 고구려현(소수맥/구려)을 중심으로 옮겨 간 것으로 이해된다. 그것이 [후한서] 동옥저전[18]에는, 최초 현도군이 설치된 위치(고구려현/구려/소수맥)에서 진번을 통합하여 난하 중류 동편에 중심(옥저성/불이성)을 두고 있다가, 「후에 이맥의 침입으로 고구려 서북으로 옮겼다[後爲夷貊所侵 徙郡於高句驪西北]고 하고 있는 것이다. 그 후 지역이 넓고 멀어 다스리기 어려우므로 낙랑의 영동칠현을 나누어 동부도위부를 두었다가 후한 광무 건무6년(30)에는 그것도 파했다 하는데 이 지역이 이미 실질적으로는 고구려로 넘어갔기 때문이다. [후한서] 예전[20]에 「단단대령 동쪽의 옥저와 예맥은 모두 낙랑에 속했다[自單單大領已東 沃沮濊貊悉屬樂浪]」고 하는데 [후한서] 고구려전에 「옥저와 동예가 모두 (고구려에) 속한다[沃沮東濊皆屬焉]」는 내용과 일치한다. 고구려가 낙랑영동칠현에서 일어나 칠현을 다 차지한 상황을 정확히 기술한 것이다.

[삼국지] 고구려전21)『고구려는 요동의 동으로 천 리에 있다. 남으로 조선과 예맥이 있고, 동으로 옥저가 있으며, 북으로는 부여와 접했는데 환도의 아래에 도읍하였다. 사방 2천 리에 호수는 3만이다…(중략)…한대에는 북과 피리, 악공을 주었는데 늘 현도군으로부터 조복과 의책을 받았다. 고구려령이 그 명부를 맡았다. 후에 교만, 방자해져 다시 군에 오지 않으므로 군의 東界(동계)에 작은 성을 쌓고 조복과 의책을 그 안에 두면 세시에 와서 가져갔다. 지금도 胡(호)는 이 성을 책구루라고 한다. 구루는 성의 구려 이름이다…(중략)…옥저와 동예가 모두 속한다. 또 소수맥이 있다. 구려는 대수에 의지하여 나라를 세웠는데 서안평현의 북으로 소수가 있어 남으로 흘러 바다로 들어간다. 구려의 별종이 소수에 의지하여 나라를 세웠으므로 소수맥이라 하였다. 좋은 활이 나는데 이른바 맥궁이 그것이다』

위치설명은 [후한서] 고구려전16)과 같다. 이 고구려는 요동의 동으로 천 리에 있고 大水(대수)에 의지해 나라를 세웠다고 한다. 고구려의 초기강역은 난하의 동편 낙랑의 영동칠현을 중심으로 했으므로 대수는 지금의 난하일 수밖에 없는 것이다. 난하의 동편 영동칠현의 고구려 기준으로 서쪽 천 리 정도에 요동이 있다는 뜻이다. 지금의 요동반도 동쪽에 고구려가 있는 것으로 된 위사구도에 따르면 대수를 지금의 압록강으로 보게 된다.

---

21) [삼국지] 고구려전『高句麗在遼東之東千里 南與朝鮮濊貊 東與沃沮 北與夫餘接 都於丸都之下 方可二千里 戶三萬…(중략)…漢時賜鼓吹技人 常從玄菟郡受朝服衣幘. 高句麗令主其名籍 後稍驕恣 不復詣郡 於東界築小城 置朝服衣幘其中 歲時來取之 今胡猶名此城爲幘溝漊 溝漊者 句麗名城也…(중략)…沃沮東濊皆屬焉. 又有小水貊. 句麗作國 依大水而居 西安平縣北有小水 南流入海 句麗別種依小水作國 因名之爲小水貊. 出好弓 所謂貊弓是也』

[삼국지] 동옥저전22)에 『동옥저는 고구려의 개마대산 동에 있는데 큰 바다에 연해 산다. 그 땅의 생김새가 동북간은 좁고, 서남간은 길어 천 리나 된다. 북으로는 읍루와 부여를 접하고 남으로 예맥과 접한다. 호수는 5천인데 대군왕은 없고, 그 언어는 고구려와 대체로 같고 때때로 약간 다르다. 한나라 초기 연의 망명인 위만이 왕이 되었을 때 옥저가 모두 속했다. 한 무제 원봉2년 조선을 쳐서 만의 손자 우거를 죽이고 그 땅을 나누어 4군으로 삼았는데 옥저성을 현도군으로 했다. 후에 이맥의 침입을 당해 군을 구려 서북으로 옮겼다. 지금의 소위 현도고부라는 것이 그것이다. 옥저는 다시 낙랑에 속하게 되었는데 한은 땅이 넓고 멀어 단단대령 동쪽의 땅을 나누어 동부도위를 두고, 불내성을 치소로 하여 영동칠현을 따로 맡아보게 했다. 이때 옥저도 모두 현으로 삼았다. 한 건무6년에 변두리 군을 줄였는데 도위도 이 때문에 파했다. 그 후에는 모두 그 현의 거수들을 현후로 삼았다. 불내.화려.옥저제현이 모두 후국이 되었다…(중략)…관구검이 구려를 쳤을 때 구려왕 궁이 옥저로 달아나므로 마침내 군사를 진격시켜 공격했는데 옥저의 읍락이 모두 깨지고 3천여 급이 죽거나 포로가 되었다. 궁은 북옥저로 달아났는데 북옥저는 일명 치구루라고 한다. 남옥저와 8백 리 떨어져 있고 그 풍속은 남북이 모두 같다』

위에서 동옥저의 위치 설명은 [삼국지] 한전의 삼한을 반도 남부로 설정한 것처럼, 옥저를 반도의 함남 정도로 설정하고 쓴 것

---

22) [삼국지] 동옥저전 『東沃沮在高句麗蓋馬大山之東 濱大海而居 其地形東北狹 西南長 可千里 北與挹婁夫餘 南與濊貊接 戶五千 無大君王 世世邑落 各有長帥 其言語與句麗大同 時時小異 漢初 燕亡人衛滿王朝鮮 時沃沮皆屬焉 漢武帝元封二年 伐朝鮮 殺滿孫右渠 分其地爲四郡 以沃沮城爲玄菟郡 後爲夷貊所侵 徙郡句麗西北 今所謂玄菟故府是也 沃沮還屬樂浪 漢以土地廣遠 在單單大領之東 分置東部都尉 治不耐城 別主領東七縣 時沃沮亦皆爲縣 漢建武六年 省邊郡 都尉由此罷 其後皆以其縣中渠帥爲縣侯 不耐華麗沃沮諸縣皆爲侯國…(중략)…毋丘儉討句麗 句麗王宮奔沃沮 遂進師擊之 沃沮邑落皆破之 斬獲首虜三千餘級 宮奔北沃沮 北沃沮一名置溝婁 去南沃沮八百餘里 其俗南北皆同』

이다. 왜냐하면 원래의 옥저고지는 지금의 요서지역이므로 그 남으로는 예맥과 접하는 것이 아니고 발해에 해당하기 때문이다. 지금의 요서지역의 북에 동북에서 서남으로 비스듬히 달리고 있는 노로아호산이 고대사서에 나오는 개마대산인데 이것이 지금은 반도 북부 중앙 함경남도 개마고원으로 이름이 옮겨져 있다.

한의 4군이 생길 때 최초 옥저를 현도로 하였다가 이맥의 침입으로 현도는 고구려 서북으로 옮겼다는 것은 [후한서]에도 있었지만, 옥저를 현도로 했다는 것은 최초 설치시가 아니고 진번이 합병되었을 때의 일이다(소제 시원5년;BC82). 군의 이전은 고구려의 서쪽 천 리에 있다던 요동 쪽으로 옮겼다는 뜻인데 후한세의 현도군에 전한세의 요동군 속현 3개가 포함된 사실과 부합한다.

그 후 옥저는 낙랑이 되었는데 단단대령 동부 7현을 나누어 동부도위를 두었다 하고, 「불내·화려·옥저제현을 모두 후국으로 삼았다[不耐華麗沃沮諸縣皆爲侯國]」고 한다. 이때 '옥저제현'이 [후한서] 동옥저전[18]에는 「다시 옥저를 현으로 삼아 낙랑 동부도위에 소속시켰다[更以沃沮爲縣 屬樂浪東部都尉]」고 되어 있다. [후한서] 예전[20]에는 「단단대령에서 동으로 옥저·예맥이 모두 낙랑에 속했다[自單單大領已東 沃沮濊貊悉屬樂浪]」고 하므로 비교하면 '불내·화려'는 예맥으로 볼 수 있는데, 난하 동편 지금의 요서지역의 옥저와 섞여 살 정도로 예맥고지 중에서도 가장 동쪽에 위치한 이들이 바로 '동예'였던 것이다.

영동칠현은 난하의 중하류 동편에 해당하고, 바다를 연한 곳은 난하 하류의 동편으로 보아야 할 것인데 [삼국사기] 동천기에는 남옥저로 부르고 있다. 이곳은 전한세 4군을 설치했을 당시에는 임둔군지였던 지역이다.

이 영동칠현의 치소가 불내성인데[分置東部都尉 治不耐城 別主領東七縣], 옥저성으로 불리기도 하고 그 전 현도군의 치소이기도 했으며[分其地爲四郡 以沃沮城爲玄菟郡 後爲夷貊所侵 徙郡句

麗西北 今所謂玄菟故府是也], 이곳이 바로 '불이'라고도 불리는 고구려의 초기도읍 '국내'이기도 한 것이다. 난하 중류 동편 지금의 관성이 그곳이다(지도3).

[삼국지] 예전[23]에 『소제 시원5년(BC82)에 이르러 임둔·진번을 파하고 낙랑·현도에 합쳤는데 현도는 다시 구려로 옮겼다. 단단대산령의 서쪽은 낙랑에 속하고 영의 동으로 7현은 도위가 맡아보았는데 민은 모두 예인들이다. 후에 도위를 없애고 그 거수를 후로 봉했는데 지금의 불내예는 모두 그 종족이다. 한말에 다시 구려에 속했다…(중략)…정시6년(245) 낙랑태수 유무와 대방태수 궁준이 영동의 예가 구려에 복속하므로 군사를 일으켜 치자 불내후 등이 읍을 들어 항복하였다. 그 8년(247)에 조정에 와서 조공하므로 조하여 다시 불내예왕으로 봉하였다. 민간에 거처하면서 계절마다 군에 와서 조알하였다. 두 군에 전역이 있어 조세를 부과할 때는 공급케 하고 사역을 시켜 백성처럼 대우하였다』

고구려 초기의 영역에 해당하는 영동칠현이 화려와 불내, 옥저제현이라 하였고 민은 모두 예민이라 하므로 예와 옥저는 사실상 동종에 가깝다는 뜻이다. 동예와 옥저가 섞여 있다.

위의 내용들을 보면 낙랑군은 천진~난하에 해당하고, 고구려는 난하의 동편이며, 현도는 원래 난하 중류 서쪽 낙랑의 북에 있었는데 두 군으로 통폐합시 난하 중류 동서에 걸쳐 있었다가 난하 동편을 고구려 건국세력인 이맥에게 **빼앗**기자 요동군의 동북으로 옮겨간 것이다. 요동은 고구려의 서쪽이라 하였고, 현도는 고구려

---

23) [삼국지] 예전 『至昭帝始元五年 罷臨屯真番 以并樂浪玄菟. 玄菟復徙居句驪. 自單單大山領以西屬樂浪 自領以東七縣 都尉主之 皆以濊爲民 後省都尉 封其渠帥爲侯 今不耐濊皆其種也 漢末更屬句麗…(중략)…正始六年 樂浪太守劉茂 帶方太守弓遵 以領東濊屬句麗 興師伐之 不耐侯等擧邑降 其八年 詣闕朝貢 詔更拜不耐濊王 居處雜在民間 四時詣郡朝謁 二郡有軍征賦調 供給役使 遇之如民』

의 서북이라 하였으므로 상대적인 방향 역시 부합한다.

「현도는 다시 구려로 옮겼다[玄菟復徙居句驪]」고 하는 '구려'는 현도군 고구려현을 가리키고 동예지역에 중심을 두고 있던 현도가 난하 서쪽 고구려현으로 중심을 옮겨갔다는 뜻으로 이해되며 예전에서 「한말에 다시 구려에 속했다[漢末更屬句麗]」고 하는 '구려'는 초기고구려를 가리키는 것이다. 그 전에 네 군을 두 군으로 통폐합했을 때 현도가 중심을 두고 있던 동예를 이맥(고구려건국세력)이 차지했다는 뜻이다.

처음에 네 군을 설치했다가 26년 만에 낙랑과 현도 두 군으로 통합할 때 진번을 현도로 합쳤다가, 이맥(고구려건국세력)에 밀려 난하 중류 동편(舊진번)에 중심을 두고 있던 현도군은 요동군 속현을 일부 편입하여 중심을 요동 쪽으로 옮겨간 것이다. 그리고는 다시 난하 동편(舊진번임둔)은 영동칠현으로 묶어 낙랑 동부도위로 만들었다는 것이다.

이상을 보면 현도군과 낙랑 영동칠현에 대해서는 같은 내용을 이리저리 굴려서 고구려·동옥저·예전에 흩어둔 것이라 하지 않을 수 없다.

舊진번은 대략 동예와 북옥저에 해당하고 舊임둔은 남옥저에 해당한다. 고구려는 난하 동편 舊진번의 현도군을 밀어내고 영동칠현 중 동예(화려·불이)에서 일어난 것이다.

지도6. 이맥의 출현

※ 고구려건국세력인 이맥이 동예지역에서 현도를 밀어낸 상황이다.

지도7. 전한이 동부도위부를 설치

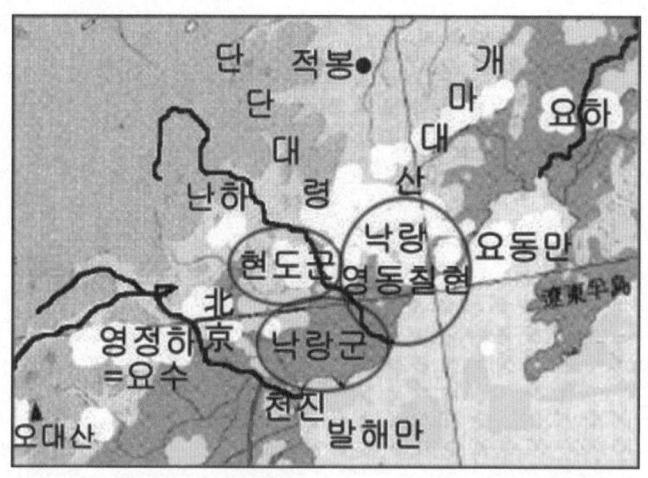

※ 형식적으로는 난하 동편도 전부 낙랑군에 편입시켰지만 실질적으로 너무 넓고 멀어 다스리기 어렵다 하여 난하 동편 영동칠현은 따로 동부도위부를 두어 다스리게 했다 한다. 그 중 동예지역(화려,불이)에서는 이맥(고구려건국세력)이 힘을 키우고 있었다. 그러다 「건무6년(30) 도위관을 없애고 마침내 영동지를 포기하면서 그 거수들을 모두 봉해 현후로 삼았는데 모두 세시마다 조하하였다」고 했다. 거수들을 현후로 임명해 다스렸다 하는데 초기고구려도 그 중 일부였을 수도 있을 것이다.

지도8. 후한 2군

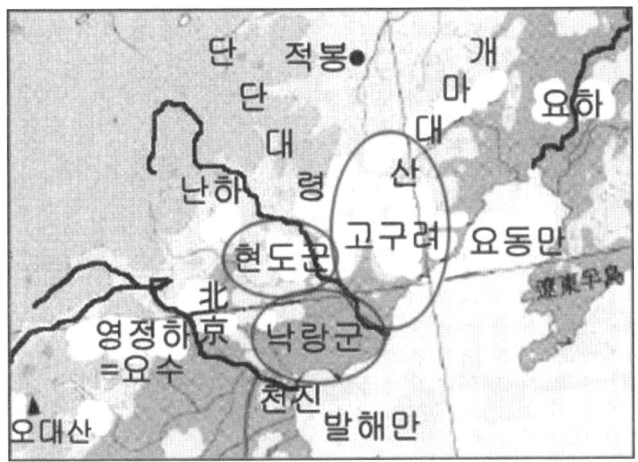

※ 고구려가 유리왕 3년(BC17)에 낙랑 영동7현을 전부 차지하였다(한인지녀 치희를 계실로 들였다). 동예지역에서 힘을 키운 고구려가 옥저 5개현도 마저 차지하였다.

지도9. 위진 3군

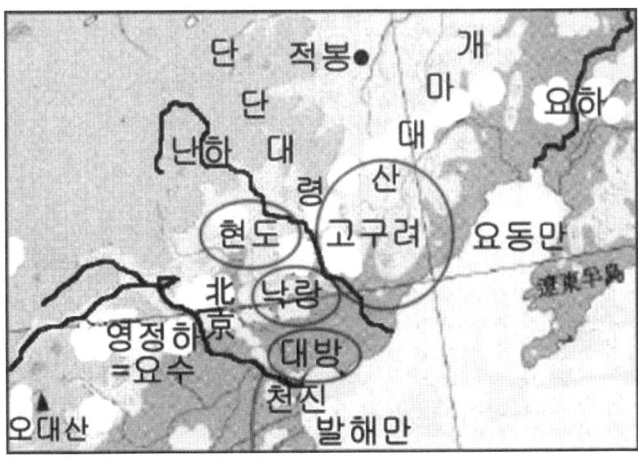

※ 후한말 공손강이 낙랑군 남부를 분할하여 대방군을 설치하였다.

요나라 동경도 흥주

[요사] 지리지 동경도 興州(흥주)는 한 (낙랑군) 해명현이라 하였는데 淸代의 [대청광여도]에는 분명히 천진과 난하 사이에 흥주를 기재하고 있다(제4장 [요사] 지리지/2. 동경도 흥주 참조).

한사군 경과

최초 전한 무제 원봉3년(BC108)에 설치되었다 하던 한사군은 난하 하류 서쪽의 낙랑군과 낙랑군의 북쪽 현도군, 난하 하류 동편 임둔군, 임둔군의 북으로 진번군이 있었던 것으로 보인다(지도4).

그러다 26년이 지난 소제 시원5년(BC82)에 진번은 현도에 임둔은 낙랑에 통합하여 현도는 난하 중류 동서에 걸쳐, 낙랑은 난하 하류 동서에 걸쳐 두 군으로 만들었다(지도5).

그 후 다시 현도가 고구려건국세력인 이맥에 밀려 난하 중류 서쪽으로 중심을 옮겨가게 되었다(지도6).

그 당시에 형식상이나마 난하 동편을 전부 낙랑군에 소속시켰는데 지역이 넓고 멀어 다스리기 어렵다고 영동칠현을 묶어 동부도위부를 따로 두었다 한다(지도7).

그마저도 제대로 다스리기 어려워 후한 광무 건무6년(30) 「영동지를 마침내 포기했다」 하였는데 영동칠현 전부를 고구려가 차지한 것이다(지도8).

그러나 실질적으로는 전한말 고구려 유리왕 3년(BC17)에 이미 영동칠현 전부가 고구려령이 된 것이 [삼국사기]에는 치희설화로 꾸며져 있고 이것이 [삼국지] 예전에는 「(전)한말 다시 구려에 속했다」고 되어 있다[23].

이후 고구려는 대무신왕 20년(37)에 후한의 낙랑군(18현)을 침공하여 점령하였으나 7년 만인 44년에 발해만을 남에서 북으로 건너온 후한군에게 도로 빼앗기게 되었는데 이때의 살수[24]는 낙랑군과 현도군의 경계쯤에 있는 난하 하류의 서쪽 지류 중의 하나였고 영양왕세의 여수전쟁에서 수군이 몰살당한 강이 바로 이 강이다. 대무신왕의 이 낙랑군쟁탈전을 설화로 꾸민 것이 바로 호동왕자와 낙랑공주 설화인데 설화상의 호동은 실사상 대무신왕이며 낙랑공주는 영동칠현을 의인화한 인물이다.

후한말 요동의 공손강이 낙랑군 남부를 분할하여 대방군을 만들었다.

조위나 서진시에도 대체로 세 군이 유지되다가(지도9) 4세기 초(302~316) 미천왕세에 고구려가 차례대로 세 군을 병합하게 되었다.

지도10. 고구려가 세 군을 병합한 상황

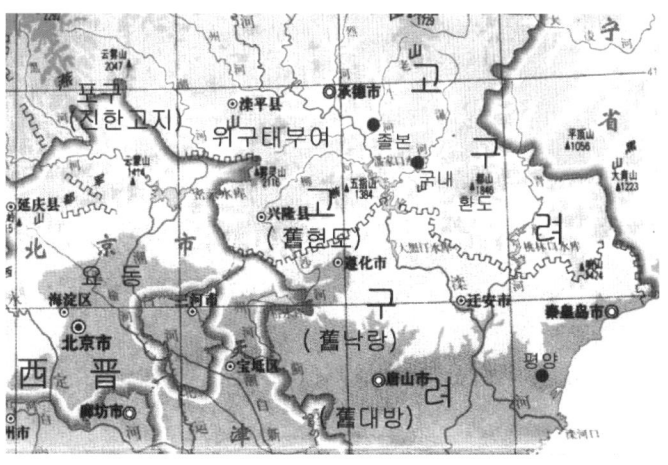

24) 제4장 [요사] 지리지/3. 중경도/ 대정부 택주 참조

고구려는 낙랑군지에서 일어났다

[삼국사기] 대무신기에서는 한의 낙랑군과의 관계사를 전부 설화체로 꾸며 숨겼지만, 동천기에는 관구검의 침공을 받아 패해서 왕이 남옥저로 대피한 후 추격해온 위군과 대치하던 중 유유가 위계로 적장을 죽이자 「(위군이 요란하여 진을 수습하지 못하고) 마침내 낙랑으로부터 물러갔다[遂自樂浪而退]」고 하였다. 이것을 誤記로 보기 쉬우나 오기가 아니고 관구검의 위군과 대치하고 있던 고구려땅 자체가 원래 낙랑땅(영동칠현=동예+옥저)이었다는 것을 삼국사기집필자들이 슬쩍 알려주고 있는 것이다. 고구려는 영동칠현 중 동예(화려·불이)에서 건국하여 점차 옥저 5개현도 흡수하게 된 것인데 동천왕세에 환도산 이북의 동예와 북옥저는 위군에 유린당하고 옥저 중에서 남옥저로 패주하여 위군과 대치하다가 위군이 물러갔기 때문이다.

전한대의 동이국가

지도11. 전한 무제 이전의 동이국가들(창해군 설치이전 상황)

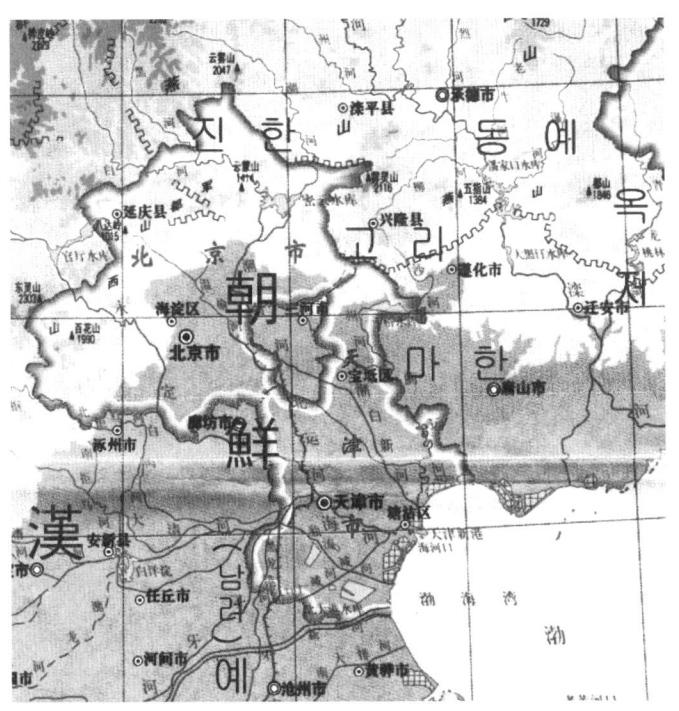

　　현재까지 알려지기로 낙랑군이 설치된 곳이 고조선이 있었던 곳으로 되어 있으나 고조선의 영역은 대단히 넓었던 것으로 나타난다. [후한서]와 [삼국지], [진서] 등의 동이전을 분석해본 결과 낙랑군이 설치되었던 지역은 마한고지였던 것으로 되어 있다. 기타 고리와 진한, 예(남려), 부여, 동예, 옥저 등이 지리적으로 마한을 중심으로 넓은 지역에 걸쳐 분포돼 있었던 것으로 나타난다.

국호 조선

'朝鮮'이란 국호는 스스로 지어붙인 이름이 아니고 중원쪽에서 부른 것으로 보인다. <해가 뜨는 동쪽에 있는 나라>라는 뜻인데 <말·풍습이 중원인들과는 다른 동이족을 총칭한 것>이다. 즉 조선예맥, 조선마한, 조선고리, 조선낙랑 등으로 본 것이다.

2. 전한 낙랑군지는 마한고지

여태 많은 학자들과 연구가들이 고대사를 연구한다고 해왔지만 전한의 낙랑군과 마한이 밀접한 관련이 있다고 주장한 학설은 들어본 바가 없다. 그것은 고대국가의 강역을 비정함에 있어 대부분의 학자와 연구가들이 [후한서]·[삼국지]의 한전을 주로 믿기 때문에 이 사서들에 씌어 있는 낙랑군과 마한의 위치설명들이 서로 겹칠 여지가 없다고 알고 있는 탓일 것이다. 그러나 모든 연구가들(학자포함)은 한시라도 빨리 [후한서]와 [삼국지] 동이전의 동이각국 강역설명 자체가 위사임을 알아차리는 것이 여태 잘못된 학설들을 바로 잡는 지름길이기도 하고, 수많은 徒勞(도로)를 미연에 방지하는 길이 될 것이다.

전한이 무제 원봉3년(BC108)에 설치했다던 4군 중 낙랑군이 설치된 지역은 다른 곳이 아닌 마한고지에 설치되었다는 사실이 소중한 우리 사서에 엄연히 실려 있음에도 지금 이 순간까지 전공학자조차 아무도 알아보지 못하고 있다는 것이다. 전한 낙랑군지가 마한고지였다는 것을 알아보는 것은 사서를 조금만 주의 깊게 읽어본다면 그리 어려운 일이 아니다.

1) [삼국유사] 기이1 남대방조

하북성 동북부 천진~난하의 전한 낙랑군지가 원래 마한고지라는 것을 알려주는 것으로 [삼국유사] 기이1 남대방조 주를 들 수 있다.

[삼국유사] 기이1 남대방조에 『조위시에 처음으로 남대방군을 두었다(지금의 남원부이다). 고로 대방의 남은 해수 천 리라 하고 한해라 이른다(후한 건안중 마한의 남부 황지를 대방군으로 삼았다)[曹魏時 始置南帶方郡(今南原府) 故云 帶方之南 海水千里 曰瀚海(後漢建安中 以馬韓南荒地爲帶方郡)]』

[삼국지] 한전에 『(후한) 환제·영제 말기에 한예가 강성하여 군현이 능히 제어할 수 없어 민이 다수 한국으로 흘러 들어갔다. 건안중 공손강이 둔유현 이남의 황지를 분할하여 대방군으로 삼았다...(중략)...이후 왜와 한이 드디어 대방에 속했다[桓靈之末 韓濊彊盛 郡縣不能制 民多流入韓國 建安中 公孫康分屯有縣以南荒地爲帶方郡…(중략)…是後倭韓遂屬帶方]』

위에서 [삼국지] 한전의 「建安中 公孫康分屯有縣以南荒地爲帶方郡」이란 문장과 [삼국유사]의 남대방조 주「建安中 以馬韓南荒地爲帶方郡」이란 문장을 비교해보면 "대방군을 만들었다"는 내용을 같이 담고 있는데, '대방군'을 연결고리로 하여 「(樂浪郡)屯有縣以南荒地」와 「以馬韓南荒地」가 같은 구절로 대응된다는 것을 알 수 있다. 그렇다면 다시 「(낙랑군)둔유현이남」과 「마한남」이 같다는 뜻이 되니 '낙랑군'이 곧 '마한'이란 뜻이 아닐 수 없는 것이다. [삼국유사]의 이 기사는 [삼국지] 한전의 바로 저 구절을 가져다 실사를 알려주기 위해 교묘히 바꾸어서 기술한 암호문인 것이다.

위의 구절을 잘못 이해한 조선인들은, 위사상 황해도에 있는 것으로 된 대방은 북대방이고 따로 남대방을 하나 설치한 듯이 이해하여 전북 남원에 남대방이 있었다고도 하였다. 그러나 이것은 어디까지나 사서 해석을 잘못한 오인에 불과한 것이다.

낙랑군지가 마한고지였다는 것은 [후한서]와 [삼국사기] 초기기록으로도 충분히 뒷받침된다. 다만 직설법이 아니고 여러 가지 기사를 조합하여 유추해보아야 알 수 있게 되어 있을 뿐이다.

원래 낙랑군 등 전한의 4군은 조선인이 우거왕을 죽이고 전한에 투항하여 설치한 것이라 하였는데, 그 중 낙랑군지는 조선구지 중 마한고지라는 것을 [삼국유사]에서는 이렇게 바로 알려주고 있다. 그래서 보면 瀚海(한해)는 천진~난하의 낙랑군 남쪽바다이므로 천진앞바다 즉 지금의 발해만을 가리킨다는 것을 알 수 있다. 천진의 동쪽으로 이 지역의 중심지인 唐山(당산;고구려 노산주 당산현)에 인접한 바로 서쪽에 '韓城(한성)'이란 지명이 지금도 남아 있는 것이 결코 우연이 아닌 것이다.

험독은 마한성

이 한성이 곧 준왕과 위만의 수도였던 '馬韓城(마한성)'이며 패수의 동쪽에 있었다던 '險瀆(험독)'인 것이다. 위만이 요동에서 「동으로 패수를 건너[東渡浿水]」 갔던 바로 그곳이다. 또 이곳은 후대 고구려 장수왕의 평양이기도 했던 것이다. 馬韓城이란 이름이 韓城으로 남아 있는 것은 '丸都山>都山', '臨楡關>楡關', '武遂城>遂城', '(요동)西安平>安平', '(요서)新安平>安平' 등의 경우와 같은 것이다.

지도12. 마한의 한성

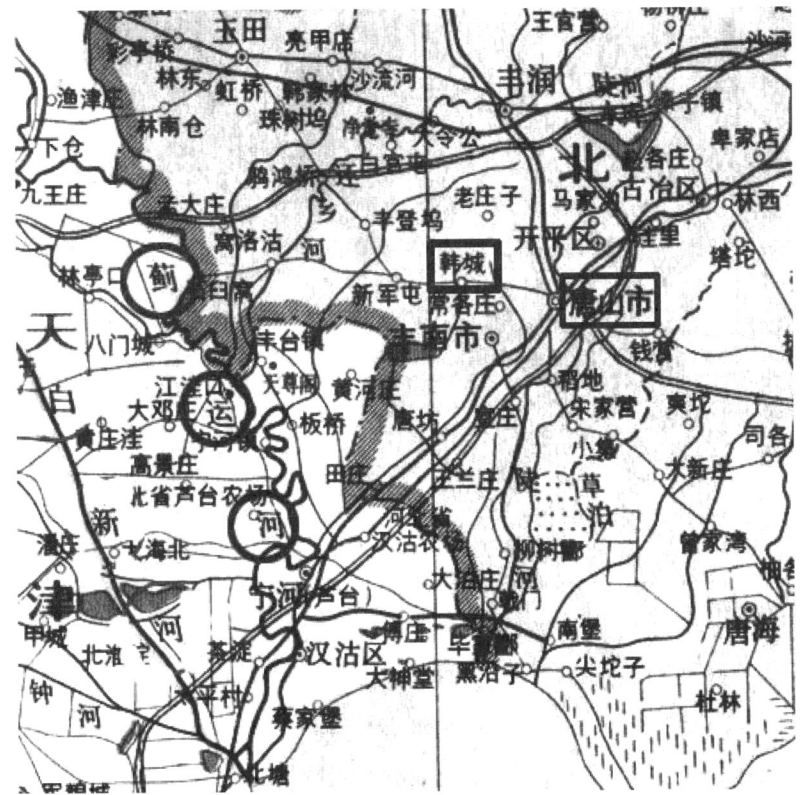

※ 천진시 북부에 패수의 하류인 薊運河(계운하)가 羊腸(양장)처럼 꼬불꼬불 서남방(최하류)으로 흐르고 있다. 그 동으로 당산시에 인접한 서쪽에 韓城이 보인다. 패수 하류의 복잡한 물길을 보면 물이 험해서 험독이란 별칭으로 불린 것을 쉬이 이해할 수 있을 것이다. 이 강을 [요사] 지리지에서는 羊腸河라고도 부르고 있다.

　　[삼국지] 한전에서 「이후 마침내 왜와 한이 대방에 속했다[是後 倭韓遂屬帶方]」는 것은 외교관계를 말하는 것이지 정치적 예속관계를 말하는 것이 아니다. 즉 외교창구가 대방군이라는 뜻으로 이는 [삼국지] 왜인전[10]을 보면 알고도 남는다.

[후한서]와 [삼국지] 한전에는 삼한 78국 중 마한이 54국으로, 마한이 제일 크고 그 족을 함께 왕으로 세워 진왕으로 삼아 목지국에 도읍하고 전체 삼한을 다스리는데 삼한의 모든 나라 왕들의 선대는 전부 마한인이다[馬韓最大 共立其種爲辰王 都目支國 盡王三韓之地. 其諸國王先皆是馬韓種人焉]」라고 한다. 삼한의 상황이 이러한데도 이상한 것은 가장 강국이라던 마한의 왕력도 왕명도 없다는 것이다. 그런데 이 기사의 '共立(공립)' 이하 내용 역시 위사에 해당된다. 전국시대에도 북경 서쪽 탁수일대에 거하던 진한은 마한과 관계가 없었고 변한도 무관했다.

2) 준왕과 위만은 마한왕

한편 [후한서] 한전에는 「처음 조선왕 준이 위만에 져서 나머지 무리 수천 인을 데리고 바다로 도망하여 마한을 공격해 깨뜨리고 스스로 한왕이 되었다. 준은 후에 망하여 대가 끊기고 마한인이 다시 자립하여 진왕이 되었다[初 朝鮮王準爲衛滿所破 乃將其餘衆 數千人走入海 攻馬韓 破之 自立爲韓王. 準後滅絕 馬韓人復自立 爲辰王]」고 하는데 [삼국지] 한전에도 같은 내용이 있다.

그러나 이것은 이미 삼한을 반도 내로 설정해놓고 조선과 삼한을 분리하여 기술하고 있는 위사기술기법인 것이다. 가장 강한 나라를 흐지부지 해체시켜 버리는 수법이다. 전국시대에 진개를 인질로 잡았던 낙랑을 '조선' 또는 '東胡(동호)'라고도 하였고, 조지를 설명할 때 조나라의 동북 발해만 서안에 있던 예맥을 '胡(호)'라고 하면서 '선비의 先'이라고 한 것도 유사한 수법이다.

辰國이니 辰王이니 하는 이름은 후대 辰韓이 신라가 되고 삼국통일을 한 것과 '辰'자를 연결시켜 진한이 반도에서 생겨나 성장한 것처럼 꾸미기 위한 것으로 보인다.

낙랑군지가 마한구지이므로 그곳의 왕이었던 준왕은 처음부터 마한왕이었음에도 위만에 밀려 해로로 남천한 후에 비로소 준왕이 마한을 쳐서 그곳을 빼앗았다는 듯이 말하고 있다는 것이다. 이 역시 밀어내기수법이다. 이렇게 함으로써 하북성 북부에 있던 마한이란 이름은 지워지고 반도로 감쪽같이 옮겨지는 것이다. 이것을 보면 조선의 준왕이라는 인물은 조선 전체를 대표하는 왕이 아니라 마한왕이었다는 것이다.

전국시대 조신의 서방영역은 하북성 중북부였고 그 중에서 후대에 낙랑군이 설치된 지역에는 마한이 있었는데 이 마한을 계속 조선이라 하고 있다. 마한이 조선의 일부였는데도 전부인 듯이 얘기하고 있는 것이다.

3) [삼국사기]의 마한 기록

유리기의 협보

[삼국사기] 유리왕 22년기에 「협보가 분개해 남한으로 가버렸다[陝父憤去之南韓]」고 한 기록에서 '남한'이란 마한고지의 낙랑군을 가리키는 것이다. 난하 하류 서쪽의 낙랑군은 난하 중하류 동편(낙랑영동칠현) 고구려의 서남방에 해당되기 때문이다. 낙랑군과 고구려는 난하(압록수)를 경계로 이웃해 있었다.

고구려가 예·마한과 연합작전

[삼국사기] 태조기 69,70년기에 예·마한과 연합하여 전투를 한 기록에서 고구려와 연합한 마한은 한에 복속하지 않은 舊마한인들로 구성된 외인부대 정도로 볼 수 있다. 낙랑군은 고구려의 서남에 위치하였고 고구려는 동예에서 건국하였으므로 이상할 것

이 전혀 없다. 고구려는 지배층이 부여출신이고 기층민은 예와 옥저인들이었다.

마한의 노국과 비리국

[요사] 지리지 상경도 상경 임황부에 속하는 지명들 중에는 북경시내의 강이름 沙河(사하)가 있고 북경 북의 강이름 黑河(흑하)가 있으며 「상경도 상경 임황부는 본래 한의 요동군 서안평지이고 신의 왕망은 북안평으로 불렀다[上京道上京臨潢府 本漢遼東郡西安平之地. 新莽曰北安平]」고 하는데 지금도 북경 동남에 '安平(안평)'으로 남아 있다(제2장 고대의 요수/3. 지명근거/1) 요동지명 서안평 참조).

지명들 중에는 馬盂山(마우산)이 있는데 지도31 淸代의 [대청광여도]에는 慶州(경주)에 속하는 지명으로 盧州(노주)·金寧(금녕)·馬盂(마우)라는 지명이 기술돼 있다. 이 경주가 지금은 赤峰(적봉)으로 알려져 있으나 원래는 唐山(당산) 동북 인근의 開平(개평)으로(지도12) 전한 낙랑군지의 중심부에 해당되는 곳이다. 여기 '盧州(노주)'는 [요사] 지리지 동경도 노주인데 이 이름은 바로 마한 54개 소국 중에 7개국이나 되는 '~盧國'에서 비롯된 이름인 것이다(제4장 [요사] 지리지/2. 동경도 노주 참조).

[요사] 지리지 동경도 集州(집주)는 한의 험독현이라 하는데 당산 서쪽 인근에 지금도 韓城으로 남아 있는 馬韓城이다. 그런데 이 지역이 古陴離郡地(고비리군지)라고 한다. 이 '陴離(비리)'라는 이름 역시 마한 54개 소국 중 8개국이나 되는 '~卑離國'에서 비롯된 이름으로 보지 않을 수 없는 것이다(제4장 [요사] 지리지/2. 동경도 집주 참조).

고리국

[요사] 지리지 동경도 韓州(한주)는 본래 고리국 옛 치소 유하현이라 한다[本稿離國舊治柳河縣]. 고리국은 전한 무제시에 현도군 고구려현이 되었는데 낙랑군의 북쪽이었고 중심지는 흥릉으로 보며(지도3) 지금도 그 지역에는 '柳河(유하)'라는 강이 있다(제4장 [요사] 지리지/2. 동경도 한주 참조).

3. 반도서북부 낙랑군 유물유적의 성격

일제시대부터 반도서북부 평안도와 황해도에서 낙랑군 유적이 많이 발견되고 유물도 다수 발굴된 것은 주지의 사실이다. 이러한 사실을 근거로 이 지역에 한의 낙랑군이 있었다는 설이 일제시대부터 입론되어 한일양국 사학계에서 정설이 되어 왔다. 이들 유적과 유물이 낙랑군 유적유물이라 하여 실증주의에 입각해 그곳에 낙랑군이 있었다는 근거로 삼는 것은 일면 반박의 여지가 없어 보이기도 한다.

그러나 앞에서 본 바 분명히 한의 4군은 난하 중하류 동서에 걸쳐 있었고 그 중 낙랑군은 천진(패수)~난하(압록수)에 있었다는 사실이 누구도 부인할 수 없는 算數(산수)로 증명되고 있다. 그렇다면 반도서북부에서 발견된 많은 낙랑군 유적유물은 어떻게 된 것인지 그 성격에 대해서 지금까지와는 달리 해석하지 않을 수 없게 된다.

말을 바꾸면, <한의 낙랑군은 분명히 천진~난하에 있었음에도 불구하고 어찌하여 반도 서북부에서 마치 낙랑군이 있었던 것처럼 많은 낙랑군 유적유물이 존재할 수 있게 되었을까?> 하는 의문에 대해 답을 찾아야 하는 문제인 것이다.

결론적으로 말하자면, 이것은 고구려의 중원방면으로의 진출과 관련한 특별한 사정에 의해 생겨난 특이현상일 뿐이다. 그 사정은 다음과 같은 것이다.

[삼국지] 한전『경초중 명제가 몰래 대방태수 유흔과 낙랑태수 선우사를 보내 바다를 건너 두 군을 평정하였다. 그리고는 여러 한국의 신지들에게 읍군의 인수를 더해주고 그 다음 사람들에게는 읍장 벼슬을 주었다. 그 풍속이 의책을 입기를 좋아하여 하호들도 모두 군에 가서 조알할 때에는 의책을 빌려 입으며, 자신의 인수를 차고 의책을 입는 사람이 천여 명이나 되었다[景初中 明帝密遣帶方太守劉昕樂浪太守鮮於嗣越海定二郡 諸韓國臣智加賜邑君印綬 其次與邑長. 其俗好衣幘 下戶詣郡朝謁 皆仮衣幘 自服印綬衣幘千有餘人]』

의책을 입고 위세품을 차고 위세부리기를 좋아하는 풍습이 있다는 뜻인데 이것은 관작을 받은 관리들이나 힘이 있는 자들이 대륙국가의 힘과 권위를 빌려 위세를 부리는 현상이라고 할 수 있다. 이런 현상은 그 전부터 오래도록 지속되었을 것이고 따라서 이런 사람들은 의식 자체가 완전히 漢化(한화)되었다고도 할 수 있는 것이다. 수세기나 이웃했던 고구려는 마한인들의 이런 심리를 정확히 꿰고 있었을 것이다. [삼국지] 고구려전에도 역시 조복과 의책[朝服衣幘] 얘기가 있어 고구려의 기층민인 동예나 옥저인들도 비슷했을 것이다.

이와 관련하여, 고구려가 4세기초에 현도·낙랑·대방을 병합한후 중원으로 진출하는 길목인 이 지역의 한화된 낙랑군토호들(本마한인)을 그대로 두면 언제 이들이 중원세력에 내응하여 반기를 들지 알 수 없으므로 후환을 없앤다는 차원에서 이들 낙랑군토호들을 모두 먼 후방인 반도 서북부로 소개시켜버린 것이다.

[삼국사기] 미천왕 14년기에 「14년 겨울 10월, 낙랑군을 침공하여 남녀 2천여 구를 포로로 잡아왔다[十四年 冬十月, 侵樂浪郡虜獲男女二千餘口]」고 하는데 어쩌면 이들일 수도 있을 것이다.

이들은 반도 서북부로 소개된 후 남쪽에서 올라오는 세력에 대해서는 자체방어를 하면서 후방에서 고구려군을 위한 병참이나 병기를 조달하게 되었을 것이다.

이들은 소개될 때 집안에 내려오는 가보나 위세품, 귀중품 등을 전부 지참해서 가지고 갔고 반도 서북부에서 자기네들끼리 적당히 영역을 나누어 정착하고 살다가 각각의 집안에 일이 생기면 그런 물품들을 적당히 묘에 부장하였을 것이다. 따라서 낙랑군이 존재하지 않았음에도 불구하고 반도 서북부에서 마치 낙랑군이 있었던 것처럼 낙랑군유물들이 다수 발견될 수 있는 것이다. 이것은 動産(동산)인 유물의 경우에 해당되는 것이다.

<不動産(부동산)인 유적은 낙랑군이 소멸되고 토호들이 완전히 소개되어 이주한 이후에 생겨난 것들이므로 시대적으로 4세기초 이후에 조성된 것>으로 추정된다.

유물은 중원(한)에서 만든 것들도 있을 것이고 그들이 직접 만들어 쓴 것도 있을 것이다. 이주후에도 계속해서 같은 스타일로 만들어 썼을 수도 있으므로 시대적으로 보자면 기원전의 것부터 4세기 이후까지의 것들도 나올 수 있는 것이다.

또 "현별 호구 관련 기록(죽간)도 나왔으므로 더욱 더 낙랑군 존재설을 확실히 뒷받침한다"고도 하는데, 군의 호구담당 관리를 하던 집안에서는 군의 호구 관련 기록 같은 것을 얼마든지 귀중품으로 보관할 수 있고, 이런 기록물 역시 대단한 위세품 구실을 하고도 남는 것이다. 또 이런 기록을 바탕으로 소개된 후 영역을 적당히 나누어 차지하는 데 이용할 수도 있었을 것이다.

다시 한 번 강조하지만 반도 서북부에서 낙랑군 유적유물이 많이 발굴, 발견되었다 하더라도 그 지역에 한의 낙랑군이 있었기 때문에 남겨진 유적유물은 아닌 것이다. 이와 관련한 여태까지의 모든 학설들은 반드시 수정되어야 할 것이다.

■ 대륙의 역사개작세력은 낙랑군 유적유물이 반도 서북부에 많다는 사실을 알고 있었던 것으로 보인다. 왜냐하면 임진왜란 때 명군이나 병자호란 때의 청군들이 귀중품을 노려 반도 서북부의 고분들을 파헤쳐 보았을 것이기 때문이다.

■ 학계의 모순된 태도

이런 낙랑군 유적유물 해석을 바탕으로 학계의 주류학자들은 반도 중동부 해안에서 임둔군 유적유물이 발견된 적이 없음에도 임둔군이 있었다 하고(동예·옥저 유적유물도 없다), 요동반도에서 개마고원에 걸쳐서 현도군 유적유물이 없음에도 불구하고 현도군이 있었다 한다. 아마도 속요동에서 요동군 유적유물도 나온 적이 없을 것이다. 있다면 관구검기공각석처럼 옮겨놓은 것으로 보아야 한다. 그런데 정작 임둔군 유물(임둔태수장봉니)이 나온 지금의 요서에 임둔군이 있었다는 사실은 인정하지 않는 모순된 태도를 보이고 있다.

제2장

ଔ

고대의 요수

제2장 _ 고대의 요수

1. 鮮卑庭東抵遼水(선비정동저요수)

1) 선비정

선비족은 원래 흉노의 후예 중 일파이고 유목을 주로 하는 기마민족으로 물과 풀을 따라 이동하며 살았으므로 활동영역 자체가 뚜렷이 정해진 경계가 있는 상황이 아니었다. 그래서 그들이 주로 활동하는 영역을 일러 鮮卑庭(선비정)이라 불렀다 한다. 이런 선비정과 관련된 사서기록을 검토해보면 다음과 같다.

[사기] 흉노전에 「여러 좌방의 왕과 장들은 동방에 거하는데 상곡부터 동으로 조선과 예맥의 접경까지 해당하고, 우방의 왕과 장들은 서방에 거하는데 상군부터 서로 월씨와 저강의 접경까지 해당하며, 선우의 정은 대와 운중에 해당하고 각기 땅을 나누어 가지고 물과 풀을 쫓아 옮겨 다닌다[諸左方王將居東方 直上谷以往者 東接穢貉朝鮮 右方王將居西方 直上郡以西 接月氏氐羌 而單於之庭直代雲中各有分地 逐水草移徙]」고 한다. 또「그 장들이 매년 정월에 선어정에서 소회를 열어 제사를 지내고, 5월에는 '용성'에서 대회를 열어 조상과 천지귀신에 제사를 지내며, 가을에 말이 살쪘을 때는 대림에서 대회를 갖고 사람과 가축의 수를 헤아린다[歲正月 諸長小會單於庭 祠. 五月 大會篭城 祭其先天地鬼神. 秋馬肥 大會蹄林 課校人畜 計]」고 한다. ※ 篭城(용성)=龍城(용성), 左方(좌방)=東方(동방), 右方(우방)=西方(서방)

[한서] 지리지 조지조25)에 「정양, 운중, 오원은 본래 융적지이다. 조, 제, 위, 초의 이주민들이 두루 있었다. 그 민은 비야하고 예문이 부족하며 사냥을 좋아하는데 안문 역시 풍속이 같다. 천문별로는 연에 속한다. 운중, 오원부터 동으로 요수에 이르기까지 모두 선비정이 되었다[定襄雲中五原本戎狄地 頗有趙齊衛楚之徙. 其民鄙朴 少禮文 好射獵. 雁門亦同俗 於天文別屬燕. 自雲中五原以東抵遼水 皆爲鮮卑庭]」고 한다.

여기서 보면, 〈定襄雲中五原 = 本융적지 = 自雲中五原以東抵遼水 = (皆爲)선비정〉이란 뜻이다. 이 중에서 가장 동쪽인 定襄(정양)은 지금의 산서성 서북부 大同(대동)과 朔州(삭주) 일대라고 하며, 雲中(운중)은 내몽고 呼和浩特(호화호특) 근방이고, 五原(오원)은 내몽고 서부에 지금도 지명이 남아 있다. 융적지의 조제위초인들[頗有趙齊衛楚之徙]은 강제이주를 당한 사람들이라는 안사고의 주도 있는데 흉노를 몰아내고 내지인들을 이주시킨 것이다[師古曰 言四國之人被遷徙來居之]. 선우가 거하는 지역은 '單于庭(선우정)'으로 불리는데 單於庭 또는 單於之庭으로도 기술되어 있다.

---

25) [한서] 지리지 조지조『趙地 昴畢之分野. 趙分晉 得趙國. 北有信都真定常山中山 又得涿郡之高陽鄚州鄉. 東有廣平鉅鹿清河河間 又得渤海郡之東平舒中邑文安束州成平章武 河以北也. 南至浮水繁陽內黃斥丘. 西有太原定襄雲中五原上黨. 上黨 本韓之別郡也 遠韓近趙 後卒降趙 皆趙分也.....(중략).....定襄雲中五原本戎狄地 頗有趙齊衛楚之徙. 其民鄙朴 少禮文 好射獵. 雁門亦同俗 於天文別屬燕. 自雲中五原以東抵遼水 皆爲鮮卑庭』

지도13. 융적지의 중심지

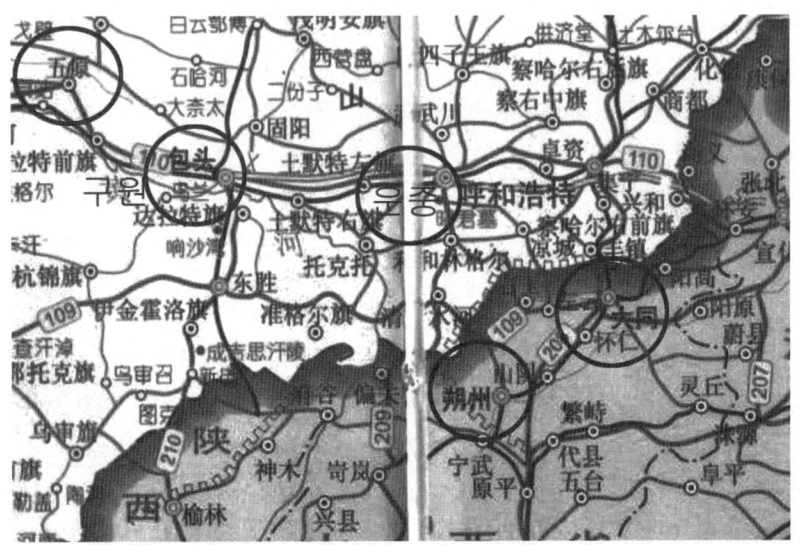

※ 동에서 서로 정양은 대동·삭주, 운중은 호화호특 서남, 구원은 포두, 오원은 지금도 오원으로 남아 있다.

결국 [한서] 지리지의 조지라는 것은 전국시대 조나라의 최대 판도를 가리키므로 <선비정이란 지역은 전국시대 조나라 최대판도의 진부분집합임>을 알 수 있는 것이다.

[사기] 列國分野(열국분야)의 조지도 「서로는 태원 정양 운중 오원 상당이 있다[西有太原定襄雲中五原上黨]」고 하여 [한서] 지리지 조지조와 같다.

지도14. 중인학자가 본 융적지 (진말한초 하투부근)

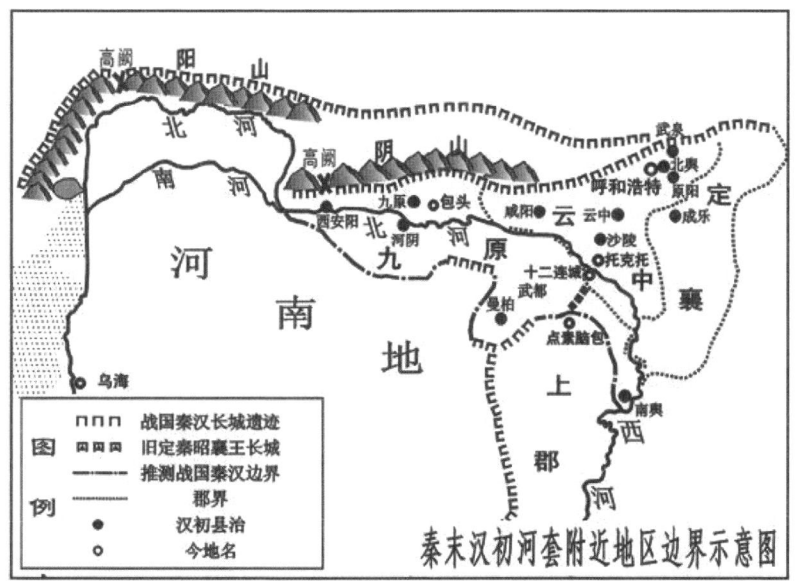

※ 북경대학중국고대사연구중심, 논문제목 '陰山高闕與陽山高闕辨析', 부제 '並論秦始皇萬里長城西段走向以及長城之起源諸問題', 저자 辛德勇, '文史 /2005년/제3집'에 게재된 논문 첨부도.

　　지도13,14에서 보면 선비정의 동방인 定襄(정양)이 산서성 서 북부에 해당하는 것을 볼 수 있다. 고대 융적지 또는 선비정이란 산서성 서북부와 그 서쪽의 금내몽고 중서부에 해당하는 것이다.

　　그런데 [한서] 지리지 조지조 설명 이후 '정양'이란 지명은 빠 져버리고 「東抵遼水(동저요수)」·「東接遼水(동접요수)」란 말만 나오 고 있다. 원래 선비정의 가장 동부는 정양이고 이 지역이 「동으로 요수와 닿아 있다[東抵遼水]」 또는 「동으로 요수와 접한다[東接遼 水]」고 해야 할 터인데 말을 애매하게 바꾼 것이다.

그러나 융적지 전부가 선비정이 되고 그 융적지의 가장 동부인 정양이 「東抵遼水」라는 뜻이며, 古정양은 지금의 산서성 북부 '대동·삭주일대'라고 하므로, 이 지역의 동쪽을 경유하여 하북성 북부로 흘러 바다로 들어가는 강을 찾아보면 오로지 하나뿐이다.

지도15. 선비정과 요수의 상류

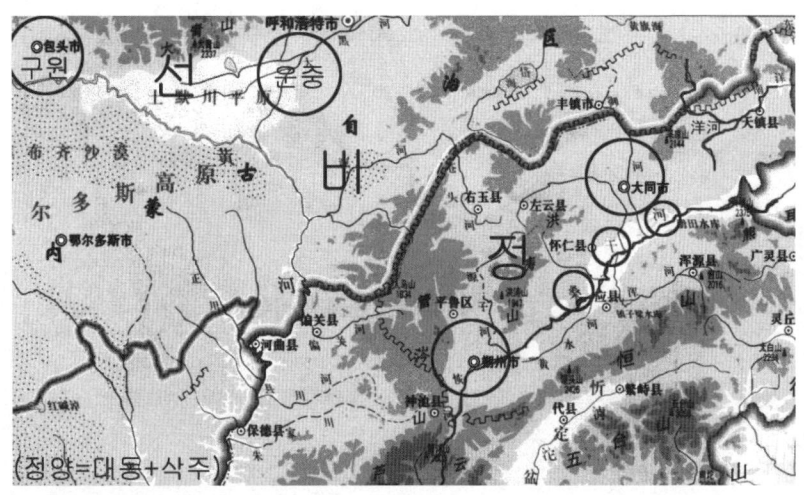

(정양=대동+삭주)

※ 선비정의 동으로 양하와 상건하가 있다.

[삼국지] 오환선비전26)에도 같은 내용이 기술되어 있다. 「후에

---

26) [삼국지] 오환선비전『過於漢舊 然烏丸鮮卑稍更彊盛 亦因漢末之亂 中國多事 不遑外討 故得擅漠南之地 寇暴城邑 殺略人民 北邊仍受其困 會袁紹兼河北 乃撫有三郡烏丸 寵其名王而收其精騎 其後尙熙又逃於蹋頓 蹋頓又驍武 邊長老皆比之冒頓 恃其阻遠 敢受亡命 以雄百蠻 太祖潛師北伐 出其不意 一戰而定之 夷狄慴服 威振朔土 遂引烏丸之衆服從征討 而邊民得用安息 後鮮卑大人軻比能復制禦群狄 盡收匈奴故地 自雲中五原以東抵遼水 皆爲鮮卑庭 數犯塞寇邊 幽幷苦之 田豫有馬城之圍 畢軌有陘北之敗…(중략)…鮮卑[1]步度根旣立 衆稍衰弱 中兄扶羅韓亦別擁衆數萬爲大人. 建安中 太祖定幽州 步度根與軻比能等因烏丸校尉閻柔上貢獻 後代郡烏丸能臣氏等叛 求屬扶羅韓 扶羅韓將萬餘騎迎之 到桑乾 氏等議 以爲扶羅韓部威禁寬緩 恐不見濟 更遣人呼軻比能 比能卽將萬餘騎到 當共盟誓 比能便於會上殺扶羅韓 扶羅韓子泄歸泥及部衆悉屬比能 比能自以殺歸泥父 特又善遇之 步度根由是怨比能 文帝踐阼 田豫爲烏丸校尉 持節幷護鮮

선비대인 가비능이 다시 뭇 적들을 제어하고 흉노고지를 모두 거두었다. 운중, 오원에서 동으로 요수에 이르기까지 모두 선비정이 되었다. 수차 새를 침범하고 변경을 노략질하여 유주와 병주가 괴로웠다[後鮮卑大人軻比能復制禦群狄 盡收匈奴故地 自雲中五原以東抵遼水 皆爲鮮卑庭 數犯塞寇邊 幽幷苦之]고 한다. '선비'에 대한 주에「그 땅이 동으로 요수와 접한다[其地東接遼水]」고 한다.

2) 고대의 요수는 지금의 영정하

고대 정양(대동·삭주)의 동으로 큰 강줄기가 둘 있다. 북쪽에 있는 것이 지금의 洋河(양하)로서 산서·하북성의 접경에 가까운 내몽고에서 동으로 흘러가는데 이 강도 줄기가 둘이고 하나가 산서성 天鎭(천진)을 지난다. 남쪽에 있는 것이 桑乾河(상건하;桑干河로 표기됨)로서 산서성 삭주 남방에서 발원하여 大同(대동)과 恒山(항산) 사이를 지나 동북으로 흐른다. 북의 양하와 남의 상건하는 북경시 서쪽이자 탁록의 동쪽 官廳水庫(관청수고)에서 합류하고, 이 호수 남쪽에서 다시 강이 되어 북경시 중심부의 서남을 지나 대체로 동남으로 흘러 천진시를 貫流(관류)하여 동으로 발해만으로 들어가는데 바로 永定河(영정하)라는 강이다. 따라서 영정하는 [한서] 지리지와 [삼국지] 오환선비전의 요수에 관한 구절의 조건[(선비정)東抵遼水]을 정확히 만족시키고 있고, 이 조건을 만족시키는 다른 강은 전혀 존재하지 않는다.

卑 屯昌平 步度根遣使獻馬 帝拜爲王 後數與軻比能更相攻擊 步度根部衆稍寡弱 將其衆萬餘落保太原鴈門郡…. [1]魏書曰 鮮卑亦東胡之餘也 別保鮮卑山 因號焉 其言語習俗與烏丸同 其地東接遼水 西當西城』

지도16. 영정하(산서성 북부와 하북성 북부)

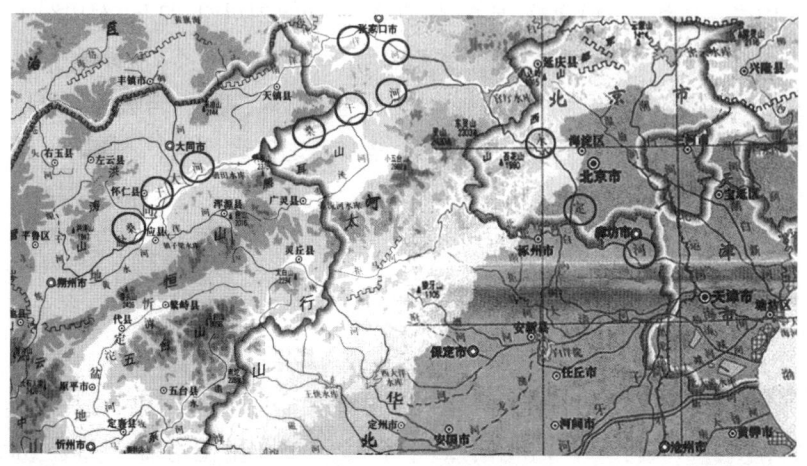

※ 대동의 동쪽에 洋河(양하)와 桑干河(상건하)가 보이는데 영정하의 상류이다

선비정은 대체로 지금의 산서성과 하북성의 경계로 볼 수 있는 太行山脈(태행산맥)의 서쪽으로 산서성의 서북부와, 섬서성의 북을 흐르는 황하[北河;북하] 넘어 北地(북지) 지금의 내몽고에 해당하는 것이다. 그래서 [삼국지] 오환선비전에 이들이 여러 차례 새를 침범하고 변경을 노략하여 하북성 중북부의 幽州(유주)와, 산서성 朔(삭)·代(대)의 남쪽 太原(태원)을 중심으로 하는 幷州(병주)가 괴로웠다는 것이다[數犯塞寇邊 幽幷苦之].

산서성 북부까지 뻗친 선비족들이 침입을 하게 되면 당연히 선비정과 접한 산서성 중부(병주)와 하북성 서북부(유주)로 침공하게 되어 있다. 앞의 [삼국지] 오환선비전[26] 중에 '馬城(마성)'이란 지명은 선비정 중에서 동부인 정양(대동·삭주)의 동남쪽에 인접했던 산서성 代郡(대군)의 속현이고, '陘北(형북)'은 산서성 안문과 대 근방의 句注山(구주산;西陘山)과 관련된 지명이다.

지도14에서 중인학자 신덕용이 분석하여 제시한 秦末漢初(진말한초) 흉노들이 자주 출몰, 침공한 지역이 곧 전국시대의 융적지이자 후대의 선비정에 해당하는 것이다. 예컨대 후한초의 기록

을 보아도 마찬가지이다.

　　[후한서] 광무제 건무4년기[27])에 『건무4년…(중략)…5년 이흥, 민감이 군사를 이끌고 선우정으로 가서 방을 맞이하여 함께 새로 들어가 구원현에 도읍하고 오원, 삭방, 운중, 정양, 안문의 5군을 빼앗아 수령을 두고 호와 군사를 통하면서 북변을 침구하고 괴롭혔다』

　　정양은, 산서성의 代(대)·鴈門(안문)과 섬서성 동북의 황하를 낀 上郡(상군), 내몽고의 운중 등지와 함께 흉노 출몰기록에 자주 등장하고 우북평도 자주 침공하고 있어 우북평[28])이 하북성 서북

---

27) [후한서] 광무제 건무4년기 『建武四年　單于遣無樓且渠王入五原塞　與李興等和親　告興欲令芳還漢地為帝．五年　李興閔堪引兵至單于庭迎芳　與俱入塞　都九原縣　掠有五原朔方雲中定襄鴈門五郡　並置守令　與胡通兵　侵苦北邊』

28) [한서] 지리지상의 위치로 보면, 흉노가 그들 영역의 동부인 정양(대동·삭주)에서 동으로 하북성 서북부(북경 서쪽) 上谷郡(상곡군)이나 그 남쪽의 涿郡(탁군)으로 침공했을 것 같은데 이들 지역을 건너뛰고 겉보기로 천진 동쪽에 있었던 것으로 되어 있는 右北平(우북평)으로 침공하고, 그에 대응하는 漢軍(한군)도 우북평에서 출격한 것을 볼 수 있는데 이것으로 우북평이 북경 서쪽이라는 것을 알 수 있는 것이다. 즉 흉노침공기록은 실사이지만 [한서] 지리지의 일부 군들(상곡,탁,우북평) 위치는 위사라는 의미인데 지리지를 조작했다는 뜻이다(지도46,47).
　　흉노 침공과 대응 기록;
　▷ 한무제 원수2년기 『匈奴入鴈門　殺略數百人．遣衛尉張騫郎中令李廣皆出右北平．廣殺匈奴三千餘人　盡亡其軍四千人　獨身脫還　及公孫敖張騫皆後期　當斬　贖爲庶人』 ==> 흉노가 산서성 안문으로 침공했는데 [한서] 지리지상 천진 동북의 우북평에서 대응군이 출동하고 있다. 실사로는 우북평이 북경 서쪽이었기 때문에 나타나는 현상이다. 지리지상 하북성 서북부에 위치했던 상곡군과 탁군이 보이지 않는다.
　▷ 한무제 원수3년기 『秋　匈奴入右北平　定襄　殺略千餘人』 ==> 정양과 우북평으로 침공했다 한다. 여기 정양은 융적지의 정양(대동·삭주)이 아니고 삭주와 산서성 중부 태원의 중간쯤에 있는 定襄(정양)이다. 산서성 중부와 하북성 서북부인 북경 서쪽 우북평으로 침공한 것인데 역시 지리지상 하북성 서북부에 위치했던 상곡군과 탁군이 보이지 않는다.
　▷ 한무제 원삭원년기 『秋　匈奴入遼西　殺太守．入漁陽鴈門　敗都尉　殺略三千餘人　遣將軍衛靑出鴈門　將軍李息出代　獲首虜數千級』 ==> 흉노

부이자 북경 서쪽이라는 것을 짐작할 수 있다.

위와 같이 오환, 선비들이 왕성하게 활동할 당대에 중원인들이 선비정을 명확히 정의하여 사용하고 있고, 이와 관련한 고대 요수는 분명히 지금의 '永定河(영정하)'로 비정되므로, <고대 遼水를 지금의 遼河로 보고 동북아고대사를 해석하는 것은 천부당만부당한 처사인 것이다. 따라서 한일중 3개국 고대사학계는 지금이라도 당장 기존의 그릇된 학설들을 폐기하고 요수와 관련한 모든 학설들을 새로 입론해야 한다. 이에 따라 동북아고대사는 반드시 다시 씌어져야 하는 것이다>.

3) 요동은 요수의 동쪽

[통전] 주군전 안동대도호부조[29]에는, 唐代(당대)에 안동대도호부가 설치된 요동성이 있던 요동은 분명히 「요수의 동이다[宜遼水

가 요서로 들어와 태수를 살해했다고 한다. 겉보기 위사상 요서라면 난하의 동편인데 산서성 서북부에서 어떻게 요서로 들어와 태수를 살해할 수 있었다는 말일까? 요서는 북경 서쪽인 우북평과 인접한 남쪽(겉보기 탁군위치)이기 때문에 이런 현상이 나타나는 것이다. 다시 어양과 안문으로 들어왔다는데 안문은 산서성 북부에 있어 대응군이 안문과 그 인근의 대에서 출병하고 있지만, 어양은 겉보기로 북경 서북인 상곡군의 동쪽이자 북경의 동쪽으로 나타나는데 이 경우 역시 상곡을 건너뛴 것처럼 되어 있다. 어양도 사실은 북경 서쪽 우북평의 지명이기 때문에 이런 현상이 나타나는 것이다.

29) [통전] 주군전 안동대도호부조 『安東大都護府 舜分靑州爲營州 置牧 宜遼水之東是也 已具注序篇 春秋及戰國並屬燕 秦二漢曰遼東郡 東通樂浪 樂浪本朝鮮國 漢元封三年 朝鮮人斬其王而降 以其地爲樂浪玄菟等郡 後又置帶方郡 並在遼水之東 浪音郎 晉因之. 兼置平州 領郡國五 州理於此 自後漢末公孫度自號平州牧 及其子康 康子文懿 並擅據遼東 東夷九種皆服事之 魏置東夷校尉 居襄平 而分遼東昌黎玄菟帶方樂浪五郡爲平州 後還合幽州 及文懿滅後 有護東校尉居襄平 晉咸寧二年 分昌黎遼東玄菟帶方樂浪等郡國五置平州 以慕容庵爲刺史 遂屬永嘉之亂 庵衆所推 及其孫俊 移都於薊 其後慕容垂寶 又遷於和龍 庵 胡罪反 大唐置安東都護府 前上元中 移於所 今府於遼東城』

之東是也]」라고 하고, 「춘추 및 전국시대에도 연에 속했고, 진과 전·후한은 요동군이라 불렀는데 동쪽으로는 낙랑으로 통하고 낙랑은 본래 조선국이었다. 한 원봉3년에 조선인이 그 왕을 죽이고 투항하여 그 땅을 낙랑·현도 등의 군으로 삼았다. 후에 또 대방군을 설치하였는데 나란히 요수의 동에 있다[春秋及戰國並屬燕 秦二漢曰遼東郡 東通樂浪 樂浪本朝鮮國 漢元封三年 朝鮮人斬其王而降以其地爲樂浪玄菟等郡 後又置帶方郡 並在遼水之東]」고 한다.

전한 무제 원봉3년은 BC108년이다. 그 후 당대에 「대당은 안동도호부를 두었는데 전상원중[30])에 치소를 옮겼고 지금은 부가 요동성에 있다[大唐置安東都護府 前上元中 移於所 今府於遼東城]」고 한다.

이런 요동군이 동으로 낙랑에 통하고[遼東郡 東通樂浪], 낙랑·

---

30) 당은 연호 上元을 두 번 썼는데 그 중 前상원은 674~676년이며, 고구려 멸망 후 신라가 대당전을 통해 당을 고구려지에서 몰아냄에 따라 당이 평양에 설치했던 안동도호부를 676년에 요동군고성으로 옮긴 적이 있어 그것을 말하고 있다[大唐置安東都護府 前上元中 移於所 今府於遼東城]. 그러나 그마저도 1년 후인 당 고종 의봉2년(677)에 요서 新城(신성)으로 옮기고 백제 부여융이 다스리도록 했었다. 이 신성이 지금도 북경 남쪽에 新城鎭(신성진)으로 남아 있다.

▷ [구당서] 고종기 『總章元年 九月癸巳 司空英國公勣破高麗 拔平壤城 擒其王高藏及其大臣男建等以歸. 境內盡降 其城一百七十 戶六十九萬七千 以其地爲安東都護府 分置四十二州. 上元三年 二月甲戌 移安東都護府於遼東. 儀鳳二年 二月丁巳 工部尚書高藏授遼東都督 封朝鮮郡王 遣歸安東府 安輯高麗餘眾 司農卿扶餘隆熊津州都督 封帶方郡王 令往安輯百濟餘眾. 仍移安東都護府於新城以統之』

▷ [구당서] 지리지 안동도호부조『安東都護府 總章元年九月 司空李勣平高麗. 高麗本五部 一百七十六城 戶六十九萬七千. 其年十二月 分高麗地爲九都督府 四十二州 一百縣 置安東都護府於平壤城以統之. 用其酋渠爲都督刺史縣令 令將軍薛仁貴以兵二萬鎭安東府. 上元三年二月 移安東府於遼郡故城置. 儀鳳二年 又移置於新城. 聖曆元年六月 改爲安東都督府. 神龍元年 複爲安東都護府. 開元二年 移安東都護於平州置. 天寶二年 移於遼西故郡城置. 至德後廢.....』 ==> 안동도호부는 여러 번 옮겨 다녔다.「평양 > 요동군고성 > 신성 > 평주 > 요서고군성」

현도·대방군 등은 나란히 요수의 동에 있다[並在遼水之東] 하였으므로 요동군은 낙랑군의 서쪽에 있다는 뜻이다. 낙랑군이 천진~난하이므로 요동군은 지금의 천진 서쪽에 있었던 것이다(지도9).

한편 원래 전국시대 연의 영역이라 하는 이 요동은 秦(진)과 전·후한을 거쳐 晉(진)도 이어받았다 하고, 「후한말부터 공손도가 자칭 평주목이라 하면서, 그 아들 강과 강의 아들 문의에 이르기까지 요동을 근거로 하였다[自後漢末公孫度自號平州牧 及其子康 康子文懿 並擅據遼東]」고도 한다. 그래서 [삼국지] 한전에 나오다시피 바로 이 요동군의 동에 인접한 낙랑군의 남부를 공손강이 분할하여 대방군을 설치할 수도 있었던 것이다.

그래서 [통전] 변방전 왜전에도, 「그 왕은 야마다국[或云邪摩堆]을 다스리는데 요동을 떠나 12,000리 되고, 백제·신라의 동남에 있다[其王理邪馬臺國 或云邪摩堆 去遼東萬二千里 在百濟新羅東南]」고 하는 기록이 남아 있는 것이다. 왜가 요동에서 12,000리라 하는데 요동은, 왜와 12,000리 거리라 하던 천진 일대의 대방군과 인접하여 있었기 때문이다. 요동군과 대방군이 반도사관[31])에 따른 지금의 요동과 황해도라면 거리가 절대 같을 수가 없다.

「(요동이) 춘추 및 전국시대에도 연에 속했다[春秋及戰國並屬燕]」고 하는데 이것은 위사로서 요동이 춘추시대에는 조선땅이었고, BC3세기초에 연장 진개가 동호(조선)를 천 리 밀어낸 후에 확보한 영역의 동방한계가 바로 이 요동으로 되어 있으나 이마저도 위사인 것으로 나타난다(제6장 대륙사서의 위사/1. 연오군 참조).

---

31) ‘半島史觀(반도사관)’이라는 것은 「한인 조상들의 나라인 ‘三韓’이 반도남부에 있었고 신라·고구려·백제 三國이 지금의 요하 동쪽 요동에서부터 반도에 걸쳐 있었다고 보는 역사관」으로서 이것은 최초 17~18세기 대륙인들에 의해 조작된 위사에서 비롯된 것이다. 학계의 다수 학자들은 "한사군이 요하 동쪽에 설치되었다"고 보고 있는데 [후한서]와 [삼국지] 한전의 위사를 알아차리지 못하고 있기 때문이다. "한사군이 요서에 설치되었다"는 소수설도 있다.

요동은 한무제가 위만조선(마한)을 멸하고 사군을 설치하기 직전에 한의 세력권에 넘어간 것으로 추정된다.

이런 요동군과 현도군에 대해, [삼국지] 오서 대제 가화2년(233) 시세조[是歲　權向合肥新城　遣將軍全琮征六安　皆不克還]에 대한 주32)에 언급된 「현도군은 요동의 북 200리 떨어진 곳에 있다[玄菟郡在遼東北　相去二百裏]」고 하는 조건도 만족되는 것이다. <요동군은 낙랑군의 서쪽이고, 낙랑 남부를 분할하여 만든 대방군과도 인접하며, 현도는 요동의 북 200리에 있다>고 하므로, 이 4개 군은 전부 인접해 있었다는 뜻이다. 상호간 인접하지 않은 군은 현도와 대방뿐이다. 실사상 현도군은 요동군의 북이 아니고 동북이었다.

지도17. 요동 서안평과 요서 신성

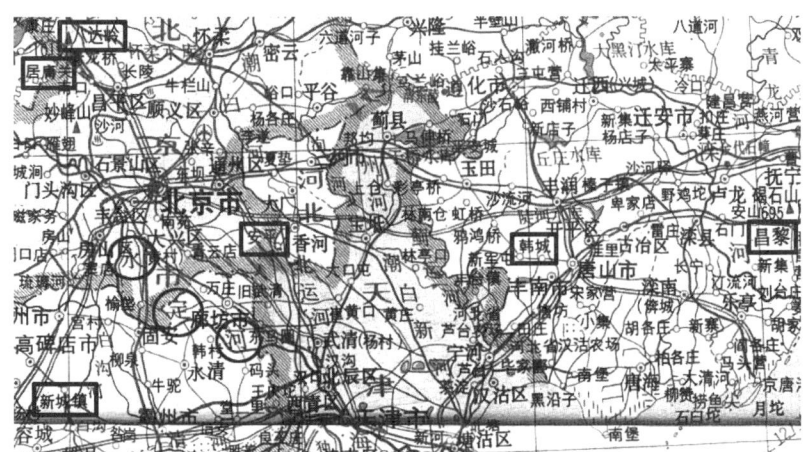

※ 당이 신라에 쫓겨 1년 만에 다시 요동군고성에서 신성으로 안동도호부를 옮겼으니 요서밖에 갈 데가 더 있겠는가(주30). 이 新城은 [사기] 열국분야 연지조에는 '北有新成'으로 [한서] 지리지 연지조 설명에는 '北新城'이라고 되어 있다. 같이 기술된 지명으로 易(역), 容城(용성), 涿(탁), 良鄕(양향;북경시

---

32) [삼국지] 오서 대제 가화2년 시세조에 대한 주『吳書曰 初 張彌許晏等俱到襄平 官屬從者四百許人 淵欲圖彌晏 先分其人衆 置遼東諸縣 以中使秦旦張群杜德黃疆等及吏兵六十人　置玄菟郡　玄菟郡在遼東北　相去二百裏……』

내 서남), 安次(안차;今낭방시 안차구), 故安(고안;今固安) 등이 있어 전부 영정하의 서남·남의 요서지역에 해당한다. [한서] 지리지의 북신성도 원래는 '北有新成'이었는데 '有'자를 슬쩍 뺀 것이고 사실은 당시 연의 강역 중에 신성이 북쪽에 있다는 뜻이다(즉 신성의 북으로는 연지가 아님을 암시해주고 있는 것이다). 북경 동남의 安平(안평)은 전한 요동군 서안평현이며 북경 남쪽의 新城鎭(신성진)이 요서 신성이다. 지금 북경시내 동북에 있는 新城子(신성자)는 연의 북신성이 아니고 고구려 서변요해처라 하던 신성이다.

요수(영정하)의 동에 요동군이 있다 하고 요동은 낙랑의 서쪽에 있다 하였으므로, 요동은 영정하와 현도·낙랑·대방 세 군의 사이에 해당함을 알 수 있다. 동시에 요서는 영정하를 기준으로 요동과 상대되는 위치인 북경의 남·서남에 해당하는 지역인 것이다. 이 지역에 설치된 요동군과 요서군 관련하여 [한서] 지리지의 두 군 속현들을 열거해보면 다음과 같이 기술되어 있다.

요동군 18현; 襄平(양평) 新昌(신창) 無慮(무려) 望平(망평) 房(방) 候城(후성) 遼隊(요대) 遼陽(요양) 險瀆(험독) 居就(거취) 高顯(고현) 安市(안시) 武次(무차) 平郭(평곽) 西安平(서안평) 文(문) 番汗(번한) 沓氏(답씨)

요서군 14현; 且慮(차려) 海陽(해양) 新安平(신안평) 柳城(유성) 令支(영지) 肥如(비여) 賓從(빈종) 交黎(교려) 陽樂(양락) 狐蘇(호소) 徒河(도하) 文成(문성) 臨渝(임유) 絫(유)

요동군 속현 중에 양평은 요동성(양평성)이 있던 곳이며, '서안평'은 [삼국사기] 태조왕 94년기(146)와 동천왕 16년기(242), 미천왕 12년기(311)에도 등장하는 지명인데 지금도 북경시의 동남에 '安平'으로 남아 있다.

여기 요동군 '안시'가 바로 고구려 안시성이 있던 곳이다. [수경주]에도 요동군 안시현은 요수의 하구가 있는 곳으로 씌어 있다[33]. 고대의 요동군은 대체로 지금의 북경~천진에 해당하고 고구려 안시성도 이곳에 있었던 것이다. 또 준왕과 위만의 도읍지였던 험독은 패수의 동에 있다 하였고, 번한은 낙랑군의 浿水(패수)를 끼고 있는 현으로 패수 하류의 서쪽으로 추정된다. 즉 패수는 북경~천진의 요동군과 천진~난하의 낙랑군과의 경계가 되던 강이라는 것이다. 바로 이런 패수의 동에 조선(마한)이 있었던 것이다.

한편 요서군의 '新安平(신안평)' 역시 지금도 하북성 중부 保定(보정)의 남쪽에 '安平'으로 남아 있다. 요서군은 지금의 북경시 남쪽 영정하 건너 하북성 중부지역이었던 것이다. 이 요서군의 '신안평'에 상대적으로 [한서] 지리지 요동군조에는 「西安平 莽曰 北安平」이라 하여 '서안평'을 왕망은 '북안평'으로 부르기도 했다 하는데 두 안평의 상대적인 방향도 부합한다.

그런데 원래의 요서군이 있어야 할 자리에 지리지 겉보기로는 다른 군이 들어서 있는 것을 볼 수 있다. 그것이 탁군인데 다음과 같다.

탁군 29현; 涿(탁) 逎(주) 穀丘(곡구) 故安(고안) 閻鄕(염향) 南深澤(남심택) 范陽(범양) 蠡吾(여오) 容城(용성) 易(역) 廣望(광망) 鄚(막) 高陽(고양) 州鄕(주향) 安平(안평) 樊輿(번여) 成(성) 良鄕(양향) 利鄕(이향) 臨鄕(임향) 益昌(익창) 陽鄕(양향) 西鄕(서향) 饒陽(요양) 中水(중수) 武垣(무원) 阿陵(아릉) 阿武(아무) 高郭(고곽) 新昌(신창)

---

33) [수경주] 권14 대요수조 말미의 '십삼주지'에 「대요수가 새 밖으로부터 들어와 서남으로 안시에 이르러 바다로 들어간다[大遼水自塞外西南至安市入于海]」고 하는데 이것은 지금의 요하에 맞춰 동남을 서남으로 방향을 바꿔놓은 것이다. [한서] 지리지 요동군 망평현 설명에도 「望平 大遼水出塞外 南至安市入海 行千二百五十里. 莽曰長說」이라 하여 새 밖에서 들어오는 것으로 되어 있다. 그러나 이 새(장성)라는 것은 북경시 서쪽을 지나는 것이고 방향은 남이 아니고 동남이다.

위에서 문제가 되는 것은 안평이 전부 세 곳이고 신창이 두 곳이란 것이다. 요동군 서안평과 요서군 신안평, 탁군의 안평 등과 요동군 신창과 탁군 신창 등이 있다. 또 요동의 험독은 패수의 동에 있던 조선의 중심지인데 낙랑군이 아니고 요동군이다.

그래서 [사기] 소진전에서 진개 동정전 연지 설명을 생각해보면, 지역명과 국명을 동격으로 열거하는 것은 바른 기술이 아니라는 것이다.

「연은 동으로 조선과 요동이 있고, 북으로 임호와 누번이 있고, 서로는 운중과 구원이 있고, 남으로 호타하와 역수가 있어 땅이 방 2천여 리이다[燕東有朝鮮遼東 北有林胡樓煩 西有雲中九原 南有滹沱易水. 地方二千餘里]」라고 하는데 이것이 진개 동정전의 연의 영역을 나타내 주는 기록이다. 여기서 국명과 지역명을 동격으로 열거했는데 실제로는 요동은 조선이고 운중과 구원은 각각 임호와 누번인 것이다.

[사기] 열국분야 연지조[34]는 진개 동정후의 연지 설명인데, [사기] 흉노전[35]에서 진개가 동호를 천 리 밀어낸 후 호를 막기 위해 장성을 쌓고 오군을 설치했다 하였고 그것이 어양과 우북평, 요서, 요동, 상곡 등인데, 군명과 현명을 동시에 열거하여 동정전의 연지 설명과 비슷한 방식으로 기술해놓았다.

---

34) [사기] 열국분야 연지조 『燕地尾箕之分野. 召公封於燕 後三十六世與六國俱稱王. 東有漁陽 右北平 遼西 遼東 西有上谷 代郡 鴈門 南有涿郡之易 容城 范陽 北有新成 故安 涿縣 良鄉 新昌及渤海之安次 樂浪 玄菟亦宜屬焉』

35) [사기] 흉노전 『其後燕有賢將秦開 為質於胡 胡甚信之. 帰而襲破走東胡 東胡卻千餘里. 與荊軻刺秦王秦舞陽者 開之孫也. 燕亦築長城 自造陽至襄平 置上谷漁陽右北平遼西遼東郡以拒胡』

이 경우 북경 서남·남의 원래 요서군 영역의 현명을 열거하면 서 요서군이라는 군명을 같이 기술해놓으면 이 요서군이 요하 서쪽 요서로 보이게 돼 있다는 것이다. 동시에 요동도 당연히 요하 동쪽으로 따라가게 된다. 그렇게 해놓고 [한서] 지리지에서는 탁군으로 원래의 요서군을 덮어버린 것이다. 이런 것은 전부 위사수법이고 탁군의 안평이 바로 요서군 신안평인 것이다.

지도18. 요서군 신안평

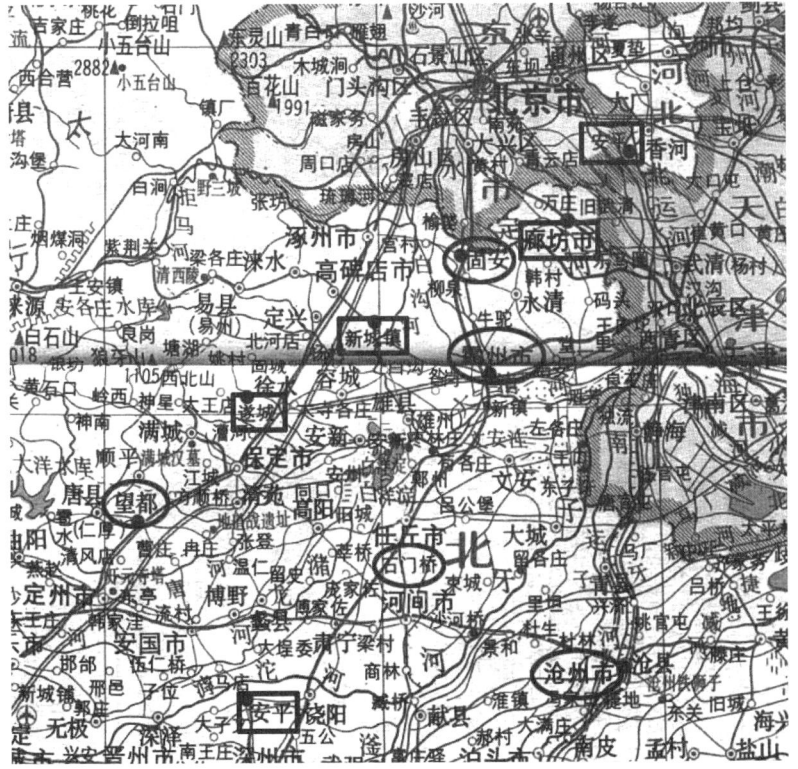

※ 왼쪽 위 소오대산 동쪽의 강은 전국시대 진의 통일전(BC226)까지 진한이 있던 탁수 일대이며, 북경시 동남에 요동 서안평이 보인다. 그 서남 廊坊市(낭방시)에 安次라는 지명이 남아 있고, 그 서남에 당의 안동도호부가 세 번째로 설치되었던 요서 신성이 보이고, 다시 그 서남 徐水 인근에 낙랑지명 遂城(수성)이 보이는데 진개 동정전에는 요서군 위치에 조선의 樂浪國(낙랑

국)이 있었음을 알 수 있게 해주는 것이다. 이것을 [진서] 지리지에서는 난하 동편의 명대에 완성된 장성과 갈석산을 연결시켜 수성이 마치 난하 하류 동편 산해관 일대였다는 듯이 설명하고 있는데 개작된 것이다. 수성에서 바로 남으로 가면 보정, 청원, 박야를 지나 安平이 보이는데 요서 신안평이고 여기서 동으로 가면 滄州市(창주시)가 보인다.

이렇게 선비정으로 찾아본 요수와 요동, 요서가 앞서 [후한서], [삼국지], [양서], [구당서], [신당서] 왜전으로 찾아본 낙랑 및 현도의 위치와 정확히 맞물리고 있다는 것이다.

결과적으로, [후한서]와 [삼국지]의 고구려전과 예전, 동옥저전 등에 기술된 고구려, 낙랑, 현도, 요동 등의 상대적인 위치와도 정확히 맞아떨어지고, 선비정의 영역과 관련하여 찾아낸 요수, 요동, 요서와도 빈틈없이 맞아떨어지고 있는 것이다.

2. 치명적인 트릭

그런데 여기서 교묘한 기술기법을 볼 수 있다. '정양·운중·오원'이 본래 융적지인데 그것이 후에 전부 선비정이 되었다 하면 될 것을, 가장 동쪽에 위치한 정양을 빼고 「운중·오원부터 동으로 요수에 이르기까지[自雲中五原以東抵遼水]」라고 말을 바꾸었다는 것이다. 이것은 치명적인 트릭에 해당되는데 요수를 영정하에서 요하로 치환하기 위한 것이다. 정양이라고 바로 밝히면 요하가 요수가 아님을 바로 알려주게 되기 때문이다.

이런 트릭을 뒷받침하기 위해 선비족의 위세가 대단했다는 기사를 써놓기도 했는데 그 예로 2세기의 단석괴와 3세기의 가비능을 들 수 있다.

1) 단석괴와 가비능

[후한서] 오환선비전36)에 「...병마가 매우 성하고 동서부대인들 모두 단석괴에게 귀부하였다. 남으로 (후한의) 연변을 노략하고, 북으로 정령을 막고, 동으로 부여를 물리고, 서로는 오손을 쳐서 흉노고지를 다 거두어 동서로 만사천 리, 남북으로 칠천여 리나 되었다[...兵馬甚盛 東西部大人皆歸焉 因南抄緣邊 北拒丁零 東卻夫餘 西擊烏孫 盡據匈奴故地 東西萬四千餘里 南北七千餘里]」고 하였다.

흉노고지를 다 차지하였을 때 「동으로 부여를 물리고[東卻夫餘]」라는 것은 동으로 접하는 세력이 '부여'였다는 뜻인데 이 부여는 북경 동북의 현도군 북에 자리 잡고 후한이나 공손도에 신속하던 위구태부여를 가리키는 것이지 만주 동부에 있던 동부여가 아닌 것이다.

「(후한이) 마침내 사신에게 인수를 지참시켜 단석괴를 왕으로 봉하고 화친을 하려고 했다. 단석괴는 받아들이지 않으며 노략질

---

36) [후한서] 오환선비전 『桓帝時 鮮卑檀石槐者 其父投鹿侯 初從匈奴軍三年 其妻在家生子. 投鹿侯歸 怪欲殺之. 妻言嘗晝行聞雷震 仰天視而雹入其口 因吞之 遂妊身 十月而産 此子必有奇異 且宜長視. 投鹿侯不聽 遂棄之 妻私語家令收養焉 名檀石槐. 年十四五 勇健有智略. 異部大人抄取其外家 牛羊 檀石槐單騎追擊之 所向無前 悉還得所亡者 由是部落畏服. 乃施法禁 平曲直 無敢犯者 遂推以為大人. 檀石槐乃立庭於彈汗山歠仇水上 去高柳北三百餘里 兵馬甚盛 東西部大人皆歸焉. 因南抄緣邊 北拒丁零 東卻夫餘 西擊烏孫 盡據匈奴故地 東西萬四千餘里 南北七千餘里 網羅山川水澤鹽池. 永壽二年秋 檀石槐遂將三四千騎寇雲中. 延熹元年 鮮卑寇北邊. 冬 使匈奴中郎將張奐率南單于出塞擊之 斬首二百級. 二年 復入鴈門 殺數百人 大抄掠而去. 六年夏 千餘騎寇遼東屬國. 九年夏 遂分騎數萬人 入緣邊九郡 並殺掠吏人, 於是復遣張奐擊之 鮮卑乃出塞去. 朝廷積患之, 而不能制 遂遣使持印綬封檀石槐為王 欲與和親. 檀石槐不肯受 而寇抄滋甚. 乃自分其地為三部 從右北平以東至遼東 接夫餘滅貊 二十餘邑為東部, 從右北平以西至上谷十餘邑為中部 從上谷以西至敦煌烏孫二十餘邑為西部 各置大人主領之 皆屬檀石槐』

이 자심했다. 그는 스스로 땅을 삼분하여 3부로 하였다. 우북평부터 동으로 요동까지 부여, 예맥을 접하는 20여 읍을 동부로 하고, 우북평부터 서로 상곡까지 10여 읍을 중부로 하고, 상곡부터 서로 돈황, 오손까지 20여 읍을 서부로 하여 각각 대인을 두고 관할하도록 했다. 모두 단석괴에 속했다[遂遣使持印綬封檀石槐為王 欲與和親. 檀石槐不肯受 而寇抄滋甚. 乃自分其地為三部 從右北平以東至遼東 接夫餘濊貊 二十餘邑為東部, 從右北平以西至上谷十餘邑為中部 從上谷以西至敦煌烏孫二十餘邑為西部 各置大人主領之 皆屬檀石槐]」

이 역시 선대 융적지에서 크게 벗어나지 않는다. 동으로 우북평과 요동이 추가되고, 산서성 오대산 일대에 걸친 상곡 방면으로 진출하며, 서로 오손까지라는 것이 융적지의 서방으로 거론되던 오원에서 서쪽으로 더 늘어난 것처럼 보인다.

이때의 요동 역시 영정하 기준으로 지금의 북경 정도에 불과한 것이다. 요동군의 동북으로 현도가 있고, 그 인근 북에 위구태부여가 있었기 때문이다. 부여와 현도는 실사상으로 북경의 동북이자 난하 중류의 서쪽이었다. 또 이 지역 일대는 원래가 전부 예맥고지였으므로 예맥과 접한다고 하는 것은 당연한 것이다. 읍이란 것도 현 정도에 지나지 않고 3부의 현 50~60개 정도면 3개 군 정도밖에 안 되는 것이다. 시기는 후한 환제말 160년대부터 영제초 170년대 정도에 해당된다.

그러나 겉보기와는 달리 이 역시 심한 과장이라는 것이 [후한서] 부여전에 「영강원년(167) 왕 부태가 2만여를 이끌고 현도를 침구하자 현도태수 공손역이 쳐서 깨뜨리고 참수가 천여 급이었다. 영제 희평3년(174)에 이르러 다시 공헌하였다. 부여는 본래 현도에 속했는데 헌제시(189~220) 그 왕이 요동에 속하기를 청했다고 한다[永康元年, 王夫台將二萬餘人寇玄菟, 玄菟太守公孫域擊破之, 斬首千餘級. 至靈帝熹平三年, 復奉章貢獻. 夫餘本屬玄菟, 獻帝時, 其王求屬遼東云]」

　　"속한다"는 것은 외교창구를 말하는 것이다. 가장 가까운 외곽의 군이 외교창구가 되는 것이다. 예컨대 왜와의 외교는 항구가 있는 낙랑(대방)이 창구가 되는 것이다. 부여가 현도 인근으로 이주한 것이 단석괴가 활약했다던 시기보다 이른 2세기초 후한 안제시 120년대였다. 그래서 대략 반세기쯤 후의 단석괴 영역이 부여와 접한다고 했던 것이다. 요동에 속하기를 원했다는 것은 요동 지역을 장악하고 있는 공손도와의 관계를 말하는 것이다.

　　[삼국지] 부여전에「부여는 본래 현도에 속했다. 공손도가 해동으로 뻗쳐 외이를 위력으로 복속시키자 부여왕 위구태는 다시 요동에 속했다. 이때 고구려와 선비가 강하여 공손도는 부여를 두 오랑캐 사이에 두고서 종녀를 처로 주었다[夫餘本屬玄菟. 漢末 公孫度雄張海東 威服外夷 夫餘王尉仇台更屬遼東. 時句麗鮮卑彊 度以夫餘在二虜之間 妻以宗女....]」고 한다.

　　부여는 원래 고지가 적봉의 북쪽 임서와 파림우기, 파림좌기 등지였는데 물길에 밀려 단단대령 서쪽으로 남하하여 난하 중류 서편 현도 인근으로 이주를 하였고, 이때 공손도가 요동태수로 있으면서 난하 중류 동편의 고구려와 요동(북경)의 서쪽 선비족 사이에 부여가 거하도록 땅을 주었다는 뜻이다[妻以宗女]. 이때도 포구에 있던 진한은 지워버린 것이다.

　　공손도가 독립된 왕으로서 자신의 영토 일부를 주었다면 딸[女]이라고 비유할 수 있는데 宗女(종녀)라고 한 것은 후한의 땅 일부를 준 것이기 때문이다.

부여가 이주, 정착한 그 땅이 예맥고지라는 것은 [삼국지]와 [진서] 부여전에 「그 왕 도장의 문구가 '예왕의 인'이라 한다. 나라 안에 옛날 예성이 있고 본래 예맥의 성이다[其王印文稱 '穢王之印'. 國中有古穢城 本穢貊之城也]」라고 하는데 부여의 예왕인도 [삼국사기] 남해왕 16년기에 북명인이 바친 예왕인과 같은 뜻을 가지는 것이다. 다만 같은 예맥고지이기는 하나 예지가 워낙 넓어 각각 그 일부씩을 차지하고 있었다는 뜻이다. 초기신라(포구진한)와 위구태의 부여는 동서로 인접해 있었지만 대륙사서에서는 진한을 지워버렸고 [삼국사기]에서는 포구진한은 숨겼고 위구태부여는 말갈로 기술한 것이다.

지도19. 부여고지와 위구태부여 남하

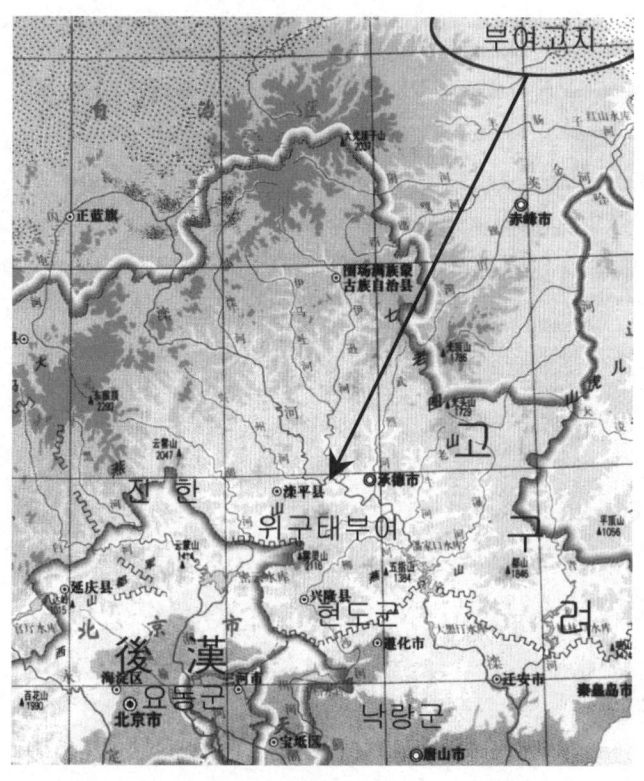

※ 칠로도산이 고대 단단대령이며, 동쪽의 노로아호산이 고대 개마대산인데 [후한서]나 [삼국지] 동옥저전에는 개마대산과 옥저를 반도로 옮겨 함경도 정도로 설정하여 써놓았다. 한전과 꼭 같은 맥락인 것이다. 그러면 부여는 자연스럽게 옥저의 북인 동만주의 동부여로 인식하게 되는 것이다. 위구태의 부여와 동부여는 전혀 다른 별개의 실체인데 지역이 겹쳐져 동일체로 보이게 되는 것이다. 위사를 쓴 측이 노리는 것이 바로 이런 효과인 것이다. 고구려와 현도 사이의 숯난하가 古압록수였다.

※ 부여고지(북부여)는 적봉의 북쪽 임서와 파림우기, 파림좌기 등지였다. [후한서] 부여전에는「부여가 현도에서 북으로 천 리」였다 하는데 이것은 부여고지를 말하는 것이다. [삼국지] 부여전에는「부여가 장성의 북으로 현도에서 천 리」라 하였다. 이 장성은 북경 근방의 장성을 말하고 북경 동북의 현도에서 천 리라는 것이다. 이 부여의 남에 고구려가 있다 하였고, 고구려전에는 「고구려가 요동의 동 천 리에 있다」하였다. 즉 북경(요동)에서 동으로 천 리에 고구려가 있었다는 뜻이다. 그곳이 난하 중하류 동편 낙랑 영동칠현이었고 고구려는 북으로 부여(고지)를 접한다 하였는데 영동칠현에서 북으로 가면 적봉 방면을 거쳐 임서와 파림우기, 파림좌기 등지에 이르게 된다.

　여기서 위사의 중요한 포인트를 볼 수 있는데 원래는 요수(영정하) 기준 요동(북경)의 동북부 예맥고지에 있던 (위구태)부여를 접했던 것인데 요하 기준 지금의 요동으로 where를 평행이동시켜 (동)부여와 예맥을 접했다고 기술한 것이다.

　문제는 이때 선비 단석괴가 요동(북경)에서 접했다고 한 예맥[37]을 끌어대기 위해 선대사서를 개작한 것이 바로 한무제 원삭원년 발해만 서안에 있던 남려의 예를 마치 반도 중부 동해안에 있었다는 듯이 하면서 28만이나 되는 이들이 동해안을 떠나 지금의 요동으로 가서 內屬(내속)했다고 위사를 쓴 것이다. 이렇게 꾸미지 않으면 단석괴가 요동에서 접한 예맥이 설명이 안 되기 때문이다.

---

37) 고구려가 일어난 낙랑영동칠현(난하중하류동편)에 속했던 동예(화려·불이)는 남려의 예맥(발해만서안)과는 활동영역이 다른 별개의 집단인데 [후한서] 예전에서는 이들을 하나인 듯이 합쳐서 기술해놓았다.

그러나 이것은 조금만 생각해보아도 대단히 이상하다는 것을 알 수 있다. 기원전 2세기경에 반도 중부 동해안에 28만이나 되는 인구가 살았다는 것도 황당하거니와(2015년도 강릉인구 21만 4천, 동해인구 9만 4천) 이들이 어떤 경로와 수단을 이용하여 지금의 요동으로 이동했을까를 생각해보면 전적으로 불가능한 것이다.

이 많은 인구가 남녀노소, 男負女戴(남부여대)하여 북으로 개마고원을 넘어 요동으로 갔을까? 아니면 서로 태백산맥을 넘어 경기도에서 북으로 반도 서북부 조선을 지나갔을까? 아니면 경기도에서 배를 마련하여 타고 요동반도로 갔을까? 그도 아니면 동해안에서 배를 많이 준비하여 반도를 한 바퀴 돌아서 갔을까? 배는 요동군에서 내주었을까 자체 제작했을까?

장정들이 맨몸으로도 넘기가 어려운 산맥을 그 많은 인구가 넘을 수 있을 리가 만무하고, 엄청난 수의 배를 마련한다는 것도 불가능한 일이다. 이 정도의 예가 실제로 반도 중동부에 있었다면 반도 남부 전체가 예국이 되고도 남았을 것이다. 이런 일은 없었다. 그런데 예가 동해안에 있다가 요동반도로 갔다고 설명하는 경우도 있는데 과학과는 거리가 먼 것이다.

[삼국지] 공손도전[38])에 의하면 초평원년(190) 이전에 공손도가 「동으로 고구려를 치고, 서로 오환을 쳐서 해외로 위력을 떨쳤다[東伐高句驪 西擊烏丸 威行海外]」고 하고, [후한서] 부여전에서 보다시피 167년에 부여가 현도와 충돌을 할 정도였으므로 단석괴가 요동(북경)까지 접수하여 部(부)를 두었다는 것도 과장한 것이다. 공손도전조차도 과장한 면이 있는데 「威行海外(위행해외)」라는 것이 그것

---

38) [삼국지] 공손도전 『公孫度字升濟 本遼東襄平人也. 度父延 避吏居玄菟 任度爲郡吏. 時玄菟太守公孫琙 子豹 年十八歲 早死. 度少時名豹 又與 琙子同年 琙見而親愛之 遂就師學 爲取妻. 後擧有道 除尙書郞 稍遷冀州刺史 以謠言免. 同郡徐榮爲董卓中郞將 薦度爲遼東太守. 度起玄菟小吏 爲遼東郡所輕. 先時 屬國公孫昭守襄平令 召度子康爲伍長. 度到官 收昭 笞殺於襄平市. 郡中名豪大姓田韶等宿遇無恩 皆以法誅 所夷滅百餘家 郡中震慄. 東伐高句驪 西擊烏丸 威行海外. 初平元年 度知中國擾攘......』

이다. 사실은 공손씨의 힘이 미치는 영역은 요수(영정하)에서 압록수(난하)까지 정도였고 바다로는 발해만의 일부 정도였다. 이것은 요동군보다 넓은 광의의 요동이라고 할 수 있는데 압록수 동쪽은 요동이라 할 수 없는 것이다. 요수의 동이 요동이라 하였는데 그만한 다른 강이 있으면 요동은 그 강까지만 해당되고 그 이후는 새로운 강을 기준으로 말을 해야 하기 때문이다.

지도20. 단석괴의 동부와 중부

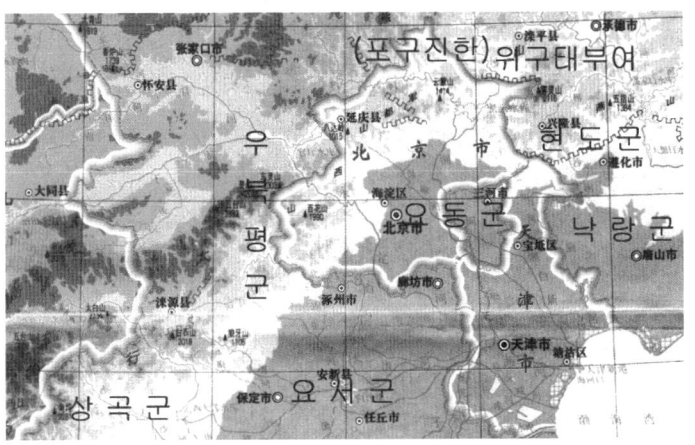

※ 과거 선비정의 동부 宕정양인 산서성 북부 대동에서 우북평과 상곡 방면으로 기세를 떨치고 있는 정도에 불과한 것이다. 위구태부여는 현도군 북에 있었고 그곳은 예맥고지였다.

　　얼핏 보면 대단한 것처럼 보여도 사실과는 다른 것이다. 동서 14,000리에 남북 7,000리라면 엄청난 것이다. 임조(감숙성 민현)에서 요동까지 만 리라 하던 진 장성보다 더한 것이다. 마치 후대의 징기스칸 비슷하게 기술해놓았다. 왜 이렇게 썼을까? 그것은 북경 서쪽 탁수일대와 북쪽 포구일대에서 있었던 '하북진한오백년사'와 북경까지 차지했던 '통일신라사', 난하 동편 낙랑영동칠현을 중심부로 하면서 전성시 요동과 우북평, 요서까지 차지하였던 '고구려사', 통일신라로부터 북경까지 물려받았던 '고려사' 등을 지우고 숙요하를 古요수로 인식시키기 위해 <결출한 영웅에 의탁하여> 위사를 쓴 것이다.

이것은 당시 흉노계(오환·선비)가 그들 가운데 영웅이 한 사람 나타나니 여기저기 흩어져 있던 부족들이 일시적으로 전부 그 깃발 아래 모였다는 정도로 이해하면 족한 것이다. 실제로 지도에서 보다시피 단석괴는 북경 남쪽 요서에도 진출하지 못했던 것이다. 요서까지 진입했던 것은 그 후 2세기말, 3세기초의 오환들인데 이들이 하북성 남부 冀州(기주)를 근거로 하던 袁氏(원씨)와 연합하여 중앙의 조조와 대립하다가 조조가, 원씨와 오환의 연합세력이 있던 요서 유성(숙대성)까지 원정하여 오환을 대파하자 원소의 아들 상과 희가 요수 건너 요동(북경)의 공손강에게로 달아났다가 공손강이 이들을 참수하여 조조에게로 보내버린 사건도 있었다. 조조가 요서 유성의 오환을 정벌한 때가 후한 헌제 건안12년(207)이다. 이때에도 난하 중하류 동편에 고구려가 굳건히 자리잡고 있었다. 유성을 숙조양 정도 되는 듯이 기술해놓은 [통전] 주군전 같은 기록들은 전부 위사인 것이다.

[삼국지] 오환선비전[26)]에는, 3세기초 오환과 선비족이 활동할 때 가비능이란 결출한 인물이 나타나 과거 융적지 전부를 거두어 세력을 떨쳤다고 하였다. 이 역시 선비정이 대단히 넓었다는 듯이 말하고 있는데 선비정의 동방인 정양을 숨기려고 한 앞서의 기술기법과 관련된 것이다.

2) 반도사관의 오류

앞서 보았다시피 선비정은 전국시대 조나라의 최대판도에 포함된다(진부분집합)고 누누이 얘기하고 있다. 이것은 古요수가 숙요하가 아니라는 중요한 근거가 된다. 만약에 숙요하가 古요수라고 가정을 하면, 전국시대 조의 무령왕이 흉노를 몰아내고 지금의 요하 기준 요서지역까지 차지한 적이 있다는 얘기가 되기 때문이다.

[사기] 열국분야 조지조[39])에는, 조지가 서로는 태원과 정양(대동·삭주), 운중, 오원, 상당 등지이고 동으로는 광평과 거록, 청하, 하간 등지라 한다. 이 중에서 서쪽의 정양과 운중, 오원 등지가 무령왕이 흉노를 구축하고 확보한 융적지였다 한다.

[한서] 지리지 조지조[25]) 문장 속에는 앞서 지적한 대로 심각한 트릭이 들어 있는데「운중과 오원의 동으로 요수에 이르기까지 모두 선비정이 되었다[自雲中五原以東抵遼水 皆爲鮮卑庭]」고 한다. 여기서 이 요수가 지금의 요하라면 맨 서쪽인 오원부터 요하에 이르기까지 전부 선비정이 되었다고 해석되는 것이다. 즉 "하북성 북부 북경일대와 지금의 요서까지도 전부 선비정이 되었다"는 뜻이 되는 것이다.

그런데 실제로는 고대의 요수가 지금의 영정하이므로 이때는 <오원부터 영정하의 상류인 양하와 상건하에 이르기까지가 선비정이다>라는 말이 된다. 왜냐하면 '융적지=선비정'이기 때문이다.

원래 조의 서쪽으로 무령왕이 편입한 지역 즉「정양·운중·오원은 본래 융적지[定襄雲中五原 本戎狄地]」라 하고 이들 융적지의 동부인 정양이 요수와 닿아 있다는 것인데 어느새 '융적지>(동부)정양(대동·삭주)>요수(영정하)'가 '선비정>(동부)今요서>요하'로 바뀌어버린 것이다.

---

39) [사기] 열국분야 조지조『趙地昴畢之分野. 趙分晉得趙國, 北有信都眞定常山 又得涿郡之高陽莫州鄕 東有廣平鉅鹿淸河河閒, 又得渤海郡之東平舒中邑文安束州成章武, 河以北也. 南至浮水繁陽內黃斥丘. 西有太原定襄雲中五原上黨』

많은 학자나 연구가들이 이 구절을 보고도 심각한 트릭이 구사된 것을 알아차리지 못하고 있다. 이 트릭을 구사하기 위한 기술기법으로는 바로 <융적지를 선비정으로 바꾸면서 선비정을 기술할 때는 융적지의 제일 동부인 정양을 생략해버린 것이다>. 그리고는 이런 트릭을 뒷받침하기 위해 [후한서]와 [삼국지] 오환선비전에서 선비대인 단석괴와 가비능을 징기스칸 비슷한 정복자처럼 표현해 놓은 것이다.

古要수를 今요하로 가정할 때, 전국시대 연 진개의 동정전 연지 즉 [사기] 소진전에서 「燕東有朝鮮遼東　北有林胡樓煩　西有雲中九原　南有滹沱易水」라고 하였는데, 「연은 동으로 조선과 요동이 있다[燕東有朝鮮遼東]」는 것은 조선과 요동이 연지가 아니라는 뜻이므로 조선과 동격으로 열거된 요동은 겉보기로는 조선지도 아닌 셈이 된다.

위의 문장 중 연의 서쪽에 있다는 '운중·구원'의 경우 상대적인 방향을 보면 운중이 구원보다 동쪽이다. 즉 연을 기준으로 서쪽으로는 연에 가까운 동쪽부터 서쪽으로 순차열거한 것이다. 역으로 연의 동쪽에 있다는 '조선·요동'은 조선이 요동보다 서쪽이라는 뜻이다. 즉 연을 기준으로 연에 가까운 서쪽부터 동쪽으로 순차열거한 것이다. 이것을 보면 고대의 요수가 지금의 요하일지라도 조선이 지금의 요서에 있었다는 것이다.

그런데 今요하가 古요수라면, 조 무령왕은 서로는 운중과 오원을 취하고 운중에서 다시 동으로 今요하에 이르기까지 다 차지한 셈이 되므로[自雲中五原以東抵遼水　皆爲鮮卑庭], [사기] 소진전에서 「燕東有朝鮮遼東」이라 한 것과 조합하여 해석할 경우 다음과 같이 두 가지 경우의 수가 나온다.

1) 당시에 조선이 평안도에 있었다면 수요서는 원래 연지였으므로 조가 연으로부터 취한 셈이 된다.

2) 당시에 조선이 수요서에 있었다면 조가 조선을 밀어내고 차지한 셈이 된다.

   이러한 상황은 지도로 보면 명명백백하다.

지도21. 조선在평안도

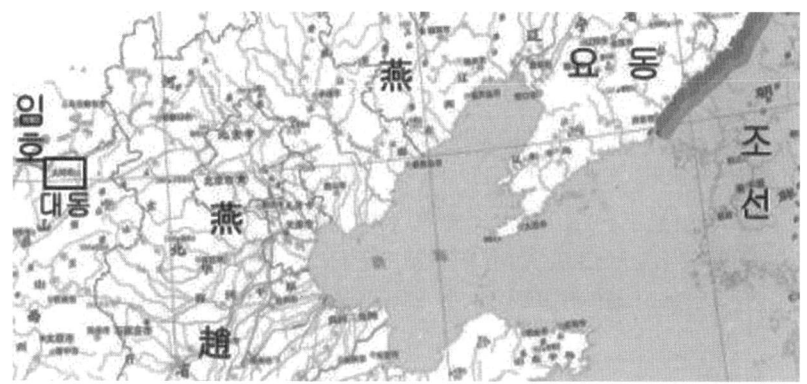

※ 중인들은 진작부터 전국시대 연이 수요동까지 또는 수요동을 넘어 장성이 평안도까지 들어온 지도를 그려 전세계에 뿌려놓았다.

지도22. 중인이 본 전국시대(조선在평안도)

※ 동호와 조선을 따로 보고 있다. 그러나 「東有朝鮮遼東」이라 하였으므로 동호가 곧 조선이었다. 분리하여 보는 시각은 우선 조선의 존재를 흐리게 하고, 후예가 나라를 부지하지 못한 세력을 크게 기술할수록 조선은 축소시킬 수 있는 수법이기 때문이다.

※ 예맥과 임둔, 진번을 그려 넣고 있는데 이런 구도는 [후한서]와 [삼국지] 동이전의 위사구도대로인 것이다. 연의 障塞(장새)가 황해도 북단까지 뻗쳐있고 동정후에는 王險(왕험)조차 연에 포함된 것처럼 그려져 있다.

지도23. 조선이 今요서까지였을 때

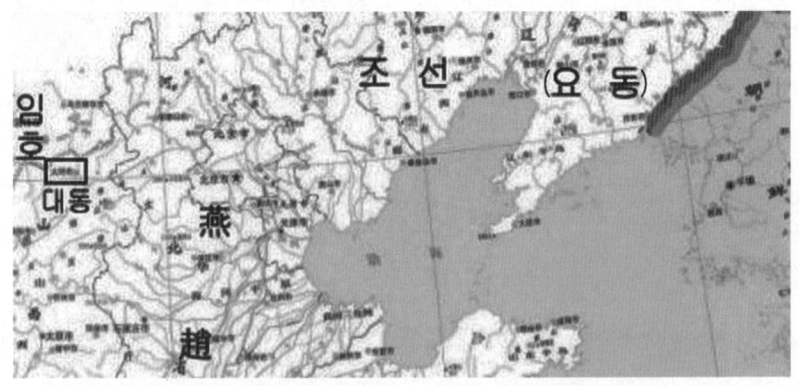

※ 한국의 소수 학자들이 요서지역의 고조선유물과 [진서] 지리지의 낙랑군 수성현, 장성, 갈석산 관련 기사를 근거로 이 설을 주장하고 있다.

지도24. 조선이 今요서까지였을 때

※ 요수를 요하로 보는 경우인데 요서까지였던 조선이 연에 밀려 요동으로
물러난 상황이다. 지도에서 연(YEN)의 동부는 선으로 둘러싸여 있는데
"since (BC)300 to Yen"이라고 되어있다. 그러고도 요동은 여전히 조선
(CHAO-HSIEN)인 것을 볼 수 있다. 요하를 요수로 보더라도 이렇게 보는 것
이 바른 해석인 것이다.

※ 또 이 지도에서 주목해야 하는 것은 조(CHAO)가 서쪽의 흉노를 밀어내고
확보한 지역이 선으로 둘러싸여 있는데 역시 "since (BC)300 to Chao"라고
되어 있다. 이 지역이 바로 정양과 운중, 구원, 오원 등지의 융적지인 것이다
(지도13,14). 이 융적지가 기원 이후에 오환선비들이 강성할 때는 이름만 선
비정으로 불렸다는 것이다.

그런데 요하가 요수라 할 경우 더 이상한 것은 조가 북으로 임
호와 누번을 격파하고 내몽고의 오원(今오원)·운중(今호화호특 서
남)부터 동으로 今요서까지 차지한 셈이 되므로 연은 북경 남쪽의
땅만 남은 셈이 된다. 그렇다면 이 경우 하북성 중북부에 있었던
것처럼 기술된 진개 동정전의 연은 조의 영역 내에 계란 노른자
같은 상황에 처했다는 얘기가 된다. 이 정도라면 연은 이때 조에
흡수되어 없어졌을 것이다.

지도25. 조가 수요서까지 차지했을 때

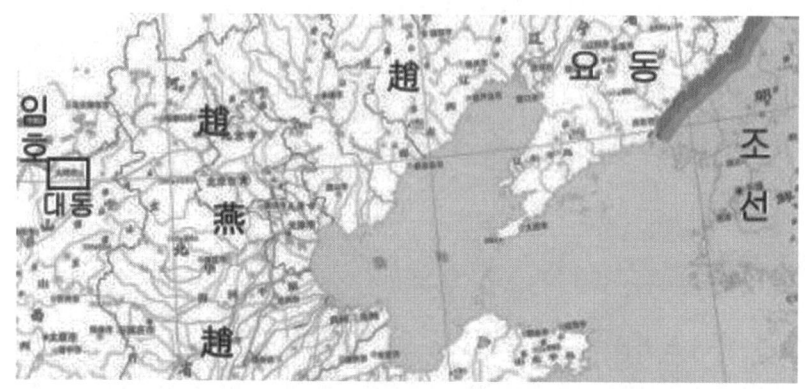

※ 요수가 요하라면 조 무령왕이 차지한 융적지가 모두 선비정이 되었다 하였으므로 서쪽의 오원부터 운중을 거쳐 동으로 북경을 지나 요하에 이르기까지 모두 선비정이 되었다는 말이 된다.

지도25와 같은 상황에서 분명히 '그 후[其後]' 연장 진개가 다시 동정하여 조선을 천여 리 물러나게 하였다고 하니 연이 조선을 밀어낸 것이 아니고 조를 밀어낸 셈이 된다. 아니면 연이 조를 건너 뛰어 수요동을 차지하기라도 했단 말일까?

[사기] 흉노전에는 분명히 「운중·안문·대군을 두었다. 그 후 연에는 현장 진개가 있어 호에 인질이 되었는데 호가 그를 심하게 믿었다. 돌아와서는 동호를 쳐서 깨뜨려 쫓았다. 동호는 천여 리 물러났다[而置雲中鴈門代郡. 其後燕有賢將秦開 爲質於胡 胡甚信之. 帰而襲破走東胡 東胡郤千餘里]」고 하여 조 무령왕이 흉노를 몰아내 3군을 설치하고 '그 후에[其後]' 연 진개의 동정이 있었다고 기술하고 있다.

무령왕이 흉노를 쫓아낸 후 장성을 쌓고 「운중·안문·대군을 두었다」고 하는데 후에 연은 진개 동정후 전성시 서방영역이 「서로는 상곡·대군·안문이 있다[西有上谷代郡鴈門]」고 하여 안문과 대군은 연이 조로부터 빼앗은 것처럼 되어 있다. [사기] 열국분야 연지조에는 조지와 접하는 서방이 「西有上谷 代郡 鴈門」이라고 한다.

[사기] 열국분야 조지조에는 서로는 태원과 정양(今대동·삭주), 운중, 오원, 상당 등이 있고 동으로는 광평과 거록, 청하, 하간 등지가 있다. 조지의 동방한계는 분명히 동평과 거록, 청하, 하간 등지라 하는데 여기에 지금의 요서가 어디 포함되어 있나?

연은 왜 조선에 인질을 바쳤나?

더더욱 이상한 것은, 조선이 평안도에 있었다 할 때 하북성 중북부와 今요서를 차지하고 있던 강국 연이, [사기] 흉노전에 「그후 연에는 현장 진개가 있어 호에 인질이 되었는데」라고 하듯이, 왜 반도 서북부에 있던 소국 조선(동호)에 명장 진개를 인질로 주었을까? 이것은 엄청난 수수께끼가 아닐 수 없는 것이다. 더구나 겉보기로는 연도 아니고 조선도 아닌 것처럼 기술된 요동이 연과 조선 사이에 있었던 셈 아닌가?

연과 조선 사이 지금의 요동반도에 전국칠웅 중의 하나인 연이 인질을 바쳐야 할 정도로 초강국 東胡(동호)라는 나라가 따로 또 있기라도 했단 말인가? 그 정도라면 반도 전체가 동호가 되고도 남았을 것이다. 사실은 조선을 동호라고도 기술한 것인데 조선을 이리저리 찢어 존재를 흐리게 표현하는 위사수법 중의 하나이다.

조선이 지금의 요서에 있었다 쳐도 하북성 중북부에서 지금의 난하까지 차지하고 있던 연이 무슨 약점이 잡혀 조선에 인질을 주었을까 하는 것이다. 이렇게 논리적으로 따져보면 요하가 고대의 요수라는 것은 황당무계한 것이다.

언제 전국시대 조가 지금의 요하까지 온 적이 있단 말인가? 이런 일은 결단코 없었다. 이것은 古요수는 今요하가 아니라는 뜻이다.

그래서 조 무령왕이 흉노를 몰아내고 장성을 쌓은 것도 산서성 代부터 내몽고 음산 기슭을 따라 서쪽 고궐까지 쌓았다 하는 것이다. 무령왕이 흉노를 몰아낸 그 땅을 지키기 위해 쌓은 장성이 바로 그렇다는 것이다. 지금의 요하가 古요수라면 조가 요하까지 장성을 쌓았을 것 아닌가?

지금의 요하가 古요수라고 주장하는 韓日中의 그 어떤 학자라도 조 무령왕이 연 진개에 앞서 요하까지 왔었다는 것을 만천하에 명명백백히 논증하기 전에는 요하가 古요수일 수는 없는 것이다. '고조선在평안도설' 같은 것은 애초에 논쟁할 감도 못 되는 것이다.

古요수는, 선비정(융적지) 중에서 맨 동쪽에 위치했던 산서성북의 古정양(今대동·삭주)의 동쪽을 흐르는 지금의 洋河(양하)와 桑乾河(상건하)일 수밖에 없는 것이다. 양하와 상건하는 永定河(영정하)의 상류이므로 영정하가 古요수라는 것이다.

3. 지명근거

1) 요동지명

[삼국사기] 卷37 志6 地理4의 密雲(밀운)이 북경에 있다

[삼국사기] 지리지에 미상지명으로 기재된 密雲(밀운)은 북경의 지명이며 그 근방에 銀山(은산), 新城(신성), 白崖(백애) 등의 고구려지명이 집중 분포되어 있다.

고구려 백암성이 밀운의 동쪽에 있었다

고구려 白巖城(백암성)은 [구당서]에서는 白崖城(백애성)이라 하였는데 '白崖'라는 지명이 근세지도에도 보인다.

지도26. 밀운과 동백애

※ 오른쪽 위에 東白崖(동백애)가 보이고 그 왼쪽 아래에 밀운이 보인다. 밀운과 백애는 潮河(조하:Ch'ao Ho)에 연해 있음을 볼 수 있다.

지도27. 대성자와 백애

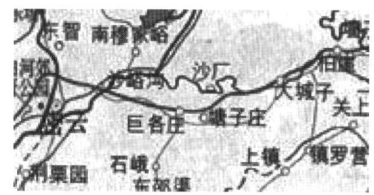

※ 왼쪽에 밀운이 보이고 동으로 보면 大城子(대성자)와 柏崖(백애)가 보인다. 이 대성이라는 것이 백암성으로 추정된다. 이 지도에서 백애는 지도26에서 '동백애'라고 표기된 위치로 보인다.

고구려 신성이 밀운의 동북에 있었다

지도28. 밀운과 신성자

※ 왼쪽 아래 懷柔(회유)의 동쪽에 밀운이 있고 그 동쪽에 대성자가 있다.

※ 대성자의 동북에 보이는 新城子(신성자)는 고구려 서변요해처라 하던 그 신성이다. 신성의 서북 인근에 장성관문 古北口(고북구)가 보인다.

고구려 은산성도 북경에 있었다

[삼국사기] 보장기 4년 10월조에 당이 함락시킨 고구려성으로 「玄菟(현도), 橫山(횡산), 盖牟(개모), 磨米(마미), 遼東(요동), 白岩(백암), 卑沙(비사), 夾谷(협곡), 銀山(은산), 後黃(후황)」 등 열 곳이 있는데 그 중에 포함된 은산이 지금도 북경에 있다. 白岩은 白巖이다(岩은 巖의 俗字).

지도29. 은산

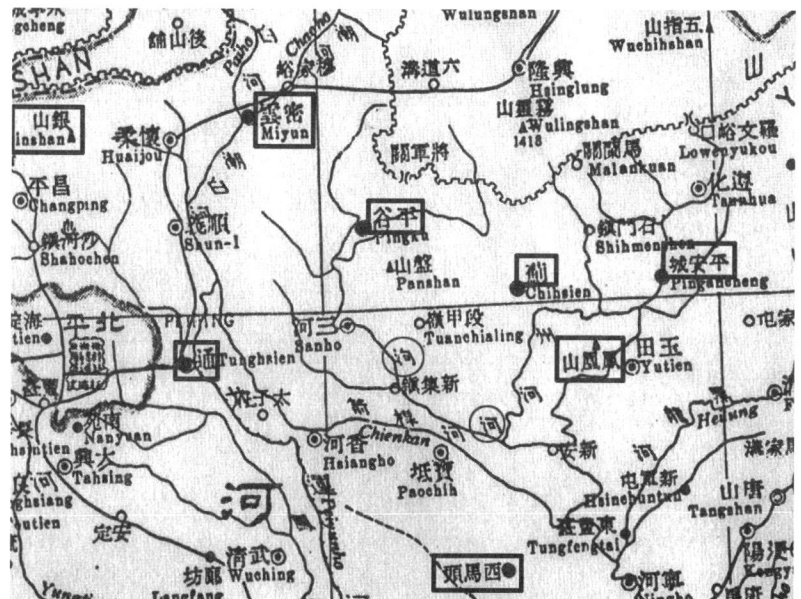

※ 왼쪽 위에 은산이 보이고 그 동으로 회유와 밀운이 보인다. 밀운의 동쪽 六道溝(육도구)의 동으로 興隆(흥륭)이 보이는데 현도군 중심지 고구려현으로 추정되는 곳이다.

전한 요동군 서안평현이 북경에 있었다

전한의 요동군 서안평현이 지금도 북경시 동남에 '安平(안평)'으로 남아 있는데 바로 이곳이 요나라의 수도였던 곳이다(지도17, 30).

은산과 백애, 신성 외에 현도군 고구려현의 중심지로 추정되는 興隆(흥륭)의 서북 六道河子(육도하자) 근방에서 발원하는 洶河(구하)는 [한서] 지리지 현도군조의 요수이자 [수경주] 권14의 소요수이며 [후한서] 구려전40)에서 소수맥이 의지했던 소수인

데 요동군 서안평현의 북을 흐른다고 했다. 지도30에서 구하와
안평의 관계는 [위씨춘추]의 소수와 서안평현의 설명에 무리 없
이 부합한다.

지도30. 서안평과 소요수 현대지도

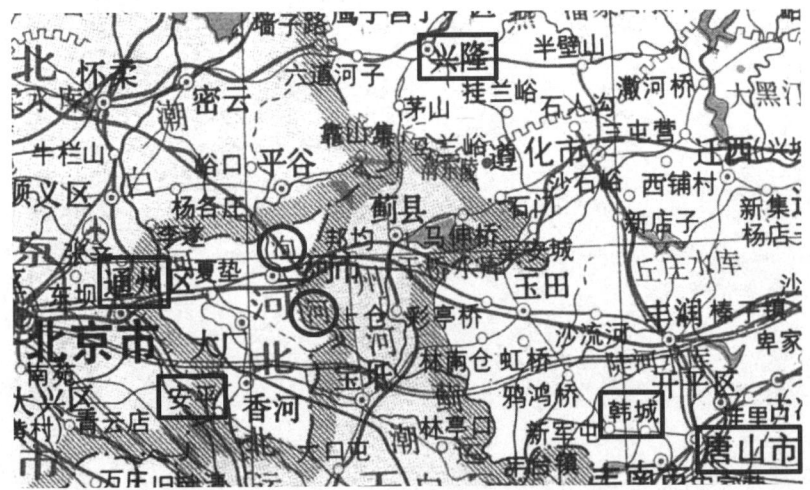

※ 서안평의 동북에 구하가 있다. 현도군의 중심으로 추정되는 흥륭 서쪽 인
근 육도하자에서 발원하여 남으로 흘러 평곡의 서쪽을 지나가고 있는데 지금
은 상류 부분이 乾川(건천)으로 변한 것 같다. 평곡의 남을 경유하는 지류가
구하와 합류하는 것이 보인다.

고구려 남소성도 지도에서 추정 가능

[한서] 지리지 현도군조 고구려현 설명에 요수와 남소수가 있

---

40) [후한서] 구려전 『구려는 일명 맥이라 한다. 별종이 있는데 소수에 의지하
여 거하기 때문에 소수맥이라 한다. 좋은 활이 나는데 소위 맥궁이 그것이
다[1]. '위씨춘추'에 요동군 서안평현의 북으로 소수가 있어 남으로 흘러
바다로 들어간다. 구려 별종인데 그로 해서 소수맥이라 한다[句驪一名貊
(耳) 有別種 依小水爲居 因名曰小水貊 出好弓 所謂 貊弓是也[1]. [1]魏氏
春秋曰 遼東郡西安平縣北 有小水南流入海 句驪別種因名之小水貊]』

다 하였는데[高句驪 遼山 遼水所出 西南至遼隊入大遼水 又有南蘇
水 西北經塞外] 위의 지도29,30에서 구하의 동쪽 지류가 바로 남
소수로 보이고 平谷(평곡)이 고구려 남소성으로 추정된다.

요동성과 안시성, 건안성도 지도에서 추정 가능

지도29,30에서 천진시 북단의 薊縣(계현)이 고대의 襄平(양평)
으로 요동성이 있던 곳이고, 그 동쪽의 平安城(평안성)이 고구려
建安城(건안성)으로 추정된다. 또 지도29에서 계의 동남에 鳳凰山
(봉황산)이 있는데 안시성이 있던 곳으로 추정된다([열하일기]). 이
지역이 요수의 하구를 끼고 있던 안시현일 것이다.

지도29에서 요동성과 안시성, 건안성의 관계를 볼 수 있다. 당
군이 古大人城(고대인성)에 군량을 두고 전투를 하는데 요동성(계
현)은 함락시켰으나 안시성을 공략하지 못해 건안성(평안성)을 먼
저 치려고 하다가 배후의 안시성(봉황산)으로부터 공격을 받으면
糧道(양도)가 끊긴다고 우려하고 있다. 즉 안시는 서에 있고 건안
은 동에 있었던 것을 지금의 요동에 옮겨놓고 건안은 남에 있고
안시는 북이라고 방향을 바꾸어 위사를 써놓았다. 「건안은 남에
있고 안시는 북에 있어」라는 문구는, 안시성은 요하 하구 근방이
고 건안성은 요동성에서 안시성을 지나 더 남하하여 (대동강)평양
으로 가는 길목에 위치한 것처럼 기술한 것이다.

통정진도 북경에 있었다

수양제가 후퇴시 요수를 건너 설치했다던 通定鎭(통정진)은 북
경시내 동쪽의 通州(통주)로 추정된다(지도29,30). 이때의 요수는
대요수가 아니고 소요수이다.

마수산과 주필산도 북경과 천진 사이에 있었다

지도29에서 아래 가운데 西馬頭(서마두)가 당군이 주둔했던 馬首山(마수산)으로 보이는데 지도72-2 [대청광여도]에는 이 근방에 駐馬臺(주마대)를 그려놓고 있어 당 태종의 駐蹕山(주필산)으로 추정된다.

지도31. 대청광여도

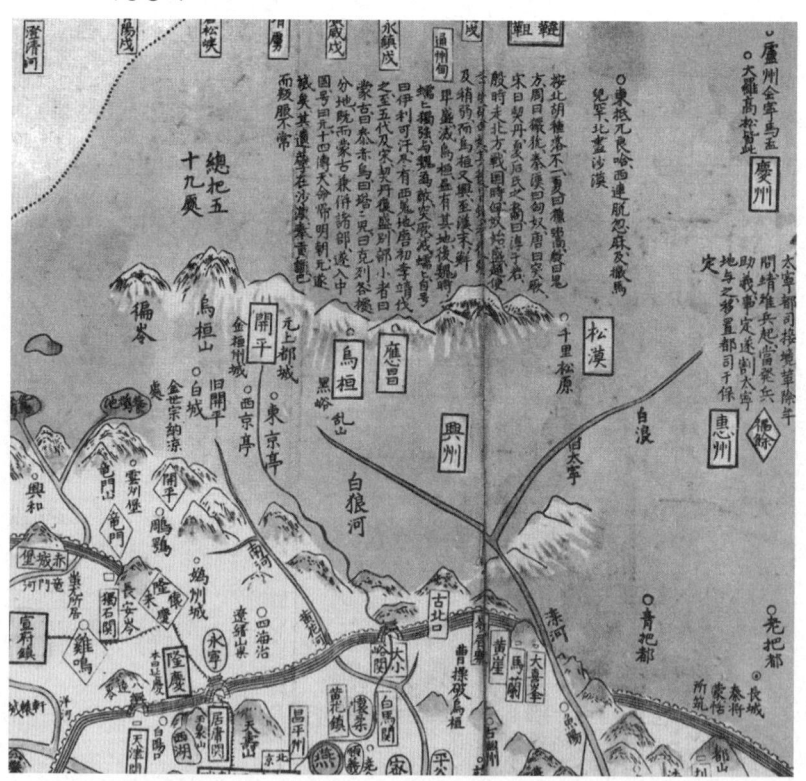

※ [大淸廣輿圖(대청광여도)]; 『淸나라 康熙年間(1662~1722) 사람인 蔡方炳(채방병)이 새긴 원도에 일본 天明5年(1785), 일본 지도작성의 선구자인 長久保赤水(나가쿠보 세키스이;1717~1801)가 교정을 한 중국전도. 지도의 右하단에는 범례와 서문이 있는데 범례는 長久保赤水, 서문은 久保亨(쿠보 토루), 程○赤城(程○ 아카기)가 서술. 崇文堂 발행. 木版, 手彩色, 190cm×186cm.

大英圖書館 所藏]』(DAUM '향고도' 블로그)

※ <이 지도의 來歷(내력)을 보면 복수의 일인학자들이 교정을 보고 범례를 작성하며 서문을 썼다는데 이런 활동을 통해 일인학자들은 청인들의 역사개작 사실을 알았던 것 같다. 왜냐하면 이 지도에는 전한 요서군 유성현이 천진 남방에 기재되어 있고 전한 요서군의 濡水(유수)가 하북성 중부에 표기돼 있으며(지도72-1), 당태종의 주필산으로 추정되는 주마대가 북경과 천진 사이에 있고 전한 (낙랑군) 해명현이라는 요나라 동경도 興州(흥주)가 천진 동쪽에 기재돼 있기 때문이다(지도72-2). 역사개작은 청인들과 일인들은 알았는데 조선인들만 몰랐던 것 같다>

고구려 노산주 당산현이 천진 동북에 있다

전한의 낙랑군으로 비정되는 천진~난하의 중심에 있는 唐山은 [삼국사기] 지리지[41]에 고구려 魯山州(노산주) 唐山縣(당산현)이라고 되어 있다(지도30).

그런데 [통전] 변방전 고구려전[42]에 고구려에 있는 갈석은 左갈석(東갈석)이라 하고 패수와 관련이 있는 평양에 魯陽山(노양산)이 있고 魯城(노성)이 있다 한다.

[송서] 고구려국전에는 「지금 치소가 한의 요동군에 있다. 고구

---

41) [삼국사기] 권37 지6 지리4 『魯山州 六縣 魯山縣 本甘勿阿 唐山縣 本仇知只山 淳遲縣 本豆尸 支牟縣本只馬馬知 烏蠶縣 本馬知沙 阿錯縣 本源村』

42) [통전] 변방전 고구려전 『碣石山在漢樂浪郡遂成縣. 長城起於此山. 今驗長城東截遼水而入高麗 遺址猶存. 按尚書云: 夾右碣石入於河. 右碣石即河赴海處 在今北平郡南二十餘里 則高麗中為左碣石. 又平壤城東北有魯陽山 魯城在其上 西南二十里有葦山 南臨浿水 其大遼水源出靺鞨國西南山 南流至安市 小遼水源出遼山 西南流與大梁水會 大梁水在國西 出塞外西南流注小遼水 馬訾水則移反一名鴨綠水 水源出東北靺鞨白山 水色似鴨頭 故俗名之 去遼東五百里 經國內城南 又西與一水合 即鹽難水也 二水合流 西南至安平城入海 高麗之中 此水最大...(중략)...水闊三百步 在平壤城西北四百五十里 遼水東南四百八十里 漢樂浪玄菟郡之地』

려왕 고련이 진 안제 의희9년에...[今治漢之遼東郡. 高句驪王高璉, 晉安帝義熙九年...]」라고 하여 장수왕의 치소 평양이 한의 요동군에 있었다 한다.

노양산이니 노성이니 하는 이름은 고구려 노산주와 같은 '魯' 자돌림 이름이고 따라서 장수왕의 평양은 당산 근방으로 보여 당산 서쪽에 지금도 있는 준왕과 위만의 수도였던 韓城(한성;馬韓城)으로 추정된다. 이곳이 한 요동군 험독현으로 비정되므로 [송서]의 기록도 만족된다(지도12,30).

지도31에는 慶州(경주)와 盧州(노주)가 가까이 나타나는데 경주는 당산 동북 인근의 개평이므로 노주 역시 그 근방일 것이다(제3장 강찾기/2. 기타 강들/경주도 옮겨진 지명이다 참조).

옮겨붙인 지명들

지금의 요동에는 위사구도에 맞춰 옮겨붙인 지명 遼陽(요양)과 新城(신성), 蓋州(개주;개모성) 등이 있고 있지도 않았던 이름을 새로 지어붙인 것으로 太子河(태자하)가 있다.

지도32. 옮겨붙인 요동지명들

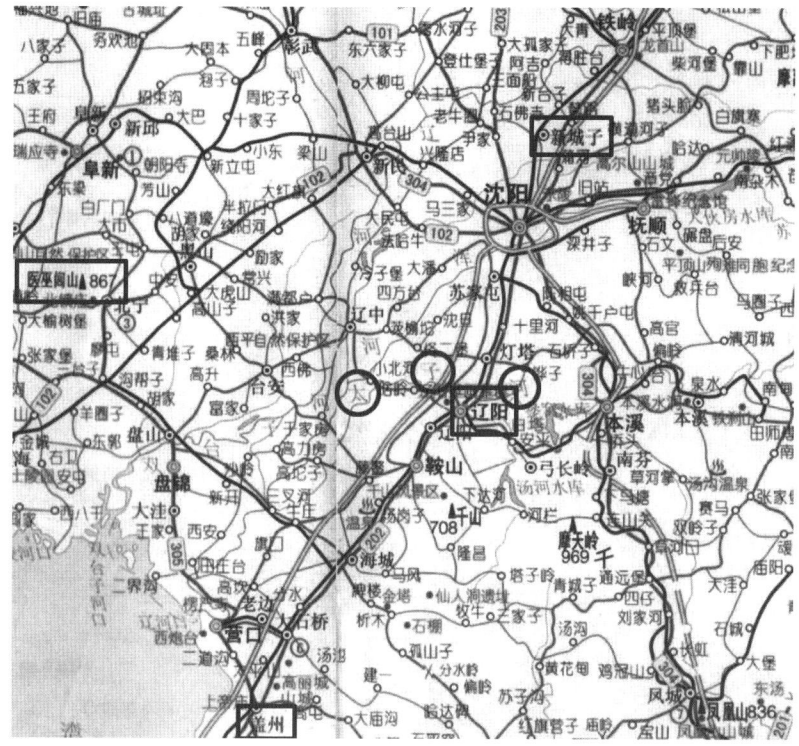

※ 심양의 동북에 신성이 있고 서남에 요양이 있으며 그 북에 태자하가 있다. 왼쪽 맨 아래에 개주가 보이고 왼쪽 위 부신의 남쪽에 의무려산이 보인다.

2) 요서지명

신성과 안평, 망도

당의 안동도호부가 세 번째로 설치되었던 (요서) 신성이 지금도 북경 남쪽에 '新城鎭(신성진)'으로 남아 있고(지도17,18) 한의 요서군 신안평현이 지금도 하북성 중부에 '安平(안평)'으로 남아 있으며 [요사] 지리지에 전한 (요서군) 해양현이었다는 '望都(망도)'가 지금도 하북성 중서부에 있다(지도18).

옮겨붙인 지명들

옮겨붙인 요서지명으로는 盧龍(노룡;肥如)과 昌黎(창려), 碣石(갈석), 楡關(유관;臨渝), 海陽(해양) 등이 있고 요동군 무려현에 있다 하던 醫巫閭山(의무려산)이 요서 北寧(북녕) 인근으로 옮겨져 있다(지도32). 있지도 않았던 이름을 새로 지어붙인 것으로 秦皇島(진황도)가 있다.

지도33. 옮겨붙인 요서지명들

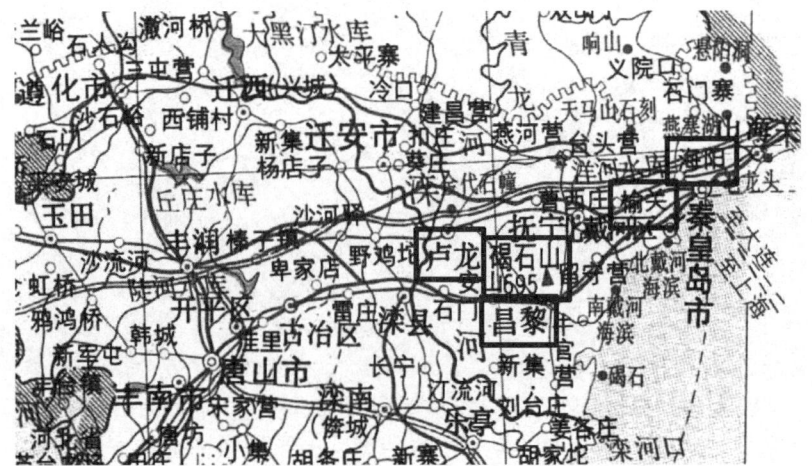

※ 맨 오른쪽 산해관의 서남 인근에 해양이 있고 그 서남에 유관이 있다. 유관의 서남에 갈석산과 창려가 있고 그 서북에 노룡이 보인다.

유성은 천진 서남방에 있었다

요수와 요동·요서 관련하여 今요하가 古요수일 수 없다는 근거가 또 하나 있다. 고대부터 유명한 지명으로 요서군 유성현이 있는데 사서에서는 그 정확한 위치를 파악할 수 있을 만한 기록이 없어 여태 찾지 못하고 있던 지명이다. 그러다 보니 한일양국 학계는 今요하를 古요수로 보고 유성을 지금의 요서 朝陽(조양)으로 비정해왔다. 물론 겉보기로는 요하 기준 요서로 추정할 만한 기록들이 여러 가지 있지만 사실은 그렇지 않다는 것이다. 각 시대별 몇 가지 사료들을 종합하면 유성이 천진시 서남방에 있었음을 알 수 있다.

▶ [大明一統志(대명일통지)] 河間府(하간부)조에 「옛 유성이 하간부 염산현 동 70리에 있는데 유정성이라고도 한다[故柳城在河間府鹽山縣東七十里一名柳亭城]」고 되어 있고 이 내용이 지도에도 보인다. 지도72-1 [대청광여도]에서 천진 바로 밑에 표기된 鹽山縣(염산현)의 오른쪽에 '故柳城(고유성)'이 기재되어 있다. 이 지도가 현대지도와는 달리 척도나 방향이 부정확하지만 대략의 위치는 알 수 있는 것이다. 사실 이것만으로도 今요서의 조양은 부인될 수 있는 것이다.

▶ [후한서] 공손찬전 '屬國石門'의 주에 석문산이 유성현 서남에 있다 하였다[石門 山名 在今營州柳城縣西南]('속국'이란 요동속국을 가리키는데 요동군의 일부와 요서군의 일부를 떼어 만든 군현이었다). [통전] 주군전 古기주 유성군조에도 역시 [후한서] 공손찬전의 주에 있는 석문산이 보인다. 이 석문이란 지명이 역시 천진 서남방에 지금도 지도상에 보인다. 지도18에서 任丘市(임구시)의 바로 아래 石門橋(석문교)가 보이는데 이 다리 이름 석문은 유성현 서남의 石門山에서 비롯된 것으로 추정된다. 이 다리는 석문산 인근일 터이므로 다리에서 동북으로 유성현의 중심이 있었다고 볼 수 있다.

▶ 瀛州의 동북에 營州가 있었다

[사기] 조세가 무령왕 19년기[43] 「東有胡」에 대한 주에 「瀛州

---

43) [사기] 조세가 무령왕 19년기 『十九年春正月，大朝信宮. 召肥義與議天下，五日而畢. 王北略中山之地，至於房子. 遂之代，北至無窮，西至河，登黃華之上. 召樓緩謀曰「我先王因世之変，以長南藩之地，属阻漳 滏之險，立長城，又取藺 郭狼，敗林人於荏，而功未遂. 今中山在我腹心，北有

의 東北에 營州가 있다[瀛州之東北 営州之境]」고 한다. 瀛州(영주)는 하간이고 営州(영주)는 전한 요서군 유성현이다. 즉 하간의 동북에 유성이 있었다고 하는 것이다. 이것은 [대명일통지] 하간부 조와 비슷한 내용이다.

지도72-1 [대청광여도]에서 하간부의 위에 古瀛州(고영주)라고 되어 있다. 지도18에서 하간의 동북으로 보면 大城이 보이는데 석문교에서 볼 때도 동북방에 해당된다.

이상의 사료로 볼 때 전한 요서군 유성현은 지금의 천진시 서남방에 있는 大城市(대성시)로 비정된다. 유성이란 이름을 없애면서 大城이란 일반칭으로 바꾼 것인데 요동지명 중 고구려 백암성(백애성)을 大城子로 바꾼 것과 같은 사례에 해당된다.

▶ [수서] 지리지 상곡군과 요서군

[수서] 지리지 상곡군조에는 유성과 관련된 지명으로 龍城(용성)과 龍山(용산)이 故安(고안), 遂城(수성), 易水(역수), 徐水(서수), 淶水(내수), 巨馬河(거마하) 등과 함께 기술되어 있다. 이들 지명들은 북경 서남·남에 있어 지금의 요서가 아니다.

燕 東有胡[1]. 西有林胡樓煩秦韓之邊 而無彊兵之救, 是亡社稷, 柰何? 夫有高世之名, 必有遺俗之累. 吾欲胡服」. 樓緩曰 善. 群臣皆不欲. [1]正義趙東有瀛州之東北 営州之境即東胡烏丸之地. 服虔云「東胡 烏丸之先, 後為鮮卑也」』

한중사서에 실린 한국고대사의 비밀

지도34. [수서] 지리지 상곡군 지명

※ 왼쪽 위에 飛狐口(비호구)가 보이는데 흉노들이 우북평으로 침공하는 길목
이었다. 易(역)과 그 바로 남에 易水(역수)가 보이고 그 동북에 淶水(내수),
동남에 徐水(서수)가 보이며 내수에서 동으로 가면 固安(고안)이 있다. 지도
18에서 보정시의 북으로 徐水 인근 서쪽에 낙랑지명 遂城(수성)이 보인다.

　[수서] 지리지 요서군조에는 유성과 관련된 지명으로 용성과
용산이 있는데 요서군에는 渝水(유수)와 白狼水(백랑수)가 있다 하
였다. 그런데 [한서] 지리지 요서군조에 의하면 渝水는 전한 요서
군 임유현을 지나고 백랑수는 우북평군 백랑현을 지난다 하였으며
濡水(유수)는 해양현을 지난다 하였다. 그런데 [요사] 지리지 남경
도 景州(경주)의 속현 望都(망도)가 전한 요서군 속현 海陽(해양)
이었다 하고 지도72-1 [대청광여도]에는 濡水가 하북성 중부 高陽
(고양)의 오른쪽에 기술되어 있다.

　유성은 상곡군 遂城(수성)과 徐水(서수), 固安(고안), 요서군 濡
水(유수), 하북성 중서부의 望都(망도) 등을 볼 때 하북성 중부에
있었던 것이다.

▶ [요사] 지리지 중경도 대정부와 흥중부

[요사] 지리지 중경도 대정부조에는 부서현이 한 신안평현[富庶縣 本漢新安平地]이라 하고(지도18 아래 가운데 왼쪽에 安平이 보인다) 귀화현이 한 유성현[開泰二年析京民置 歸化縣 本漢柳城縣地]이라 하며 [통전] 주군전 유성군조에 보이는 요락수와 靑山(청산), 徒河(도하)가 있다 한다. 대정부의 潭州(담주)에는 한 교려현이었던 용산현이 있다 하였다[龍山縣 本漢交黎縣地]. 선비족이 제사를 지내던 곳이 용산이고 모용씨가 선비정을 떠나 요서로 진입하여 최초로 자리 잡은 곳이 한 요서군의 창려 극성이었다.

중경도 흥중부조에는 覇州(패주)와 覇城(패성)이 전한 유성현이라 하는데 [통전] 주군전 유성군조의 선대기록(고죽국·모용씨)과 내용이 일치한다. 이곳을 관할하는 창무군이 패주에 주둔했다 하고 현이 네 개 있는데 흥중(전한 유성, 요 패성), 영구(패성), 상뢰, 여산(전한 차려) 등이다. 흥중부의 안덕주에는 지명으로 패주와 패성, 용산, 도하 등이 보이는데 고안의 남쪽에 覇州(패주)가 있다(지도18).

위에서 보다시피 유성이 어딘지 명확히 기술하지 않고 빙빙 에둘러 기술하고 있는 것만 보아도 숨기려는 기색이 역력한 것이다.

그러나 [수서] 지리지 상곡군과 요서군, [요사] 지리지 중경도 대정부와 흥중부 등에서 유성과 관련된 지명들을 보면 유성은 분명히 하북성 중부에 있었음을 알 수 있다.

유성은 요서지역에서 가장 유명한 지명이기 때문에 의도적으로 없애버린 것이다. 그래서 기원전부터 내려오는 지명들이 많지만 유성은 남아 있지 않은 것이다. 가장 유명하던 지명이 없어지는 것은 의도적인 지우기가 아니면 생각하기 어려운 것이다.

[후한서] 군국지에 「요서군은 진이 최초 두었는데 낙양 동북 3,300리에 있다[遼西郡秦置 雒陽東北三千三百里]」는 것과 [통전] 주군전의 거리기록 「유성군은 동으로 요하까지 480리, 남으로 바다까지 260리, 서로 북평군까지 700리 된다[柳城郡東至遼河四百八十里. 南至海二百六十里. 西至北平郡七百里]」는 것은 今요하 기준으로 되어 있어 영락없이 지금의 요서로 보이게 되어 있지만 이상의 결과는 보면 이런 거리기록들은 후대의 개작 또는 가필임에 틀림없다 할 것이다.

古요수는 今요하가 아니고 今영정하이기 때문에 전한 요서군 유성현이 조양이라는 한일양국 학계의 통설은 더 볼 것도 없이 틀린 것이다. 모든 사서에는 실사와 위사가 섞여 있는데 대륙사서의 위사성을 알아차리지 못해 여태 잘못 알고 있는 것이다.

근본원인은 [후한서]와 [삼국지] 동이전의 여러 동이국가의 강역비정 자체가 가) '古요수=今요하'와 나) 한사군 在(今요동~반도 중북부)라는 두 가지 위사구도에 맞춰 기술된 것을 알아보지 못하기 때문이다.

요택은 천진 서남방에 있다

한국고대사에 있어 수수께끼 같은 지명이 하나 있는데 다름아닌 요택이다. 이 요택은 당태종이 고구려원정에 실패하고 돌아갈 때 황제조차도 노역을 거들었다 할 정도로 고전했던 것으로 유명하다. 그럼에도 요택이 어디에 있는지 어떤 연구가도 아직 명쾌하게 제시하지 못하고 있다. 그런데 기록을 잘 살펴보면 어렵지 않게 찾을 수 있다. 다만 고대의 요수를 잘못 알고 있기 때문에 못 찾고 있는 것이다.

[요사] 지리지 남경도 석진부에는 직할현으로 석진현(本晉薊縣 改薊北縣), 완평현(本晉幽都縣), 창평현(本漢軍都縣), 양향현(漢良

鄕縣), 노현(本漢舊縣 屬漁陽郡), 송차현(本漢舊縣 屈漁陽郡), 영청현(本漢益昌縣), 무청현(前漢雍奴縣 屬漁陽郡 [水經注] 雍奴者藪澤之名 四面有水曰雍 不流曰奴), 향하현(本武淸孫村), 옥하현(本泉山地 薊縣分置) 등과 潞陰縣(곽음현)이 있다.

이들 중에서 창평과 양향은 지금도 북경에 남아 있고 계와 영청, 무청, 향하 등은 천진 근방에 남아 있다. 즉 석진부는 실사상으로는 전한의 우북평군과 요동군, 요서군의 일부에 해당되는 것이다. 계현을 나누어 둔 옥하도 천진 근방이다. 宛平(완평)은 진의 유도현이라 하는데 명 순천부(북경) 왼쪽에 기재되어 있다(지도72-1).

지도35. 남경도 석진부의 현들 (계현, 창평, 양향, 영청, 무청, 향하)

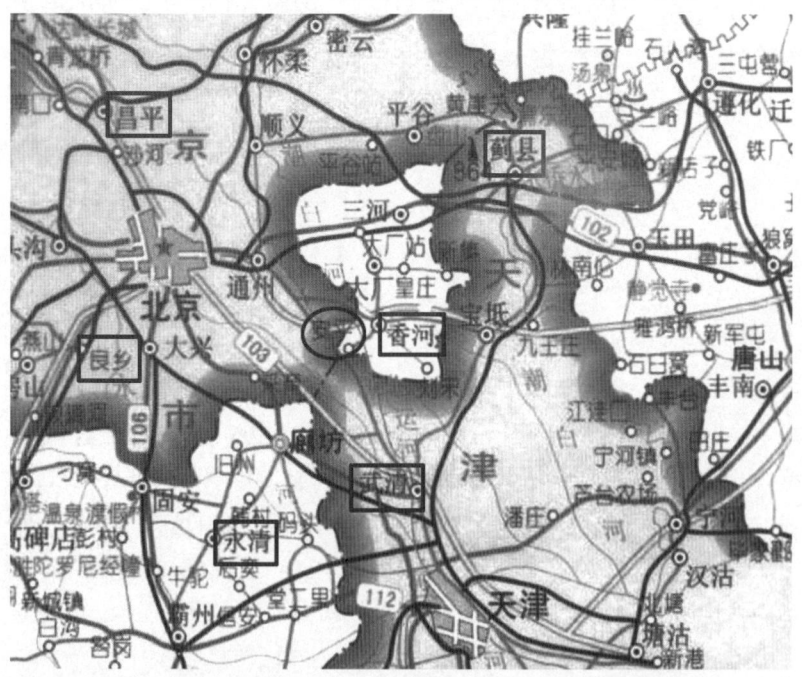

※ 왼쪽 아래 요서 신성이 보이고 수양제의 통정진으로 추정되는 통주의 동남에 요동 (서)안평이 보인다. 북경시내 서북에 창평이 보이고 서남에 양향이 보인다. 천진시내 북에 계현이, 서북에 무청이, 무청의 서남에 영청이 보인다.

이 속현들 중에서 곽음현44)의 설명을 보면 요의 왕들이 매년 봄 延若澱(연약전)에서 해동청 송골매로 거위와 오리 등의 사냥을 즐겼다 한다. 이 남경도 석진부의 곽음현이 바로 요택[延若澱方數百裏(연약전방수백리)]이 있는 곳이다.

「송왕증의 '상거란사'에 이르기를 웅주에서 백구교를 건너 40리 가면 신성현이 있는데 옛 독항정의 땅이다. 또 70리를 가면 탁주에 이른다. 북으로 범수와 유리하를 건너 60리 가면 양향현이다. 노구하를 건너 60리 가면 유주에 이르는데 연경이라 한다[宋王曾 '上契丹事'曰 自雄州白溝驕渡河 四十裏至新城縣 古督亢亭之地 又七十裏至涿州 北渡範水劉李河 六十裏至良鄉縣 渡盧溝河 六十裏至幽州 號燕京]」

王曾(왕증)의 이 주석은 요택에서 사냥을 마치고 귀환하는 경로의 지명들을 열거한 것으로 추정되는데 관련 지명들이 雄州(웅주), 白溝(백구), 新城(신성), 涿州(탁주), 範水(범수), 劉李河(유리하), 良鄉(양향), 盧溝河(노구하), 유주(연경) 등이 있다. 양향에서 노구하를 건너면 수도 상경 임황부가 있던 安平과 가깝다. 노구하는 북경시내 중심부의 서남쪽을 흐르는 영정하의 일부구간을 부르는 이름으로 보이는데 지도36의 房山區(방산구)에서 시내 중심부

---

44) [요사] 지리지 남경도 석진부 곽음현 『潞陰縣 本漢泉山之霍村鎮. 遼每季春 弋獵於延芳澱 居民成邑 就城故潞陰鎮 後改為縣. 在京東南九十裏. 延若澱方數百裏 春時鵝鶩所聚 夏秋多菱芡. 國主春獵 衛士皆衣墨綠 各持連錘鷹食刺鵝錐 列水次 相去五七步. 上風擊鼓 驚鵝稍離水面. 國主親放海東青鶻擒之. 鵝墜 恐鶻力不勝 在列者以佩錐刺鵝 急取其腦飼鴨. 得頭鵝者 例賞銀絹. 國主皇族群臣各有分地. 戶五千. 宋王曾[上契丹事]曰 自雄州白溝驕渡河 四十裏至新城縣 古督亢亭之地. 又七十裏至涿州. 北渡範水劉李河 六十裏至良鄉縣. 渡盧溝河 六十裏至幽州 號燕京. 子城就羅郭西南為之. 正南曰啟夏門 內有元和殿 東門曰宣和. 城中坊□皆有樓. 有閔忠寺 本唐太宗為征遼陣亡將士所造; 又有開泰寺 魏王耶律漢寧造. 皆遣朝使遊觀. 南門外有於越王廨 為宴集之所. 門外永平館 舊名碣石館 謂和後易之. 南即桑乾河』

로 갈 때 노구하의 노구교를 지나가게 된다. 양향은 북경시내 서
남 방산 인근에 있다(지도36 왼쪽 위 부분확대도).

지도36. 매사냥 귀환경로; 웅주, 백구(신성과 웅현 사이), 신성, 탁주, 유리하

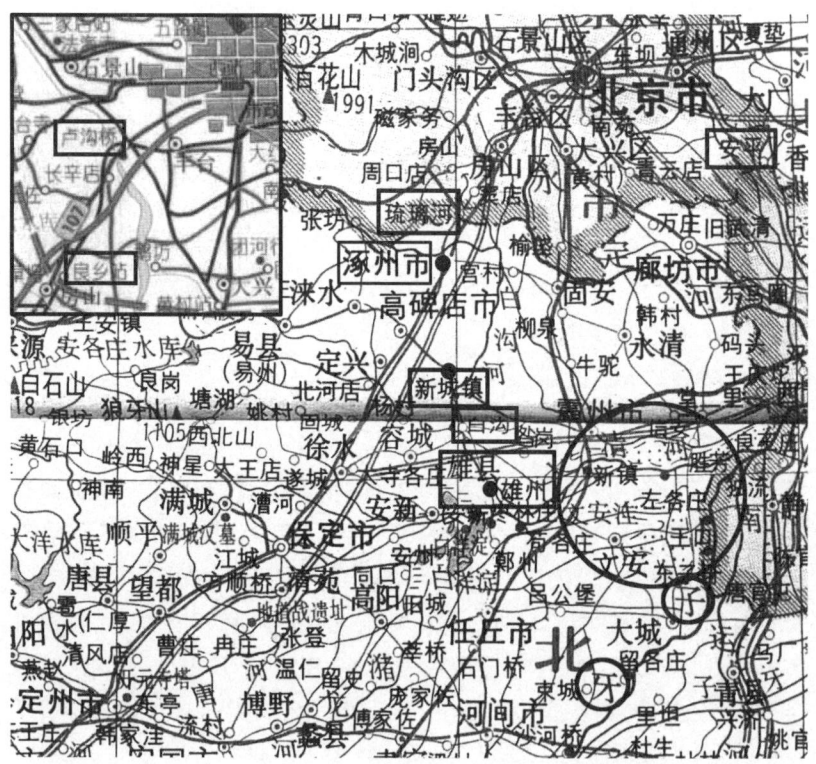

※ 귀환길 시점이 웅주로 되어 있는데 그 동으로 넓은 沼澤地(소택지) 표시가
보인다. 신성의 동남 40리에 있는 雄縣(웅현;웅주)과 文安(문안), 覇州(패주)
등지와 子牙河(자아하)로 둘러싸인 소택지를 「연약전방수백리」라고 부르고
있는데 이곳이 바로 당 태종의 「요택니뇨이백여리」에 정확히 해당하고 폭
'이백여리'가 면적으로는 '방수백리'에 해당하는 것이다. 이 소택지가 지금은
文安洼(문안와;웅덩이 洼)로 불리고 있는데 그 서남에는 白洋淀(백양전)이라
는 호수도 있다. 淀(전,정)이란 "깊지 않은 물"이라 한다.

당태종은 고구려원정시 태자(당고종)를 定州(정주)에 남겨두고 출발하여 임구~문안~문안와(요택)~패주~영청을 지나 영정하(요수)를 건너 낭방(안차)으로 가는 코스로 북상했든가 하간~대성(유성)~문안(이후 같은 코스)으로 갔든가 했을 것이다. 돌아갈 때는 그 역의 경로로 갔을 것이다(지도29의 서마두와 지도72-2의 주마대).

고대의 요수는 지금의 영정하

위와 같이, 지금도 북경시 동북에는 고구려의 요동지역에 있던 신성과 백암성, 은산성 등이 [삼국사기] 지리지의 지명 밀운 근방에 밀집해 있다(고려인들은 북경시명 밀운을 직필할 수 없어서 미상지명으로 분류하여 기술하였다).

북경 동남에는 지금도 전한 요동군 서안평현으로 추정되는 安平이 있다.

전한 요서지역의 신성이 북경 남쪽에 있고 요서군 신안평현으로 추정되는 안평이 하북성 중부에 있으며 왕망이 요동 서안평을 북안평이라고도 하여 요서 신안평과의 상대적인 방향도 부합한다. 지금의 요하 기준 요서라면 요동 서안평과 요서 신안평이 남북이 아니라 동서로 놓이게 되고, 요동 서안평을 단동으로 보게 되면 요서 신안평을 평안도에서 찾아야 한다.

전한 요서군 유성현이 천진 서남방 지금의 대성시로 비정된다.

[요사] 지리지 남경도 석진부 곽음현의 연약전(연방전)이 요나라 왕실에서 매년 매사냥을 다녔다 하던 요택인데 역시 천진 서남방에 있고 지금은 '文安洼(문안와)'라는 이름으로 불리고 있다.

[요사] 지리지 남경도 景州(경주)조에 「망도현은 본래 한 (요서군) 해양현[望都縣 本漢海陽縣]」이라 하는데 망도는 하북성 중서부에 지금도 있다.

[요사] 지리지 동경도 興州(흥주)는 한 (낙랑군) 해명현지라 하는데 淸代의 [대청광여도]에 천진~난하에 기재되어 있다.

기타 명확하게 비정되는 지명들과의 인접성이나 상대적인 방향을 고려할 때 고구려의 요동성이나 안시성, 건안성, 남소수, 남소성 등과 수양제의 통정진, 당군이 주둔했던 마수산, 당태종의 주필산 등도 지도상에서 근사하게 추정할 수 있다.

따라서 고대의 요수는 지금의 북경·천진을 관류하는 영정하일 수밖에 없는 것이다. 선비정과 동으로 접하는 강 역시 영정하의 상류인 양하와 상건하밖에 없으므로 영정하를 제외한 그 어떤 강도 고대의 요수일 수 없는 것이다.

제3장

ෆ

강 찾기

제3장 _ 강 찾기

1. [수경주] 권14

한국고대사와 관련하여 시대에 따라 여러 나라의 강역을 비정하는데 대단히 중요한 강들이 여럿 등장한다. 그래서 오래도록 쟁점이 되어 왔지만 사서상에는 위사와 실사가 섞여 있어 아직도 명쾌하게 이론의 여지없이 비정된 것은 없다고 해도 과언이 아닐 정도로 설이 분분하다.

[수경주] 권14의 강 일곱 줄기는 고대의 요수 주변의 강들을 한 그룹으로 묶어서 설명한 것으로서 한국고대사를 논함에 있어 대단히 중요한 강들이다. 그 중 고조선사와 관련하여 후대에 대륙국가가 조선구지에 설치하였다던 군현에 속한 강으로 소요수와 패수가 있는데 [한서] 지리지와 [수경주]를 통해 소요수와 패수가 어느 강들인지 찾아보았다.

[한서] 지리지 현도군조[15]에, 고구려현의 요산에서 요수가 나오는데 서남으로 흘러 요대현에서 대요수로 들어간다고 한다. 현도군의 이 요수는 소요수이며 또 남소수가 있어 서북 새외를 경유한다고 되어 있다.

서개마현의 마자수와 염란수 기사는 숙압록강을 염란수라 하면서 그 동남의 개마고원을 상정하고 쓴 위사에 불과한 것이다.

[한서] 지리지 낙랑군조[45]의 패수와 대수, 열수 등이 전부 서쪽

---

45) [한서] 지리지 낙랑군조 『樂浪郡 武帝元封三年開. 莽曰樂鮮 屬幽州[1]
   戶六萬二千八百一十二 口四十萬六千七百四十八. 有雲鄣 縣二十五 朝鮮

으로 흘러 바다로 들어간다는 것도 이미 where를 반도 서북부로 설정하고 쓴 위사이다.

[주서] 고려전46)과 [수서] 고려전47)에는 평양성이 남으로 패수를 끼고 있다 한다[南臨浿水]. 이 역시 대동강평양을 고구려수도 평양으로 설정하고 쓴 것이다.

[한서] 지리지의 설명은 직접적으로는 어떤 강인지 알기 어렵게 되어 있다. 그래서 이들 소요수와 패수 관련하여 직접적으로 해설해놓은 [수경주]를 볼 필요가 있다. [수경주]는 대륙을 여러 구간으로 나누어 특정지역을 설정하고 그 지역을 흐르는 강들을 단독으로 또는 여러 개의 강들을 그룹으로 분류하여 설명하고 있는 것이다.

소요수와 패수는 권14에 실려 있는데 濕餘水(습여수)와 沽河(고하), 鮑丘水(포구수), 濡水(유수), 大遼水(대요수), 小遼水(소요수), 浿水(패수) 등 모두 7개의 강들이 함께 분류, 설명되어 있다. 조사해보면 권14의 강들은 지역이 하북성 북부에 한정된 것으로 나타난다.

---

[2] 誹邯 浿水 水西至增地入海 莽曰樂鮮亭 含資 帶水西至帶方入海 黏
蟬 遂成 增地 莽曰增土 帶方 駟望 海冥 莽曰海桓 列口 長岑 屯有 昭明
南部都尉治 鏤方 提奚 渾彌 吞列 分黎山 列水所出 西至黏蟬入海 行八
百二十里 東暆 不而 東部都尉治 蠶台 華麗 邪頭昧 前莫 夫租. [1]應劭
曰 故朝鮮國也 師古曰 樂音洛 浪音狼. [2]應劭曰 武王封箕子於朝鮮』

46) [주서] 고려전『其地 東至新羅 西渡遼水二千里 南接百濟 北鄰靺鞨千餘
里 治平壤城. 其城 東西六里 南臨浿水 城內唯積倉儲器備 寇賊至日 方
入固守. 王則別為宅於其側 不常居之. 其外有國內城及漢城 亦別都也 復
有遼東玄菟等數十城 皆置官司』

47) [수서] 고려전『武帝拜湯上開府遼東郡公遼東王. 高祖受禪 湯複遣使詣闕
進授大將軍 改封高麗王. 歲遣使朝貢不絕. 其國東西二千裏 南北千餘裏.
都於平壤城 亦曰長安城 東西六裏 隨山屈曲 南臨浿水. 複有國內城漢城
並其都會之所 其國中呼為"三京"』

이 강들이 현재의 어느 강인지 찾으려면 발원지와 경유지, 하구 등이 어디인지를 찾아보는 것이 가장 빠르고 정확하다.

1) 濕餘水(습여수)

「습여수는 상곡군 거용관 동에서 나온다[濕餘水出上谷居庸關東]」고 하므로 북경시내에 있는 강이다. 상곡군 군도현이 가장 많이 언급되고 있고 「(장성의) 관이 있는 산에서 발원한다[其水導源關山]」고 하는데 이 관이 거용관일 것이다(지도17). 이 강은 북경시내의 溫楡河(온유하)이다.

지도37. 습여수와 고하, 포구수

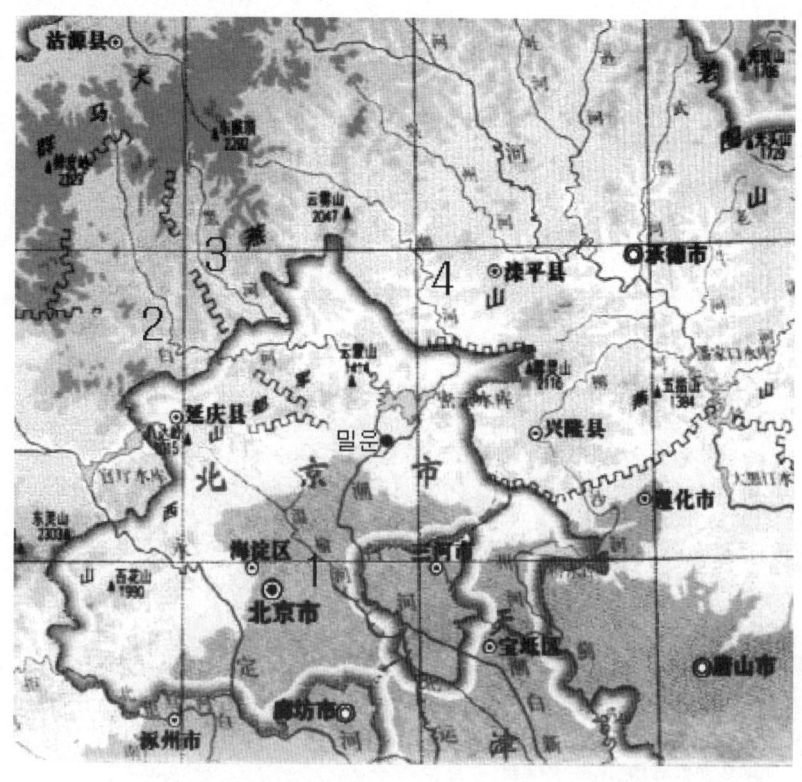

※ 1. 온유하(습여수), 2. 백하(고하), 3. 흑하, 4. 조하(포구수)

※ 濕자와 溫자, 餘자와 楡자는 각각 글자모양이 비슷하다. 팔달령에 가까운 곳에 거용관이 있다(지도17,58).

2) 沽河(고하)

설명문에서 중요사항만 발췌해보면 다음과 같다.

「沽河從塞外來 沽河出禦夷鎭西北九十里丹花嶺下 東南流 大谷水注之 水發鎭北大谷溪 西南流 逕獨石北界」

「고하는 새외에서 들어온다[沽河從塞外來]」고 하고 「독석 북계를 경유한다[逕獨石北界]」고 한다. 이 조건을 만족하는 강은 오로지 하나뿐이다. 고하의 발원지를 의미하는 沽源(고원)이란 지명도 북경 서북쪽 獨石口(독석구)의 북에 있다. 고하는 현대지도에서 지금의 白河(백하)에 해당된다. 중간경유지로 어양의 현들이 많이 언급되고 있는데 위사이긴 하지만 어양은 겉보기로 북경 동북부터 동남에 걸쳐 있었던 것으로 되어 있다.

지도38. 백하(고하)와 흑하, 조하(포구수)

※ 독석구를 경유하여 남으로 흐르는 백하가 고하이며 그 동쪽의 강이 흑하이고 다시 그 동쪽에 조하가 있는데 포구수에 해당된다.

3) 포구수

포구수는 그 이름부터가 북경 북의 '전복[鮑]' 모양의 땅과 관련된 이름이기 때문에 포구를 이루는 黑河(흑하)와 潮河(조하) 두 강 중 하나일 수밖에 없는 것이다. 설명문에서 중요사항만 보면, 「포구수는 새외(장성바깥)에서 들어와[鮑丘水從塞外來]」, 「밀운수의 동을 지나고[又歷密雲戌東]」, 「어양현 고성의 남을 경유하며[又東南逕漁陽縣故城南]」, 「호노성 동을 거쳐[又西南歷狐奴城東]」, 「서남으로 흘러 고하로 들어간다[西南流注於沽河]」고 한다.

어양과 호노는 어양군의 속현인데 겉보기로 북경 동북에서 동남에 걸쳐 나타난다. 흑하는 동남으로 흘러 백하로 들어가는데 조하는 <밀운(수)의 동을 지나 서남으로 흘러> 백하(고하)로 들어가고 있어 조하에 정확히 해당된다(지도37,38).

4) 유수

이 濡水(유수)에 대해서는 많은 연구가들이 今난하로 비정하는 경향이 있지만 전혀 아니다. 유수는 설명문이 크게 두 부분으로 나뉘어 있는데 앞부분의 요점만 추려보면 다음과 같다.

유수1

「유수는 새외에서 온다. 동남으로 요서군 영지현 북을 지난다. 유수의 발원지는 어이진 동남이고 물길이 두 줄기이다[濡水從塞外來東南過遼西令支縣北 濡水出禦夷鎮東南 其水二源雙引]」라고 하는데 이것은 今난하를 유수로 이미 설정해놓고 설명하고 있는 것이다. 禦夷鎮(어이진) 근방에서 발원하는 강으로 고하와 포구수, 유수를 들 수 있는데 고하는 고원의 남에서 발원하고 난하는 고원현 동남에서 발원하며 포구수는 난하 발원지의 남쪽에서 발원한다.

또 조조 북정기를 언급하면서 원래의 영정하 서남 요서(비여, 해양)에서 요하 기준 요서로 이미 옮겨진 지명 盧龍(노룡)과 海陽(해양)을 기준으로 설명하고 있다(지도33). 이 기사는 전한 요서군 비여현이 노룡이 되었다 하면서 전한 요서군을 지금의 요서로 인식시키기 위해 쓴 의도적인 위사이다. 지금은 노룡이 난하 하류 동편에 있는데 조조가 노룡새를 나와 백단·평강을 거쳐 백랑에 올라 유성을 바라보았다 한다. 그러면서 평강은 노룡의 동북 멀리에 있다 한다. 백단은 어양군 속현으로 겉보기로는 북경 동북 밀운 근방에 나타나는 지명이다. 난하 하류 동편 노룡에서 북경 동북 백단으로 갔다가 다시 노룡의 동북 멀리 있는 우북평 평강으로 갔다는 이상한 얘기가 되는데 이런 것이 어쩌면 위사임을 알아차리도록 의도적으로 흘려놓은 위사흔적이 아닐까 생각된다.

이 기사가 위사라는 결정적인 근거가 있다. 고하조 말미에 「沽河又東南逕泉州縣故城東　王莽之泉調也. 沽水又東南合清河　今無水. 清 淇 漳 洹 滱 易 淶 濡 沽 滹沱 同歸於海 故'經'曰派河尾也」라고 한다. 泉州(천주)라는 지명은 어양군의 현으로 겉보기로 대략 천진 서북에 나타나는 지명이다.

하북성 남부에서부터 영정하 이남의 강들인 청수와 기수, 장수, 원수, 구수, 역수, 내수, 유수, 고수, 호타하 등은 전부 같이 바다로 들어간다고 한다[同歸於海]. 이 강들은 고대의 요수인 영정하 남쪽의 강들이며 전부 지금의 천진시에서 바다로 들어가므로 유수가 난하일 수 없는 것이다.

유수가 난하일 수 없다는 근거는 또 있다. [수경주] 권11 易水조[48]에 다음과 같은 구절이 있다.

「유수는 또 동남으로 흘러 용성현 서북 대리정 동남에서 易水(역수)와 합쳐 巨馬水(거마수)로 들어간다[濡水又東南流　于容城縣西北大利亭東南合易水而注巨馬水也]」고 한다. 이 내용은 지도상에 정확히 표기돼 있다.

---

48) [수경주] 권11 易水조 『.....濡水又東南流　于容城縣西北大利亭東南合易水而注巨馬水也. 故 '地理志'曰 故安縣閻鄕 易水所出 至范陽入濡水. 闞駰亦言是矣 又曰濡水合渠. 許慎曰 濡水入淶. 淶渠二號 即巨馬之異名. 然二易俱出一鄕 同入濡水 南濡. 北易至涿郡范陽會北濡 又亂流入淶 是則易水與諸水互攝通稱 東逕容城縣故城北 渾濤東注 至勃海平舒縣與易水合......』

지도39. 유수1

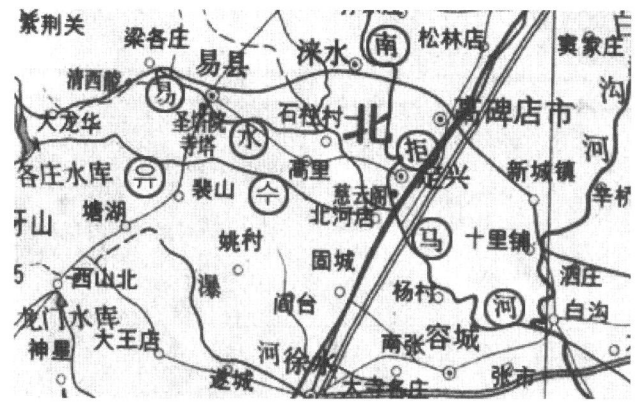

※ 유수, 역수, 남거마하

※ 容城(용성)의 서북 北河店(북하점)에서, 易水(역수)의 하류와 합류하여 南拒馬河(남거마하)로 들어가는 역수 남쪽의 강이 있는데 위의 설명문은 정확히 이 강을 가리키고 있다.

역수조에 등장하는 강들이 유수와 역수, 거마수, 내수, 거수 등인데 이 강들은 도중에 전부 만난다 하고 지명으로는 용성(대리정)과 고안(염향), 탁군 범양현, 발해군 평서현 등이 있는데 이 강들과 지명들은 전부 북경의 서남과 남, 천진의 서남방에 해당한다. 이렇게 유수가 지금의 난하가 아니라고 바로 알려주고 있다.

유수2

유수 설명문 중 뒷부분의 중요내용을 추려보면 다음과 같다.

이 유수는 요서군 서북의 영지(고죽성) 근방에서 발원한다[49].

---

49) [수경주] 권14 유수 『濡水自孤竹城東南逕西鄉北 瓠溝水注之 水出城東南 東流注濡水. 濡水又逕故城南 分為二水 北水枝出 世謂之小濡水也...(중략)...濡水又東南至絫縣碣石山. 文穎曰 碣石在遼西絫縣 王莽之選武也 絫

여기서 만약에 유수가 슉난하라면 고죽성 동남으로부터 시작하므로 난하의 발원지인 북경 북에 고죽성이 있었다는 말이 된다. 앞서 본 유수1은 영지현 북을 지나간다 하였다.

또 산서성 영구 근방의 원래의 요서군 (유현의) 갈석산도 지나간다[濡水又東南至絫縣碣石山]. 어쩌면 원래의 요서 갈석산이 백석산일 수도 있을 것 같다. 즉 絫(유), 臨渝(임유;馮德), 海陽(해양) 등은 갈석산이 있는 원래의 요서군 서북쯤에 있는 현들인데 우북평 서남의 여성현과 인접한 것으로 나타난다. 이 유수는 지금은 拒馬河(거마하)로 불리는 淶水(내수)로 보이고, 淶水의 발원지라는 의미를 가진 淶源(내원)에서 강이 발원한다. 이 강이 아닐 경우 영구를 경유하는 唐河(당하)일 수도 있다.

지도72-1 [대청광여도]에서 하간부의 서북이자 高陽(고양)의 오른쪽에 濡水(유수)를 그려놓고 있다. 청인들도 유수가 하북성 중부에 있다 한 것이다.

[한서] 지리지 요서군[50] 비여현 설명에 「유수는 남으로 해양현

縣并屬臨渝 王莽更臨渝為馮德. '地理志'曰 大碣石山在右北平驪成縣西南 王莽改曰揭石也...(후략)

50) [한서] 지리지 요서군 『遼西郡 秦置. 有小水四十八 并行三千四十六里. 屬幽州. 戶七萬二千六百五十四 口三十五萬二千三百二十五. 縣十四 且 慮 有高廟. 莽曰鉏慮[1]. 海陽 龍鮮水東入封大水. 封大水·綏虛水皆南入 海. 有鹽官. 新安平 夷水東入塞外. 柳城 馬首山在西南. 參柳水北入海. 西部都尉治. 令支 有孤竹城. 莽曰令氏亭[2]. 肥如 玄水東入濡水. 濡水南 入海陽. 又有盧水 南入玄. 莽曰肥而[3]. 賓從 莽曰勉武. 交黎 渝水首受 塞外 南入海. 東部都尉治. 莽曰禽虜[4]. 陽樂 狐蘇 唐就水至徒河入海. 徒河 莽曰河福. 文成 莽曰言虜. 臨渝 渝水首受白狼 東入塞外. 又有侯水 北入渝. 莽曰馮德[5]. 絫 下官水南入海. 又有揭石水·賓水 皆南入官. 莽 曰選武[6]. [1]師古曰 且音子余反. 慮音廬. [2]應劭曰 故伯夷國 今有孤竹 城. 令音鈴. 孟康曰 支音秪. 師古曰 令又音郎定反. [3]應劭曰 肥子奔燕 燕封於此也. 師古曰 濡音乃官反. [4]應劭曰 今昌黎. 師古曰 渝音喻. 其 下並同. [5]師古曰 馮讀曰憑. [6]師古曰 絫音力追反.』

으로 들어간다[濡水南入海陽]」고 하였는데 [요사] 지리지에 望都 (망도)가 전한 요서군 해양현이라 하였으므로 유수는 하북성 중서부에 있는 것이다. 망도로 흘러드는 강은 지금의 唐河(당하)에 해당된다(지도40).

지도40. 유수2

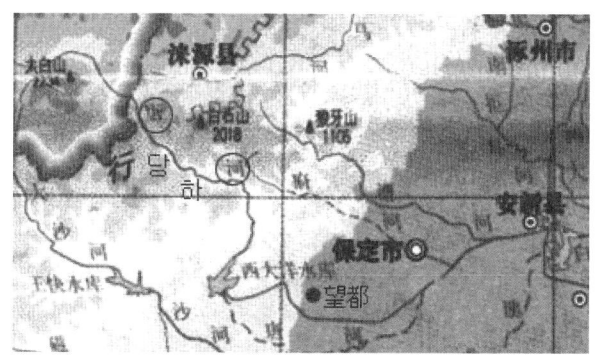

이런 유수를 난하로 보는 것은 '濡(난)'이라는 음이 있고[師古 曰 濡音乃官反] 요하를 요수로 보기 때문일 것이다. 그런데 이 주도 안사고의 이름을 차용한 것으로 보인다.

5) 대요수

대요수도 설명문을 보면 조조북정기가 또 언급되고 있는데 이것은 유성을 조양 정도로 설정하고 今遼河 기준으로 설명하고 있는 것이다. 그러나 유성과 요택이 영정하 하류의 남방에 있으므로 이 내용은 위사이며 대요수는 <제2장 고대의 요수>에서 본 대로 今영정하이다.

白狼水(백랑수)는 白石山(백석산)과 狼牙山(낭아산)의 사이를 흘러 동남으로 가서 (천진에서) 대요수와 만난다.

지도41. 백랑수와 유수, 망도

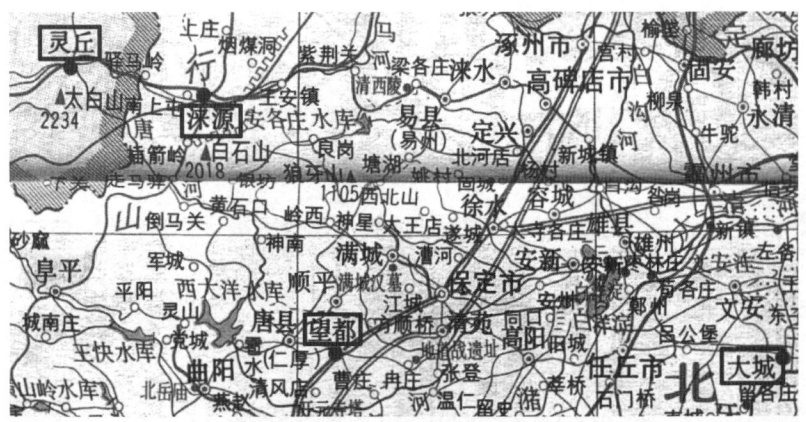

※ 갈석산이 있는 것으로 추정되는 산서성 영구의 동으로 淶水(내수)의 발원지라는 뜻을 가진 淶源(내원)이 있고 그 남에 백석산이 있으며 그 동남에 낭아산이 있다. '白狼(백랑)'은 이 두 산이름의 합성어로 보이고 그 사이에 작은 강이 하나 흐르고 있는데 아마도 백랑수일 것이다(백석산의 山자에서 낭아산의 牙자로 흐르는 강). 즉 지도40에서 낭아산의 서남을 흐르는 강일 것이다.

※ 조조는 지금의 요서 조양으로 원정한 것이 아니고 적(오환과 원씨)이 눈치채기 어렵게 산서성 태행산맥 후면으로 잠행하여 지도 왼쪽 위에 보이는 靈丘(영구) 방면으로 나와 백석산과 낭아산 방면을 지나 동쪽의 유성(大城)으로 진격한 것이다[東指柳城]. 어양 백단은 겉보기로 북경 동북으로 나타나므로 조조는 백단을 경유할 이유가 없었다. 실사로는 요수(영정하) 건너 요동방면(북경)에 공손강이 있었다.

6) 小遼水

　　[한서] 지리지 현도군조[15]에 고구려현 요산에서 발원하는 강을 요수라 하면서 요동군 요대현에서 대요수로 들어간다고 한다. 즉 대요수와 합류하는 현도군의 요수는 소요수라는 뜻인데 [수경주] 권14 소요수조[51]에는 「현도 고구려현에는 요산이 있는데 소요수가 나온다[玄菟高句麗縣有遼山 小遼水所出]」고 하여 바로 소요수로 기술하였다.

　　한사군 중의 현도군은 낙랑군의 북쪽 燕山道(연산도)에 설치되었는데 그 중심지는 고구려현이고 천진 북쪽 숭흥릉으로 추정된다. 흥릉 근방에서 발원하여 남쪽으로 흐르는 강이 두 줄기 있는데 그 중 큰 것이 지금의 泃河(구하)에 해당되고 나머지 하나는 구하의 지류에 해당된다. 이 구하가 [한서] 지리지 현도군조의 요수이며 [수경주] 권14의 소요수에 해당되고 지류가 남소수로 보이는데 고구려 남소성이 여기에 있었다(지도29,30).

---

51) [수경주] 권14 소요수　『又玄菟高句麗縣有遼山 小遼水所出 縣 故高句麗胡之國也. 漢武帝元封二年 平右渠 置玄菟郡于此 王莽之下句麗. 水出遼山 西南流逕遼陽縣與大梁水會 水出北塞外 西南流至遼陽入小遼水. 故'地理志'曰 大梁水西南至遼陽入遼. '郡國志'曰 縣 故屬遼東 後入玄菟. 其水西南流 故謂之爲梁水也. 小遼水又西南逕襄平縣爲淡淵 晉永嘉三年涸. 小遼水又逕遼隊縣入大遼水. 司馬宣王之平遼東也 斬公孫淵于斯水之上者也. 西南至遼隊縣 入于大遼水也』

지도42. 소요수와 패수, 대수

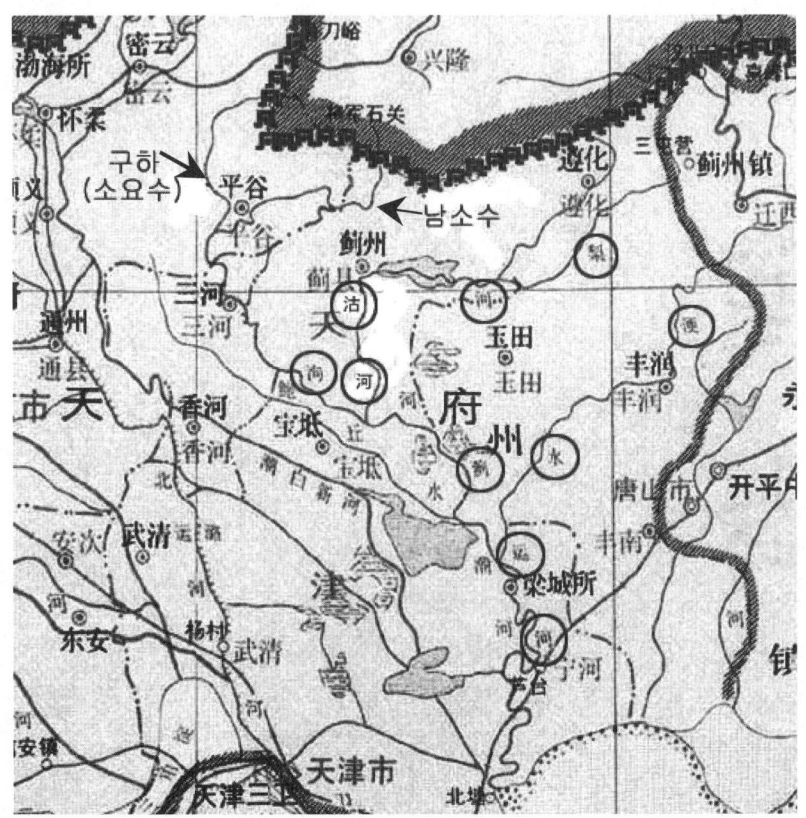

※ 지도30 흥륭의 서쪽 육도하자(지도29 六道溝)에서 발원하여 북에서 남으로 흐르는 강이 구하인데 소요수이며 그 동쪽의 평곡을 경유하는 지류가 남소수로 비정된다. 이 소요수(구하)는 패수(이하+주하+계운하)와 합류한다. 패수의 남쪽에 豊潤(풍윤)을 경유하여 패수와 합류하는 강이 浭水(경수)인데 帶水(대수)로 비정된다.

※ 북경시내 동에 수양제의 통정진으로 비정되는 통주가 있고 동남에는 요동군 서안평(今안평)이 보이며(지도17,30) 통주의 남으로 安次(안차)가 보이는데 지금은 廊坊市(낭방시) 안차구로 남아 있다.

소요수와 대요수는 원래부터 만나지 않는 것인데 요수를 요하로 치환하면서 요하 주변 상황에 맞추어 기술한 것이다.

소요수라고 굳이 지칭하는 것은 수양제의 후퇴과정에서 만나는 소요수를 요수라고 트릭을 구사한 것과 관련이 있고 당태종의 여당전쟁시에 이세적이 이 소요수 건넌 것을 요수를 건넜다고 기술한 경우도 있다. 이런 트릭을 쓰지 않고 진짜 요수를 건너 통정진을 설치했다면 지금은 통정진이 영정하 남쪽에 있을 것이다.

7) 浿水

「또 한이 일어났을 때 조선을 멀리하여 요동고새를 빙 돌아 패수[52]에 이르러 界로 삼았다[又漢興 以朝鮮爲遠 循遼東故塞至浿水爲界]」

이 기사는 마치 今요동과 평안도 조선을 말하고 있는 것 같지만, 북경 북의 장성과 패수를 정확히 묘사하여 그 안쪽으로 북경의 요동군이 그들의 동방한계였다는 말을 하고 있는 것이다. 「옛날에 연인 위만이 패수 서에서 조선으로 갔다[昔燕人衛滿自浿水西至朝鮮]」는 것은 「동으로 패수를 건넜다[東渡浿水]」는 말과 같은 것이다.

시대에 따라 각 왕조가 필요에 의해 장성을 쌓기도 하고 선대의 장성을 수리하기도 했다 하는데 북경 서남으로부터 북경 북을 돌아 동으로 뻗은 장성을 최초에 쌓은 것은 기록상 전국시대 연으로 되어 있으나(산서성 오대산 북의 상곡군 조양에서 요동 양평까

---

52) [수경주] 권14 패수『浿水出樂浪鏤方縣 東南過臨浿縣 東入于海. 許愼云 浿水出鏤方 東入海 一曰出浿水縣. '十三州志'曰 浿水縣在樂浪東北 鏤方縣在郡東. 蓋出其縣南逕鏤方也. 昔燕人衛滿自浿水西至朝鮮. 朝鮮 故箕子國也. 箕子敎民以義 田織信厚 約以八法 而下知禁 遂成禮俗. 戰國時滿乃王之 都王險城 地方數千里 至其孫右渠. 漢武帝元封二年 遣樓船將軍楊僕 左將軍荀彘討右渠. 破渠于浿水 遂滅之 若浿水東流 無渡浿之理 其地今高句麗之國治 余訪蕃使 言城在浿水之陽. 其水西流逕故樂浪朝鮮縣 即樂浪郡治 漢武帝置 而西北流. 故 '地理志'曰 浿水至增地縣入海. 又漢興 以朝鮮爲遠 循遼東故塞至浿水爲界. 考之今古 于事差謬 蓋'經'誤證也』

지) 진개 동정후에도 요동이 연지가 아니었으므로 연장성 기록조차도 저 장성이 완성된 이후에 씌어진 위사인 것이다(제6장 대륙사서의 위사/1. 연오군 참조).

패수의 비정조건으로는 [한서] 지리지 낙랑군조[45]에서 볼 때 <낙랑군 경내에서 발원하고 낙랑군과 요동군의 경계를 이루면서 바다로 들어간다>는 것이다. 즉 낙랑군의 서계가 패수라는 말이다.

패수는 낙랑군 누방현에서 발원한다 하였으므로 누방현은 지도 30,42의 오른쪽 위 三屯營(삼둔영) 일대로 볼 수 있는데 거기서 서남으로 흐르는 梨河(이하)가 있어 패수의 상류가 되고 있다. 이하가 천진시 북단의 薊縣(계현;지도42에서 薊州)를 지나면 州河(주하;지도30)로 불리다가(지도42에서 沽河) 구하(소요수)와 합류한 후에는 발해만의 하구까지 薊運河(계운하)로 불리는데 북경의 요동군과 천진 동북의 낙랑군의 경계를 이루는 부분은 주하와 계운하에 해당된다. 고로 지금의 패수는 (상류 이하+중류 주하+하류 계운하)에 해당한다(지도4,30,42). 지도를 보면 계운하의 물길이 복잡한데 준왕의 수도가 물이 험해 험독[53]이라 불렸다고 하는 사정을 짐작할 수 있다.

여기서 장성을 얘기했는데, 바로 이 패수에 이르러 계로 삼았다는 것은 연장성의 東端(동단)이라고 한 양평이 패수 가까이 있다는 뜻이다. 그래서 보면 천진시 북단의 계현(계주)이 양평(요동성)이고, 그 북으로 장성이 지나가지만 사실은 후대에 쌓은 것이다(지도42). 이것을 보면 실사상 패수를 남으로 임하고 있는 것은 고구려수도 평양이 아니고 요동성(양평성)이라는 것이다.

---

53) [한서] 지리지 요동군 험독현의 주「應劭曰 朝鮮王滿都也 依水險 故曰險瀆 臣瓚曰 王險城在樂浪郡浿水之東 此自是險瀆也 師古曰 瓚說是也 浿音普大反」 ==> 신찬이 준왕과 위만의 수도를 왕험성이라 하는 것은 험독을 동천왕의 수도 평양[仙人王儉之宅;왕검성]으로 부회하기 위한 것으로 보인다. 이 역시 신찬의 주가 아니고 사서개작세력이 신찬의 이름을 빌린 것이다.

패수의 남으로 豊潤(풍윤)을 지나 서남으로 흐르는 浭水(경수)가 있는데 이 강이 帶水(대수)로 추정되며, 비류와 온조가 남으로 '浿帶二水(패대이수)'를 건너 대방고지에서 건국하였다는 백제건국지가 바로 계운하와 경수가 만나는 곳으로 낙랑군 대방현일 것이다. 이 대방현의 동북에 있는 韓城(한성)이 마한성이며 준왕과 위만의 도읍지 험독이자 장수왕의 평양으로 비정된다(지도12,42). 비류와 온조는 주몽의 고구려가 아니고 구려별종이라 한 현도군 고구려현(소수맥) 출신으로 보이고 그래서 주몽의 서자로 꾸민 것으로 추정된다. 왜냐하면 고구려현의 중심지로 보는 흥륭에서 직남행하면 정확히 패수(이하)와 대수(경수) 두 강을 건너 대방고지에 도착하기 때문이다.

백제가 낙랑군의 서쪽에 있었다는 것은 [삼국사기] 초기기록이 증명한다. 온조가 「동에는 낙랑이 있고 북에는 말갈이 있다[東有樂浪北有靺鞨]」하였고, 고이왕 13년에는 낙랑주민을 잡아오기도 하고, 분서왕은 낙랑군 서쪽 현을 빼앗기도 하다가 낙랑태수가 보낸 자객에게 암살당하기도 한 것이다. 말갈은 현도군 북의 위구태부여이며 책계왕 13년기에는 한이 맥인과 함께 침공하고 있는데 [漢與貊人來侵] 이것은 현도군(고구려현의 소수맥)과 접촉한 것으로 보인다.

앞에서 본 [수경주] 권14의 강 일곱 줄기는 하북성 북부지역에 있는 것들이고 그 중 맨 동쪽이 패수이다. 원래의 순서대로 하자면 시계방향으로 유수, 대요수, 습여수, 고하, 포구수, 소요수, 패수 순으로 되어야 하고, 요수 바로 남에 있는 유수부터 제일 동쪽인 천진의 낙랑군 패수까지인 것이다.

실사상 패수는 古압록수인 난하와 古요수인 영정하 사이에 위치하고 있는 강이었다. 대동강이 패수라는 것은 대륙사서의 위사구도에서 비롯된 것이다. 사실 [수경주] 권14만 바르게 해석해도 <대동강이 절대로 패수일 수 없다>는 것을 알고도 남는다. 패수가

전국시대 연과 조선의 경계였으며 패수의 동에 험독이 있었고 패
수가 대동강이라는 중인학자들의 설이 있다. 또 청천강을 패수로
보고 그 하류 북안을 만번한으로 보는 설도 있다.

지도43. 중인이 본 전국시대

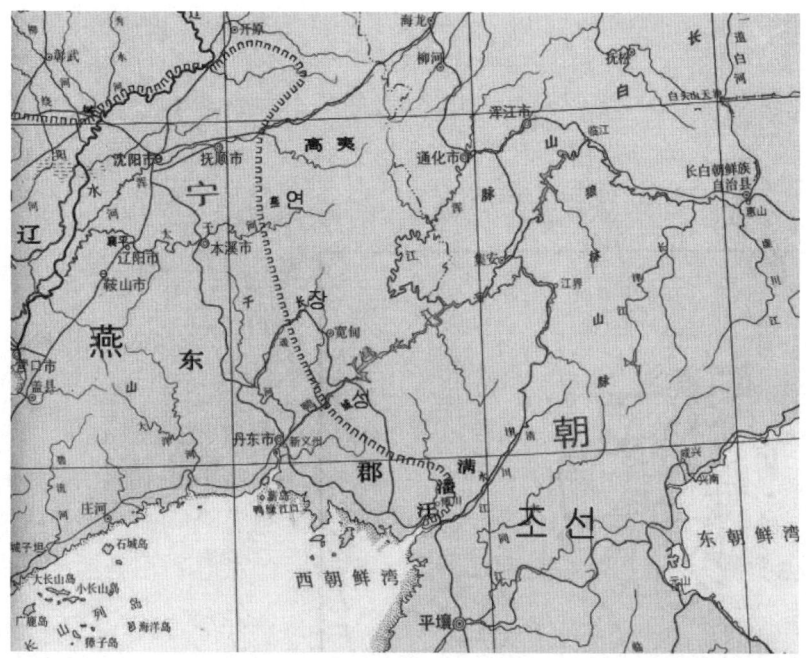

※ 연 장성이 청천강까지 들어와 있고 청천강 하류 북안에 滿番汗(만번한)이
있었다고 보고 있는데 요동군과 조선의 경계라는 뜻이다. 이 경우는 청천강
을 패수로 보고 있는 것이다. 요동의 동에 高夷(고이)가 있는데 전한이 위만
조선을 편입하고 4군을 설치하기 전에도 있었다 한 고구려이며 4군 설치시
현도군 고구려현이 된 소수맥이다.

만약에 패수가 대동강, 유수가 난하, 대요수가 요하, 소요수는
요하와 합류하는 지류(혼하), 포구수는 조하, 습여수는 온유하, 고
하는 백하라고 할 때 그 중간에 있는 많은 강들은 왜 다루지 않았
느냐 하는 것이다. 습여수와 고하, 포구수는 누구나 발원지만 보

더라도 다른 강으로 오인하지 않고 쉽게 찾을 수 있다. 습여수나 고하, 포구수 같은 북경시 인근의 작은 강들도 다루었는데 난하 동편의 폭하와 청룡하, 대능하, 요동반도의 태자하, 압록강, 청천 강 등 많은 강들은 왜 누락되었을까?

이 질문에 대해 답을 할 수 있는 학자는 아마도 없을 것이다.

만약에 숙대동강이 패수라면 지금의 평양까지 요동군이었다는 말이 된다. 한편 반도사관으로는 평안도와 황해도가 낙랑군이라고 하면서 요동군 험독현 하나만 계란 노른자처럼 낙랑군 안에 들어 있었다는 말일까? 그렇다면 험독은 패수의 동쪽이라 했으니 대동 강의 동쪽에 요동군의 현이 하나 있었다는 말이 되니 이상한 것이 다. 조선의 수도로서 패수의 동쪽에 있던 험독을 낙랑군 속현이 아닌 요동군 속현이라고 한 것은, 고구려 장수왕세의 치소가 요동 군에 있었다는 [송서]의 기록과 연결시켜 억지로 만든 것으로 보 인다.

근본적으로 [수경주]의 강들 설명은 특정지역을 좁게 한정하여 그 지역 내의 주요 강들의 발원지, 경유지, 다른 강들과의 합류, 하구 등을 설명한 것이다. 현대의 '省(성)'을 기준으로 보더라도 하나의 성을 여러 구역으로 잘게 나누어 설명하고 있다. 그 중 하 북성은 강들이 유난히 많은 편이라 구역도 많다. 따라서 구역이 더 잘게 쪼개진 것이다. 그 중 가장 큰 구역이 바로 권14에 해당 하지만 하북성 북부를 벗어나지 않는다.

북경 남쪽에서부터[濡水] 반도의 황해도까지[浿水]를 하나의 구 역으로 설정하여 그 안의 강들을 설명했다고 보는 것은 황당하기 짝이 없는 발상으로 이런 일은 없었다.

[수경주] 권14의 7개 강들을 전부 하나의 지도로 나타내 보면 다음과 같다.

지도44. [수경주] 권14 (실사)

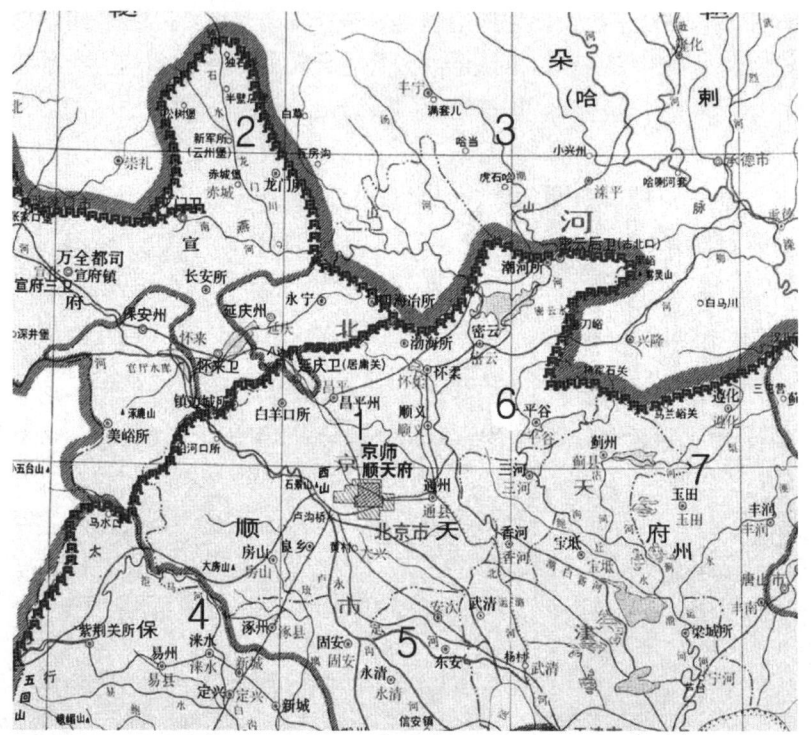

 ※ 1(습여수), 2(고하), 3(포구수), 4(유수), 5(대요수), 6(소요수), 7(패수) 등
이다.

　또 이들 강들을 보면 온전히 그들 영토 내에 있다고 간주된
것 외에는 기술하지 않았다는 것을 알 수 있다. 즉 다른 세력과
경계가 되는 강조차도 수록대상이 못 된다는 것이다. 그래서 고구
려와 현도·낙랑과의 경계였던 압록수(난하)는 아예 수록되지 않은
것이다. 난하 포함하여 그 동으로는 그 어떤 강도 실리지 않았다.
당연하게도 남의 나라 강을 설명할 리가 만무한 것이다.

　이들 강들이 있는 지역은 [한서] 지리지 기준으로 하북성 중북
부의 유주에 해당하는데 그 중에서도 특히 북부에 해당하는 지역

이다.

▶ 幽州(유주)

[한서] 지리지에서 유주의 군현들을 보면 다음과 같다.

대군「代郡 秦置 莽曰厭狄 有五原關 常山關 屬幽州 縣十八 桑乾 道人 當城 高柳 馬城 班氏 延陵 狋氏 且如 平邑 陽原 東安陽 參合 平舒 代 靈丘 廣昌 鹵城」

상건은 영정하의 상류인 상건라는 강이 있고 陽原(양원)과 靈丘(영구), 代(대) 등의 지명이 남아 있다. 대군은 산서성 동북부에 해당하고 양원은 고구려의 왕이름이다.

상곡군「上谷郡 秦置 屬幽州 縣十五 沮陽 泉上 潘 軍都 居庸 雊瞀 夷輿 寧 昌平 廣寧 涿鹿 且居 茹 女祈 下落」

居庸(거용)과 昌平(창평), 涿鹿(탁록) 등의 지명이 남아 있는데 북경 서북부이다.

어양군「漁陽郡 秦置 屬幽州 縣十二 漁陽 狐奴 路 雍奴 泉州 平谷 安樂 厗奚 獷平 要陽 白檀 滑鹽」

平谷(평곡)이란 지명이 북경시내 동쪽에 있는데 북경 동북에서 천진 서북부 정도까지이다.

우북평군 「右北平郡 秦置 屬幽州 縣十六 平剛 無終 石成 廷陵 俊靡 薋 徐無 字 土垠 白狼 夕陽 昌城 驪成 廣成 聚陽 平明」

치소인 무종이 후에 玉田(옥전)으로 바뀌었다는데 천진 동쪽에 옥전이 있다. 여기 平剛(평강)은 平岡(평강)으로도 쓰는데 고구려 평원왕의 별칭이 [삼국사기]에 平岡(평강)이라 하고 [삼국유사] 왕력편에는 平崗으로 되어 있다(崗은 岡의 俗字). 온달장군과 관련된 지명이며 대군의 양원이란 지명과 같은 의미를 지닌다. 후주(북주)와 이 지역에서 충돌한 것이 [삼국사기] 온달전에 실려 있다.

요서군 「遼西郡 秦置 屬幽州 縣十四 且慮 海陽 新安平 柳城 令支 肥如 賓從 交黎 陽樂 狐蘇 徒河 文成 臨渝 絫」

북경 서남에 있던 해양과 노룡(비여), 유관(임유), 창려(교려), 갈석산 등이 지금은 요하 기준 요서로 옮겨져 있다(지도33).

요동군 「遼東郡 秦置 屬幽州 縣十八 襄平 新昌 無慮 望平 房 候城 遼隊 遼陽 險瀆 居就 高顯 安市 武次 平郭 西安平 文 番汗 沓氏」

요양이 요하 동쪽으로 옮겨져 있고 무려현의 의무려산이 요하 서쪽으로 옮겨져 있으며(지도32) 패수의 동에 있다 한 험독이 패수의 서에 있다 한 요동군에 포함되어 있다.

현도군 「玄菟郡 武帝元封四年開 屬幽州 縣三 高句驪 上殷台 西蓋馬」

개마라는 산맥이름이 今요서 노로아호산에서 반도의 함경남도 개마고원으로 옮겨져 있다.

낙랑군「樂浪郡　武帝元封三年開　屬幽州　縣二十五　朝鮮　誮邯 浿水　含資　黏蟬　遂成　增地　帶方　駟望　海冥　列口　長岑　屯有　昭明 鏤方　提奚　渾彌　吞列　東暆　不而　蠶台　華麗　邪頭昧　前莫　夫租」

[진서] 지리지에는 遂成(수성)이 난하 동편의 명대에 완성된 장성의 기점인 것처럼 기술되어 있고 갈석산이 있다 하는데 이미 옮겨진 지명들이다. [후한서] 군국지의 거리로 보면 낙랑군의 위치가 반도 서북부로 나타나 있다.

이들 유주 관할 군현을 두고 겉보기위치(위사)와 실사위치를 지도로 대비해 보면 다음과 같다.

지도45. 유주 겉보기위치(위사)

지도46. 유주 실사위치

※ 군현들의 실사위치는 [수경주] 권14의 7개 강의 실사위치와 일치한다(지도 44). 요서 일부(유수)와 요동, 현도, 낙랑 등지의 강들이다.

겉보기기록에 따라 유주를 보면, 산서성 동북부 대군부터 하북성 서북부 상곡군를 거쳐, 북경 동쪽 어양군, 천진 동쪽의 우북평군, 난하에서 요하까지 요서군, 요하부터 압록강까지 요동군, 요동군의 북으로 현도군, 평안·황해도의 낙랑군 등 총 8개 군이 뻗쳐 있다. 그러나 이런 식의 군현 설치는 그 영역이 너무 넓어 현실성이 없는 불가능한 일이다. 유주의 치소는 북경 남쪽 탁주 계현에 있었다.

실사상의 위치를 보면, 어양은 [사기] 흉노전 '山戎(산융)'에 대한 주에 「유주 어양현은 본래 북융 무종자국[括地志云 幽州漁陽縣 本北戎無終子國]」이라 하였다. 그런데 우북평의 치소가 무종이므로 춘추시대 무종자국이 전국시대에는 진개 동정 이후 연의 우북평이 된 것이고, 진과 한도 그대로 물려받았다고 하였으므로 어양도 원래는 북경 서쪽 우북평 지역의 현이었다는 것이다. 그것을 군으로 만들어 북평(북경)을 축으로 서에서 동으로 돌려 요동군의 일부와 현도군을 덮어버렸다는 것을 알 수 있다. 또 산서성 대의 동에 있던 상곡은 우북평 자리에 밀어올리고 우북평은 북경을 축으로 동으로 돌려 낙랑군을 덮어버리고 낙랑은 가장 동쪽인 반도 서북부로 보내고, 북경 남쪽 요서군 자리에는 탁군을 만들어 덮어버린 후 요서군은 요하 기준 요서로 돌려놓고, 요동은 자연스레 요하 동으로 따라가게 되고, 요동(북경)의 동북 연산도에 있던 현도도 따라가고, 전부 이런 식으로 밀어내기를 했다는 것을 알 수 있다.

군현들의 실사위치와 겉보기위치를 같이 보면 대단히 규칙적으로 위사를 썼다는 것을 알 수 있다. 그 위사의 가장 기본이 바로 요수를 영정하에서 요하로 치환하는 구도라는 것이다. [한서] 지리지부터가 이렇게 되어 있고 이런 것을 뒷받침하기 위해 [사기]에서는 전국시대 연의 강역을 설명할 때 국명과 지역명(군명)을 동격으로 열거하기도 하고, 군명과 현명을 동격으로 열거하는 트릭을 쓰고 있는 것이다(제6장 대륙사서의 위사/1. 연오군 참조).

2. 기타 강들

고구려의 대수

[삼국지] 고구려전[21]에 「또 소수맥이 있었다. 고구려는 나라를 세울 때 대수에 의지해 자리 잡았다. 한 요동군 서안평현의 북으로 소수가 있어 남으로 흘러 바다로 들어간다. 구려의 별종은 소수에 의지해 자리 잡았으므로 이름하여 소수맥이라 한다. 좋은 활이 난다. 이른바 맥궁이라는 것이다」

[통전] 변방전 고구려전[42]에 「평양성 동북에 노양산이 있고, 노성이 그 위에 있다[平壤城東北有魯陽山 魯城在其上]」는 구절은 [삼국사기] 지리지의 고구려 「'魯山州(노산주) 唐山縣(당산현)」과 통한다. 여기 평양성은 험독을 가리키고 이 평양이 장수왕이 천도한 평양으로 보인다. 험독으로 추정되는 韓城의 동에 당산이 있다. 평양으로 천도한 것은 [삼국사기]에 의하면 동천왕으로 되어

있는데 장수왕 15년에 다시 평양으로 천도했다 하여 이해하기 어
렵게 되어 있다.

　　[송서] 고구려국전에 「고구려국, 지금 치소는 한의 요동군이다.
고구려왕 고련...[高句驪國 今治漢之遼東郡. 高句驪王高璉...]」이
라 하였는데 장수왕세에 치소가 한의 요동군에 있었다는 것이다.
그런데 반도사관에 의하면 금요동에서 대동강평양으로 천도를 했
다고 알고 있다는 것이다. 그래서 지금의 요동에도 평양이 또 하
나 있는 것처럼 말하기도 한다. 그러면서 평양이 여러 개소로 보
여 혼란스러우니 수도를 뜻하는 일반칭이라고도 한다.
　　장수왕은, 동천왕의 평양(고조선평양)으로부터 서진하여 한 요
동군의 험독으로 천도한 것으로 추정된다. 이 중 험독을 대륙사서
에서 패수와 연결지어 고구려수도 평양으로 보고 있는 것은 역으
로 생각하면 마한의 준왕이 위만에 밀려 해로로 남천한 지역이 대
동강유역이라는 말이 될 수도 있는 것이다. 그러나 험독도 남으로
패수를 끼고 있는 것은 아니다. 남으로 패수를 끼고 있는 곳은 지
금의 천진시 계현으로 이곳이 양평(요동성)으로 추정된다(지도42
계주).
　　즉 장수왕이 천도한 험독이 선대에 준왕과 위만의 수도였다는
사실과 패수를 연결하여 이것이 마치 대동강평양인 듯이 조작한
것이다. 그런데 원래 조선(마한)의 수도였다는 험독은 분명히 패수
의 동에 있었고 조선(마한)의 중심지였으므로 낙랑군에 속해야 할
터인데도 [한서] 지리지에는 요동군 속현으로 되어 있다는 것이다.
패수가 연·진·한 요동군과 조선의 경계였다고 해놓고도 이렇게 또
트릭을 쓰고 있는 것이다.
　　이런 사실들을 조합해보면 [송서]에서 말하는 한 요동군의 장수
왕 치소가 곧 [한서] 지리지의 요동군 속현 험독을 가리키는 것이
다. 원래 고구려수도 평양(창려)은 패수와는 무관한 도시였다. 평
양을 패수와 묶어 팩키지로 만든 것 자체가 험독을 대동강평양으

로 부회하기 위해서였던 것이다.

「그 대요수의 발원지는 말갈국 서남산인데 남으로 흘러 안시에 이른다[其大遼水源出靺鞨國西南山 南流至安市]」고 하는데 이 대요수는 금요하를 가리키지만 실사상 대요수는 영정하이므로 이 기사 자체가 위사인 것이다. 다만 요하의 발원지 근방에 말갈국이 있었음을 알 수는 있는 것이다. 즉 요하의 발원지가 부여고지에 가깝다는 뜻으로 부여고지는 서만주 임서와 파림우기, 파림좌기 등지에 해당한다.

[한서] 지리지 현도군조[15]와 [통전] 변방전 고구려전[42]의 마자수와 염란수는 지금의 백두산과 개마고원을 상정하여 압록강을 설명하고 있으므로 위사이다. 강이 서남으로 흐른다 하니 지금의 압록강으로 보게 된다.

고구려가 의지한 대수는 지금의 난하로서 고대의 압록수였다. 고구려건국지는 승덕시의 동남에 있는 舊승덕이며 이곳이 졸본으로 비정되고, 낙랑군 영동칠현 중 동예로 분류되는 화려·불이 중화려에 해당한다. 승덕의 동남에 있는 寬城(관성)은 고구려 초기수도 국내성이 있던 불이로 비정된다. 불이성이 국내성이라는 것은 [삼국유사] 왕력편(고구려 유리왕)에서 바로 알려주고 있다. [삼국사기]에서는 [괄지지]를 인용하며 말을 빙빙 돌려서 국내성이 불내성이라 하고 있다. '不而=不耐=國內'인 것이다. 다시 그 동남의 都山(도산)이 고구려 환도산이다. 거기서 동남으로 더 가면 남옥저에 昌黎(창려)가 있는데 고조선수도이자 고구려수도 평양이었고 고려의 서경이었다.

학계에서도 불이를 동예로 보고 있지만 고구려 국내성과는 전혀 다른 곳으로 보고 있다.

지도47. 초기고구려와 난하

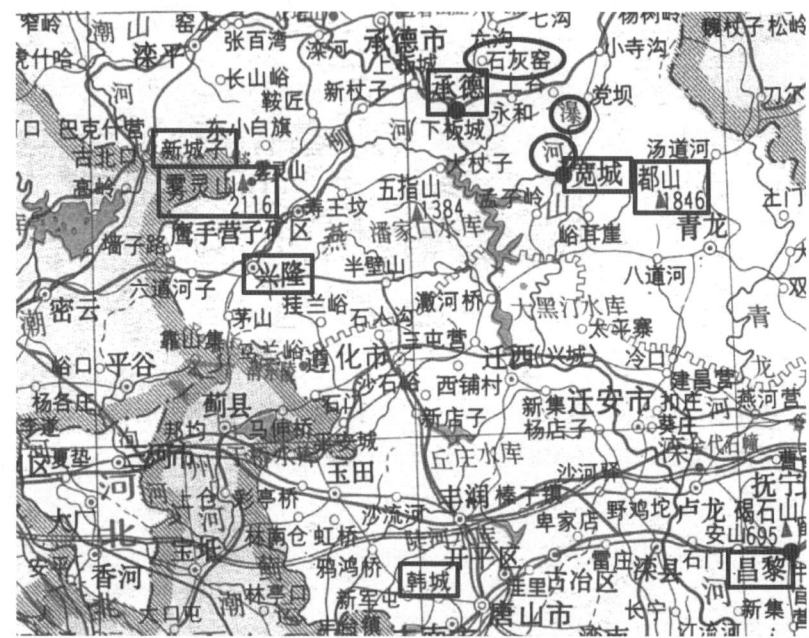

※ 위 가운데 承德市(승덕시)가 있고 그 동남에 舊승덕이 있는데 고구려 초기 수도 졸본이다. 그 동북에는 석회굴이 있는데 [후한서]와 [삼국지] 고구려전에 소개된 「나라 동쪽에 큰 동굴이 있다[國東有大穴]」고 한 그 동굴로 보인다. 거기서 연례적으로 禭神(수신, 隧神)의 목상을 세우고 제사를 지냈다 한다. 이 동굴을 처음 발견한 인물은 민중왕으로 보이는데 [삼국사기] 민중기 4년(47) 7월조에 「또 사냥을 갔다. 석굴을 발견하고 돌아보고 좌우에 이르기를 "내가 죽으면 반드시 이곳에 장사지내라. 모름지기 새로 능묘를 만들지 말라"라고 하였다[又田 見石窟 顧謂左右曰 吾死 必葬於此 不須更作陵墓]」고 한다. 아마도 대단히 아름다워 능을 쓰지 말고 이 동굴에 장사지내 달라 한 것 같다. 同 5년기에 「왕이 돌아갔다. 왕후와 여러 신하들은 유명을 어기기 어려워 석굴에 장사지냈다. 호를 민중왕이라 하였다[王薨 王后及群臣 重違遺命 乃葬於石窟 號爲閔中王]」고 되어 있다.

※ 華麗는 직관적으로 볼 때 〈고구려를 꽃피운 또는 빛나는 고구려〉라는 뜻이다. 고구려 발상지라는 의미인 것이다. 그래서 졸본으로 보아야 한다는 것이다.

※ 승덕의 동남에는 관성이 있는데 국내성이고 관성에서 다시 동남으로 가면 도산이 보이는데 환도성이 있던 환도산이다.

※ 관성(국내성)을 끼고 흐르는 瀑河(폭하)가 沸流水(비류수)에 해당하는데 '瀑'자에는 '끓는 물소리', '거품'이라는 훈이 있다. 이들 뜻이 沸流(비류)라는 이름과 직결된다.

　　그런데 [통전]의 설명 중「강은 동북 말갈백산에서 발원하는데 물색이 오리머리와 같아 압록이라 이름하고 요동에서 5백 리 되며 국내성 남을 지난다[水源出東北靺鞨白山 水色似鴨頭 故俗名之 去遼東五百里 經國內城南]」고 하는 구절은 난하(압록수)에도 적용될 수 있다. 말갈은 적봉의 북쪽으로 임서와 파림우기, 파림좌기 등지 및 그 북쪽 지역에 분포하던 세력으로 그 중 〈서만주 내몽고의 동부〉에 주로 분포하던 북부여의 후예는 흑수말갈이며, 〈동만주 요녕성동부와 길림·흑룡깅성 일대〉에 분포하던 동부어의 후예는 속말말갈이다.

　　난하(압록수)는 요동(북경)에서 500리 정도 되고 국내성(관성) 남을 흐른다. 압록수가 요동에서 500리라는 것은 고구려가 요동의 동으로 천 리라는 [후한서] 고구려전의 기록과 대략 부합한다. 말갈백산은 지금의 백두산이 아니고 古태백산을 말하는 것으로 볼 수 있고 단단대령(숙칠로도산)의 북쪽 끝에 위치한 지금의 大光頂子山(대광정자산)이다(제5장 조선계 국가/1. 고조선/태백산 참조). 지도48에서, 난하(압록수)의 상류가 두 줄기인데 동쪽에 태백산으로 비정되는 대광정자산 쪽에서 나오는 것이 하나 있어「水源出東北靺鞨白山」이란 구절과 연결될 수 있다.

지도48. 압록수 상류

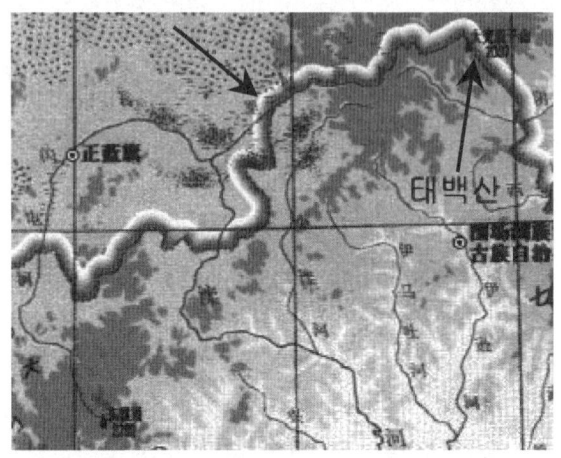

　말갈백산과 압록수를 지금의 백두산과 압록강으로 보는 것은 요수와 관련된 착시현상에서 비롯되는 것이다. 동으로 최소 2천 리 이상을 당겨보고 있는 것이다. 이것은 초기고구려와 부여고지의 상대적인 위치를 마치 동으로 2천 리 정도 평행이동을 시킨 것과 대략 일치하는 것을 보더라도 알 수 있는 것이다. 2천 리는 古요수(영정하)와 今요수와의 거리에 해당하는데 대략 북경에서 요하까지 정도이다. 또 압록수(난하)와 압록강과의 관계나 개마대산(노로아호산)과 개마고원의 관계에도 꼭 같이 적용된다.

　이것은 난하 서쪽에 있던 요의 역사를 기록한 [요사]부터 그 이후의 사서 지리지에서 古요동(북경)을 今요동으로 옮겨 동만주의 발해와 바로 연결하여 설명하는 것과도 같은 것인데 영정하에서 요하까지 있었던 진한과 고구려, 통일신라, 고려의 역사를 모조리 지우는 위사작업의 결과인 것이다. 심지어는 난하라는 강이름조차 옮겨진 이름이라는 것이다. 다른 데 있던 강이름을 가져다 압록수라는 이름을 덮어버리고 반도 북부의 강에다 붙여놓은 것이 지금의 압록강인 것이다.

[삼국유사] 기이1 말갈발해조에 소동파의 [지장도]를 인용했는데 「지장도에, "흑수는 장성의 북에 있고 옥저는 장성의 남에 있다"고 한다[指掌圖 黑水在長城北 沃沮在長城南]」라고 했다. 여기 장성은 북경부터 산해관까지의 장성을 말하는 것으로 지금의 요서 지역이 옥저고지이며 하북성 북부에 나타나는 말갈은 흑수말갈이다. 장성과 관련하여 대략 남북으로 나누어 본 것인데 반도사관으로 보자면 길림성에도 장성이 있었다는 말이 되고 만다. 이런 흑수말갈을 속말말갈이라고 이름을 바꿔치기한 것도 꼭 같은 맥락인 것이다.

바로 이 동만주의 말갈이 동부여의 후예로서 후대에 발해의 기층민이 된 길림·흑룡강성 일대의 속말말갈이다. 부여고지(북부여)에서 흑수말갈에 밀려 연산도 일대에 있던 현도군지 인근으로 이주한 세력은 위구태부여이다(지도19).

발해 장문휴가 산동반도 등주를 침공했다는 기사도 마찬가지 효과를 노린 기사로 보인다. 지금의 요하 서쪽에도 신라·고려가 있었다는 생각조차 하기 어려워지기 때문이다. 본래 창해라는 바다이름을 渤海(발해;勃海)라고 부른 것도 그런 발상에서 바꾼 것일 수 있을 것이다.

난하와 개평(압록수와 경주)

지도47에서 당산 동북 인근의 開平(개평)도 하북성 서북부에 있던 것을 옮겨놓았다(신라·고구려사와 관련). 지금의 난하라는 강 이름조차도 하북성 서북부에 있던 것을 옮겨놓은 것이다. 이 근방에만 옮겨놓은 지명이 네 곳이나 된다. 계현과 옥전, 개평, 난하 등이다.

지명이동

고대에 유명했던 지명들을 지우기 위해 상식을 벗어난 이상한 방법으로 지명들을 옮겨 붙인 사례들이 많이 있다. 그 중에서 참으로 기가 막히게도 하나의 사서 안에 같은 이름을 가진 강이 세 개나 나오는 사례가 있는데 이것은 한국고대사와 관련하여 대단히 시사적인 면이 있어 예로 들어보았다. [명사] 지리지(卷四十 志第十六 地理一)에는 난하가 무려 셋이나 기술되어 있다.

난하1

선부선부좌위[54]는 복잡하게 개폐가 이루어졌지만 지명들을 살펴보면, 선부는 곡왕부 소속인데 홍무24년 곡왕부를 세우고 영락

---

54) 선부선부좌위『宣府宣府左衛元宣德縣 爲順寧府治. 洪武四年 縣廢. 二十六年二月置衛 屬山西行都司. 二十八年四月改爲宣府護衛 屬穀王府. 三十五年十一月罷宣府護衛 複置 徙治保定. 永樂元年二月直隸後軍都督府. 宣德五年六月還故治 改屬. 洪武二十四年四月建穀王府 永樂元年遷於湖廣長沙. 西有灤河 源自炭山 下流入開平界. 南有桑乾河 洋河東流入之. 又有順聖川 延袤二百餘裏 下流亦合於桑乾河. 北有東西二城 其東城爲順聖縣 元屬順寧府 西城爲弘州 元屬大同路 洪武中俱廢. 天順四年修築二城. 又東北有大白陽小白陽及龍門關等堡. 東南有雞鳴驛堡. 北有葛峪堡. 西北有長峪口青邊口羊房等堡』

원년에 호광장사로 옮겼고 서쪽으로 난하가 있어 발원지는 炭山 (탄산)이며, 하류가 開平(개평)의 界(계)로 들어간다 한다. 또 남으로 상건하가 있고 양하가 동으로 흘러든다고 한다. 순성천도 있는데 하류가 역시 상건하와 합류한다고 한다. 동북으로는 대백양, 소백양, 용문관 등의 보가 있고 동남으로는 계명역보가 있다 한다. 명의 선부는 지금의 하북성 서북부 宣化(선화)인데 지금의 난하 최상류만 하더라도 여기서 동북으로 한참 떨어진 독석구의 동쪽에서 발원한다. 즉 지금의 灤河(난하)가 아닌 灤河(난하)가 있다는 것이다.

지도49. 난하1과 난하2

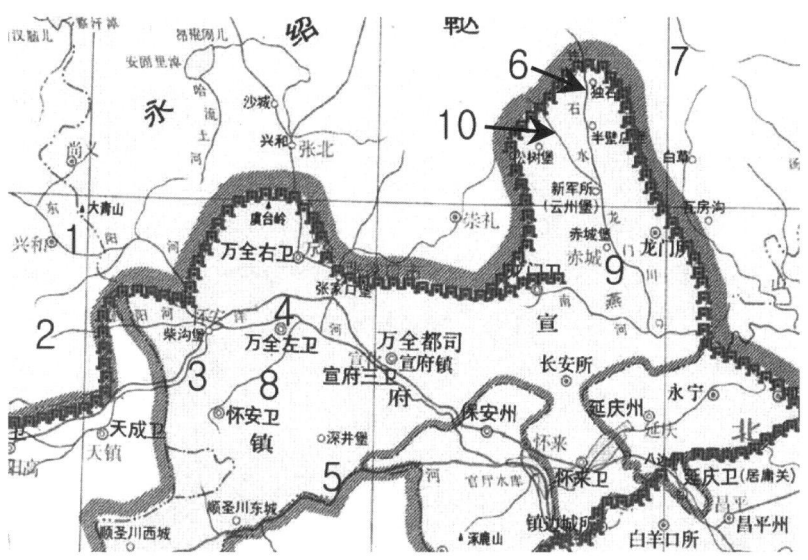

※ 지도에서 1번은 東陽河(동양하), 2번은 西陽河(서양하), 3번은 이름이 없는데 지금은 南洋河(남양하)로 불리고 있다. 4번은 1, 2, 3이 합류한 洋河(양하)이고, 5번은 桑乾河(상건하;桑干河)이며, 6번은 지도에서 獨石水(독석수)로 되어 있고 그 남으로는 9번 龍門川(용문천)이라 되어 있다. 7번은 今난하의 최상류 발원지이다. 陽河가 지금은 전부 洋河로 불리고 있다.

「남으로 상건하가 있고 양하가 동으로 흘러든다」고 하는데 양하의 남에 있고 상건하의 북에 있다는 뜻이다. 이 난하는 3번 남양하 또는 그 동의 懷安衛(회안위)를 지나는 8번 양하의 지류로 보이는데 지금의 난하는 아니다.

만전만전좌위[55]는 산서행도사 소속이다. 홍무35년 산서성 울주로 옮겼다가 영락원년 통주로 옮겨 후군도독부에 직속시켰다. 얼마 안 가 옛 치소로 돌렸다. 북에 洋河(양하)가 있고, 서북에는 沙城(사성)이 있고, 서에는 회하가 있고, 동에는 영원이 있다는데 회하와 영원은 지도에서 보이지 않는다. 만전좌위는 지도49의 4번 양하의 아래에 보인다.

만전만전우위[56]는 좌위와 같은 성에 주둔하기도 하고(울주,통주) 덕승으로 옮기기도 했다 한다. 북에는 취병산과 야호령이 있고, 서북에는 2번 서양하가 있는데 하류가 난하로 들어간다 하므로 지도49의 3번 지류가 난하임을 알 수 있고 선부좌위조의 난하와 같다.

---

55) 만전만전좌위 『萬全萬全左衛元宣平縣 屬順寧府. 洪武四年 縣廢. 二十六年二月置衛 屬山西行都司. 三十五年徙治山西蔚州. 永樂元年二月徙治通州 直隸後軍都督府 尋還故治. 宣德五年改屬. 北有洋河 西海子自西來流入之. 又西北有沙城堡. 西有會河堡. 東有寧遠站堡. 東距都司六十裏』
56) 만전만전우위『萬全萬全右衛 洪武二十六年二月置 與左衛同城 屬山西行都司. 三十五年徙治山西蔚州. 永元元年二月徙治通州 直隸後軍都督府. 二年徙治德勝堡. 宣德五年改屬. 北有翠屛山 又有野狐嶺. 西北有西陽河下流入濼河. 東有張家口堡. 西有新河口堡. 北有膳房堡上莊堡. 西北有新開口柴溝洗馬林等堡. 西南有渡口堡 又有西陽河堡. 東距都司八十裏』

지도50. 만전좌위, 선화, 세마림, 독석구, 마영, 운주, 용문, 적성

※ 선화의 서북이자 장가구의 서남에 만전좌위가 있고 그 서북에 세마림이 있다.

※ 독석구의 남에 묘욕과 운주, 적성이 있고, 서남에 마영이 있으며 적성의 동에 용문이 있다.

난하2

    운주운주보[57])는 원의 상도로에 속했는데 홍무3년에 북평부에 소속시켰다 한다. 동북으로 용문산(용문협)이 있고 아래로는 용문

---

57) 운주운주보『雲州雲州堡元雲州 屬上都路. 洪武三年七月屬北平府. 五年 七月廢. 宣德五年六月置堡. 景泰五年置新軍千戶所於此. 東北有龍門山 亦曰龍門峽 下爲龍門川. 又北有灤河. 東北有金蓮川. 西北有鴛鴦泊. 又 金蓮川東有鎮安堡, 成化八年置. 西南距都司二百十裏』

천이 있다 한다. 또 북으로 난하가 있다 하는데[北有灤河] 지도49
에서 6번 독석수이며 지도50에서 운주의 북 백하의 상류에 해당
된다. 운주의 남쪽 백하의 지류는 적성을 지나가는데 지도49에서
9번 용문천이라 한다.

마영마영보조[58]에서, 난하의 북에 마영이 있고[南有灤河] 마영
의 서쪽에 송수가 있으므로[西有松樹堡] 난하의 서북에 송수가 있
다는 뜻이다. 지도49에서 雲州(운주)의 서북에 송수보가 있다. 이
난하는 지도49에서 송수의 동을 흐르는 10번 백하의 지류(지도50
에서 마영과 운주 사이의 강)이거나 운주의 바로 북에 있는 猫峪
(묘욕) 인근을 지나는 백하의 일부(지도49의 6번 독석수) 즉 운주
조의 난하와 같은 것으로 보인다.

개평개평위[59]는 원의 상도로라 하고 선덕5년(1430)에 독석보
로 옮겼다 하는데 그 남쪽에 난하가 있다 한다[宣德五年遷治獨石
堡 改屬萬全都司 而令兵分班哨備於此 後廢. 西北有臥龍山. 南有
南屛山 又有灤河]. 이 난하는 앞에서 본 운주와 마영의 설명에 나
오는 난하와 같은 것이다.

맨 처음 남양하(지도49의 3번)이던 난하를 운주의 북이자 독석
의 남으로 옮기고 (지도49의 6번 또는 10번), 舊개평을 독석보로

---

58) 마영마영보 『馬營馬營堡宣德七年置. 西北有冠帽山. 南有灤河. 又西北有
君子堡. 西有松樹堡. 東南有倉上堡. 西南距都司二百裏』

59) 개평개평위 『開平開平衛元上都路 直隸中書省. 洪武二年爲府 屬北平行省
尋廢府置衛 屬北平都司. 永樂元年二月徙衛治京師 直隸後軍都督府. 四年
二月還舊治. 宣德五年遷治獨石堡 改屬萬全都司 而令兵分班哨備於此 後
廢. 西北有臥龍山. 南有南屛山 又有灤河. 東北有香河 又有簸箕河間河
西南有兔兒河 下流俱合於灤河. 又東有涼亭沈阿賽峰黃崖四驛 路接大寧
古北口 西有桓州威虜明安隰寧四驛 路接獨石. 俱洪武中置 宣德後廢. 又
西北有寧昌路 東北有應昌路 北有泰寧路 又有德寧路 元俱直隸中書省.
西有桓州 元屬上都路. 洪武中皆廢. 距北平都司裏』

한중사서에 실린 한국고대사의 비밀

옮기면서 난하와 개평이 만나 팩키지로 묶이게 되었다.

난하3

寬河(관하;豹河)[60]는 준화현으로서 이때부터 난하는 今난하로 옮겨갔다. 今난하 하류의 遷安(천안)도 나타난다.

지도51. 지금의 난하

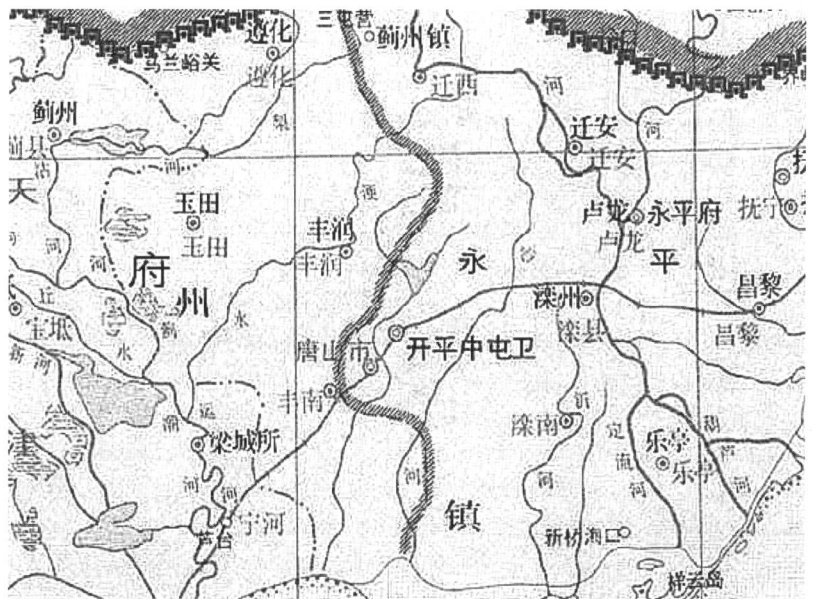

※ 위 가운데 계주진의 서쪽에 준화가 보이고 계주진의 인근 동남에 천서가 보인다. 가운데 개평중둔위가 보이고 그 서남 인근에 당산이 보인다. 오른쪽 아래 낙정이 보이고 그 동서로 호로하와 정류하가 있으며 오른편 위에서부터 천안, 노룡, 창려가 보인다.

---

60) 관하관하수어천호소『寬河寬河守禦千戶所洪武二十二年二月置. 永樂元年二月徙治遵化縣, 仍屬大寧都司. 又僑置寬河衛於京師 直隷後軍都督府. 東南有寬河 一名豹河 下流經遷安縣西北 又東合於灤河. 距北平都司裏』

[명사] 권19 본기제19 목종 융경원년(1567) 9월조[61])에 보면 난하가 계진과 창려, 노룡, 통주 등과 같이 등장하여 今난하이다.

준화[62])는 천진시 북단 계현의 동북에 있고 오봉산은 준화 동북의 五指山(오지산;1384m)일 것이다(지도47의 潘家口水庫 서쪽). 서남에 있다는 梨河(이하)는 古낙랑군 패수의 상류에 해당하고 馬蘭峪(마란욕)은 준화의 서쪽에 있으며 동에 있다는 난하는 지금의 난하이다.

난하가 개평으로부터 흘러서 노룡[63])을 지난다는데 이 개평은 앞서 본 개평위조에 독석으로 옮겼다던 개평보를 가리키는 것이다. 왜냐하면 독석구의 동쪽에 난하의 최상류(지도49의 7번)가 있기 때문이다. 노룡은 전한 요서군 비여라 하는데 북경 서남에서 난하 동편으로 옮겨진 것이다.

천안[64])의 동에 난하가 있다는데 지금의 천안은 난하의 동쪽에 있고 북으로 도산이 있다.

난주[65])의 남에 개평중둔위가 있다 하는데(지도51) 이 개평은 난하와 팩키지로 옮겨진 개평으로 지금은 당산시의 인근 동북에 개평구로 남아 있고 준왕과 위만의 험독으로 비정되는 韓城이 당

61) [명사] 권19 본기제19 목종 융경원년(1567) 9월조 『(九月)壬申 土蠻犯薊鎭 掠昌黎盧龍 至於灤河. 詔宣大總督侍郞王之誥還駐懷來 巡撫都御史曹亨駐兵通州』

62) 준화 『遵化遵化州東. 東北有五峰山. 南有靈靈山及龍門峽. 又東有灤河. 西南有梨河. 北有喜峰口馬蘭峪松亭等關』

63) 노룡노룡의 『盧龍盧龍倚. 東南有陽山. 西有灤河 自開平流經縣境 有漆河自北來入焉. 東有肥如河 經城西入於漆. 北有桃林口關』

64) 천안 『遷安遷安府西北. 北有都山. 東有灤河. 又北有劉家口冷口青山口等關』

65) 난주 『灤州灤州 洪武二年九月以州治義豐縣省入. 南濱海. 東有灤河 又南有開平中屯衛 永樂元年二月自沙峪移置於此. 東北距府四十裏 領縣一 齋』

산시 서쪽에 보인다(지도12,47).

낙정[66]은 今난하 하류 삼각주이고 지도51의 오른쪽 아래에 낙정의 동서로 葫蘆河(호로하)와 定流河(정류하)가 있다. 「그 물이 맑고 푸르러 녹양구라고도 한다[其水清碧 亦謂之綠洋溝]」라고 하는데 원래의 이름 압록수의 의미가 그대로 들어 있다. 碧(벽)과 綠(녹)이다.

난하라는 강이름이 옮겨진 과정

1-1) 최초에는 상건하의 북에 있는 남양하였다(지도49의 3번)

1-2) 다음으로는 독석구 근방으로 갔다(지도49의 6번 또는 10번). 독석구 동쪽에 今난하의 발원지가 있다(지도49의 7번).

1-3) 다음으로는 今난하를 가리키고 있다(지도51).

이렇게 두 차례에 걸쳐 옮겨진 것이다. 난하와 팩키지로 옮긴 개평의 경우, 하북성 서북부의 원래의 개평을 舊개평이라 하는데 옮겨간 새로운 개평은 古낙랑군지의 당산 동북 인근에 지금도 開平區(개평구)로 남아 있다. 舊개평은 지금은 지도상에 나타나지 않는데 의도적으로 지워버린 것이다.

2-1) 하북성 서북부 舊개평(현대지도에는 보이지 않고 [대청광여도]에 '白城'으로 표기되어 있는데 난하1이 남양하임을 감안하면 장가구 근방으로 추정된다).

---

66) 낙정『樂亭樂亭州東南. 南濱海. 西有灤河 經縣北嶽婆港分爲二 東曰胡盧河 西曰定流河 各入於海. 景泰中 胡盧河塞 定流河獨自入海 其水清碧 亦謂之綠洋溝. 又西南有新橋海口巡檢司. 萬曆四十三年移於灤州西之榛子鎮』

2-2) 개평위를 독석보로 옮겼다(독석구).

2-3) 개평중둔위를 난하 하류의 서쪽으로 옮겼다(당산 동북).

난하와 개평 이 두 지명은 함께 묶어 옮긴 것인데 2)번 단계 독석에서 난하와 개평을 묶어서 3번 단계로 넘어간 것이다.

왜 난하라는 강이름과 개평이란 지명을 이런 식으로 옮겼을까?

하북성 서북부에 있던 난하는 '압록수'를 지우기 위해 2단계에 걸쳐 교묘히 옮겨 붙였고, 하북성 서북부에 있던 개평도 '경주'라는 지명을 지우기 위해 난하와 함께 2단계로 옮겨 붙였으며, 북경 남쪽 탁주 계현은 천진시 북단에 있던 양평(요동성)을 지우기 위해 옮긴 것이다. 요와 금의 경주가 바로 지금의 당산 동북의 개평인 것이다.

그런데 요의 경주라는 지명을 왜 이런 식으로 지워야만 했을까?

당연하게도 요의 대단히 중요한 지표지명인 경주를 그대로 두면 위사를 쓰는 데 걸림돌이 되기 때문이다. 이렇게 당산 인근의 경주를 지운 후에 지금은 적봉을 요의 경주인 듯이 하고 있다.

그런데 이 경주라는 지명 자체가 [요사] 지리지에 의하면 최초에는 고구려지명이었다는 사실이다. 더 놀라운 것은 천진 동쪽의 요와 금의 경주라는 이 지명이 경순왕이 고려 태조 왕건에게 귀복하였을 때 왕건이 경순왕에게 식읍으로 준 바로 그 경주라는 사실이다.

지금의 경북 경주는 고려가 난하 이서의 영토를 상실한 후 그 것을 되찾을 가망성이 전혀 없다고 판단된 시점에 이름을 옮겨붙 인 것이다. 아마도 [삼국사기]를 쓴 시점이 아닌가 생각된다.

▶ 경주도 옮겨진 지명이다

경북 경주

지금의 경북 경주를 두고 누구나 천 년 신라의 고도로 알고 있다. 그러나 이것은 사실과 많이 다르다. 지금의 경주가 신라의 수도였던 적은 있지만 건국부터 소멸되기까지 계속 수도였던 것이 아니다. 초기수도는 북경 북 포구에 있던 금성이었고, [삼국지] 한 전 진한조에 나오듯이 위 명제 경초중(237~239) 낙랑과 대방 두 군에 의해 망한 포구진한이 이주를 하여 반도의 경주에는 [삼국사 기]에 나오다시피 3세기말 기림세에 정착하게 된 것이다. 그 후 국력을 길러 통일을 한 후에도 계속 수도로 이용했는 지는 확실하 지 않다.

경주와 관련한 기록들을 살펴보면 다음과 같다.

[삼국사기] 경순왕 9년기(935)[67]에 『태조가 교외로 나가 마중 하며 위로하고 궁 동쪽의 제일가는 집을 주고 장녀 낙랑공주를 처 로 주었다. 12월 정승공에 봉했는데 위가 태자보다 높았다. 녹 1,000석을 주고 시종과 원장도 다 그대로 채용하며 신라를 고쳐 경주로 하고 공의 식읍으로 삼았다』

---

67) [삼국사기] 경순왕 9년기 『太祖出郊迎勞 賜宮東甲第一區 以長女樂浪公 主妻之. 十二月 封爲正承公 位在太子之上 給祿一千石 侍從員將 皆錄用 之. 改新羅爲慶州 以爲公之食邑』

마지막 경순왕이 신라를 들어 고려 왕건에게 귀복하였을 때 신라를 고쳐 경주로 하고 식읍으로 주었다고 한다. 왜 그 전 '신라수도'라 하지 않고 '신라'라고 하였을까? 이를 두고 예외 없이 신라수도를 경주로 고쳐 부른 것으로 알고 있다. 그러나 분명한 것은 경주도 옮겨진 지명이란 점이다. 이때 이 신라의 의미는 대륙사서에 단편적으로 기술된,「신라는 한의 낙랑군지에 있었다」고 할 때의 그 신라와 같은 것으로 보인다.

[삼국유사] 기이2 김부대왕조68)에「왕이 자기 나라를 물러나 남의 나라에서 살게 되었다고 鸞(난)에 비유하여 (낙랑공주를) 신란공주로 고쳐 불렀다[以王謝自國居他國 故以鸞喩之 改號神鸞公主]」고 한다. 이것은 경순왕의 나라가 고려와는 다른 나라라는 뜻으로 이해될 수도 있는 것이다.

후에「비록 무위의 주로 시작하였으나 바른 신하에 맡겨 펴나 갔다. 관광순화위국공신 상주국낙랑왕정승 식읍팔천호 김부는 대대로 계림에 살되 벼슬은 왕의 작위를 나누어 받고...[雖自無爲之主 乃開(關)致理之臣 觀光順化衛國功臣上柱國樂浪王政承(丞)食邑八千戶金傅 世處鷄林 官分王爵...]」라고 하였다.

그 후 다시「상부도성령의 칭호를 더해주고 추충신의숭덕수절공신의 호를 주니 훈봉은 전과 같고 식읍은 전과 합쳐 만 호가 되었다[可加號尙父都省令, 仍賜推忠愼義崇德守節功臣號, 勳封如故, 食邑通前爲一萬戶]」고 하였다.

---

68) [삼국유사] 기이2 김부대왕조『太祖受書 送太相王鐵迎之. 王率百僚 歸于我太祖 香車寶馬 連亙三十餘里 道路塡咽 觀者如堵. 太祖出郊迎勞 賜宮東一區[今正承院] 以長女樂浪公主妻之 以王謝自國居他國 故以鸞喩之 改號神鸞公主 諡孝穆. 封爲政丞 位在太子之上 給祿一千石 侍從員將 皆錄用之 改新羅爲慶州 以爲公之食邑』

또 「추충신의숭덕수절공신 상부도성령 상주국낙랑군왕 식읍 만호 김부에게 고하노니[告推忠愼義崇德守節功臣 尙父都省令 上柱國樂浪都(郡)王 食邑一萬戶 金傅]」라고 하였다.

처음에는 식읍이 천 호였으나 후에 만 호까지 늘어났고 낙랑왕 또는 낙랑군왕이란 관작을 주고 대대로 계림에 거하게 했다[世處鷄林] 한다.

신라건국지는 북경 북 연산

계림은 [삼국사기] 탈해기에 김알지가 출생했다는 숲을 이르는데 이를 국호로도 썼다 하였으므로 「대대로 계림에 거하게 했다[世處鷄林]」고 한 경순왕 역시 초기건국지 또는 그 인근에 살았다는 뜻이 아닐 수 없는 것이다. [삼국사기]와 [삼국유사]에 계림은 초기신라 수도 금성(월성)의 서쪽에 있다 하였다. 포구진한은 전한 낙랑군에 가까운 북경 북 포구에 있었으므로 조위 경초중에 망할 때에도 낙랑과 대방 두 군과의 전쟁에서 져서 소멸되었다는 기록이 [삼국지] 한전 진한조에 남아 있는 것이다.

포구진한은 [삼국사기] 초기기록에 의하면 전한 낙랑군과 직접적인 접촉을 여러 차례 하고 있고, 낙랑의 대군이 수도 금성을 여러 겹으로 포위공격한 경우도 있었다 한다. 일성왕세인 137~142년에는 말갈도 여러 차례 침공하고 있는데 이는 위구태부여로 보아야 한다. 부여고지에서 물길에 밀려 북경 동북 현도군 인근으로 이주한 직후에 해당하고 포구진한의 바로 동쪽에 있었기 때문이다. 동예의 화려·불내인들도 진한을 침공한 적 있었는데 이때 맥국거수가 구원해주었다고 한다. 포구진한의 동남에 위치했던 현도군 고구려현 자체가 소수맥이었다. 즉 동예인들이 쳐들어왔을 때 소수맥이 도와주었다는 뜻이다. 또 하북성 북부 연산산지 전역이 예맥고지인데 예족인 석탈해(북명인)가 진한에 귀복한 지 1세기쯤 지난 후에 [삼국지] 한전에는 「韓濊彊盛(한예강성)」이라 하였고 마침내 위 명제시에는 낙랑·대방과 전쟁을 하기에 이르렀던 것이다. 낙랑과 대방은 천진~난하에 있었으므로 이런 진한이 반도에 있었을 리가 만무한 것이다.

[삼국유사]의 선도성모신화에는 신라의 국토신(지기) 선도성모가 燕山(연산)에 오래도록 거했다고 여러 차례 비유적으로 알려주고 있다.

지도52. 포구진한 위치

신라강역에 대한 기록

신라가 한의 낙랑지에 있었다는 사서기록이 여럿 있다.

[북사] 신라전에 『新羅者 其先本辰韓種也 地在高麗東南 居漢時樂浪地...』

[수서] 신라전에 『新羅國 在高麗東南 居漢時樂浪之地 或稱斯羅...』

[구당서] 신라전에 『新羅國 本弁韓之苗裔也. 其國在漢時樂浪之地. 東及南方俱限大海 西接百濟 北高麗 東西千裏 南北二千裏...』

[신당서] 신라전에도 『新羅 弁韓苗裔也 居漢樂浪地 橫千裏 縱三千裏 東拒長人 東南日本 西百濟 南瀕海 北高麗...』

신라는 분명히 「한의 낙랑지에 있었다」고 하나같이 말하고 있다. 이것은 후기신라의 강역이 최소한 원래의 낙랑군지인 천진(패수)~난하(압록수)까지였다는 것을 가리키는 것으로 이해된다. 왜냐하면 [후한서]를 비롯한 여러 대륙사서에 반도로 이주하기 전에는 '진한'으로 기술되어 있기 때문이다. 실제로 국호를 '신라'로 했다는 기록은 기림기와 지증기에 각각 기술되어 있다.

낙랑군지가 신라지였다는 것은 [구당서] 지제18 지리1[69)]에 당토와 한지를 비교하면서 <당토는 한지에 비해 동으로는 못 미치고 한의 동방한계는 낙랑·현도였는데 唐代에는 고려지>라고 한 기록과 바로 연결되는 것이다.

후기신라 강역

후기신라 영토는 실제로는 영정하(요수)까지였던 것으로 나타난다. 여수여당전쟁의 전장지명들이 북경 동쪽으로 나타나고 고구려가 망한 후 신라의 대당전 전장지명들이 하북성 북부로 나타나며, 당의 동북방면 최전방 군사주둔지 지명들을 분석해보면 북경남쪽의 전한 요서군과 북경 서쪽의 우북평군으로 나타난다.

계림은 포구에 있던 초기수도 금성의 서쪽이라는데 경순왕의 「世處鷄林」을 보면 계림도 후기신라지에 포함되고 있는 것이다.

[구당서]와 [신당서]에 신라의 위치가 고구려의 동남에 있다거나 나라의 크기를 설명하는 것은 실사로는 중기신라를 가리키는데 통일 후의 최대판도는 요수를 요하로 치환한 위사구도에 따른 [후한서]나 [삼국지] 한전과 같은 맥락에서 절사한 것이다.

낙랑이 든 관작명

신라에는 낙랑이란 지명이 들어간 관작을 받았다는 왕들이 여럿 있다. 이것은 그 전 낙랑지와의 실질적인 인연을 근거로 그 지명을 넣어 지은 관작으로 보인다. 대륙국가에서 신라왕에게 봉작한 '樂浪郡公(낙랑군공)'이란 작호가 여러 번 보이는데(진흥, 진평, 선덕, 진덕, 문무, 진성), 이런 것은 영토와 관련한 실제상황이 반영된 결과로 추정된다. 어쩌면 진흥왕세(540~575)에 신라가 이미 반도서북부(위사상의 낙랑지)를 차지하고 있었던 것이 아닐까 생각되기도 한다. [삼국사기] 온달전에 보면 영양왕 즉위초 「신라가 우리 한수 이북의 땅을 베어가 군현으로 삼으니...」라고 하는 내용이 있는데 온달장군은 주로 평원왕세(559~589)에 활약하였고 진흥왕과 평원왕은 559년부터 575년까지는 재위기간이 겹친다.

관작명에 든 지명으로 鷄林州(계림주)와 寧海(영해)도 자주 보이는데 계림은 김알지의 출생지로 포구진한의 서쪽이고 후기신라 강역에도 포함되며 영해는 발해만을 장악하고 있다는 의미로 보아야 할 것이다. 그래서 [통전] 변방전 왜전에 「그 왕은 야마다국[혹 야마도라고도 한다]을 다스리는데 요동을 떠나 만이천 리 되고 백제와 신라의 동남에 있다[其王理邪馬臺國 或云邪摩堆 去遼東萬二千里 在百濟新羅東南]」고 한 것으로 보인다. 즉 그 전에는 왜까지의 거리를 항상 대방(낙랑)을 기준으로 설명하다가 갑자기 대방이

사라지고 뜬금없이 요동을 기준으로 설명하고 있다. 이것은 대방이 후기신라로 넘어갔기 때문에 타국의 땅이 된 대방을 들어 설명하지 못하고 대방과 인접한 요동을 기준으로 설명한 것으로 이해된다. 그것도 대방으로부터의 거리와 요동으로부터의 거리가 같은 것으로 되어 있어 대방과 요동이 인접지역이란 것까지 알려주고 있다. 요동과 대방은 今요동과 황해도가 아니고 북경과 천진으로서 패수를 경계로 하고 있었기 때문이다. 반도사관에 따라 요동을 今요동으로 보고 대방을 황해도로 본다면 왜까지의 거리가 절대로 같은 12,000리가 될 수 없다.

[삼국사기] 문무기 11년 10월조와 김유신전에는 신라의 대당전 전승지명으로 대방(천진)이 나와 이 지역이 후기신라지가 되었음을 짐작할 수 있다. 이 대방전투에서 당의 조운선 70척을 공격했다 하여 항구임을 알 수 있다.

문무기 11년 9월조 「9월, 당장 고간 등이 번병 4만을 이끌고 평양에 당도하여 도랑을 깊이 파고 누대를 높이고는 대방을 침공했다[九月 唐將軍高侃等 率蕃兵四萬到平壤 深溝高壘侵帶方]」하였고, 同 10월조에 「10월 6일, 당의 조선 70여 척을 쳐서 낭장 겸이대후와 사졸 100여 인을 사로잡았고 익사자는 헤아릴 수 없었다. 급찬 당천의 공이 제일이었으므로 사찬의 위를 주었다[冬十月六日 擊唐漕船七十餘艘 捉郎將鉗耳大侯士卒百餘人 其淪沒死者不可勝數 級湌當千功第一 授位沙湌]」고 한다. 당군이 대방을 침공했다는 것은 그 전에 신라가 이미 대방을 점령하고 있었다는 말이다.

경순왕의 경우는 계림에 世居(세거)하게 하고 관작이 '낙랑(군)왕'인 것을 보면 漢代의 낙랑군지에 거했다는 것을 알 수 있는 것이다.

[삼국사기]와 [삼국유사]에서 마의태자가 개골산(금강산)으로 들어갔다 하여 후기신라의 수도가 경북 경주였던 것처럼 보인다. 그러나 고려인들이 반도로 인식시키기 위한 의도로 쓴 것일 수 있다. 경주라는 지명을 옮겨 붙여야 할 정도였기 때문이다.

본래의 경주

明代의 [천하고금대총편람도]에는 다음과 같은 구절이 있다.

지도53. [천하고금대총편람도]

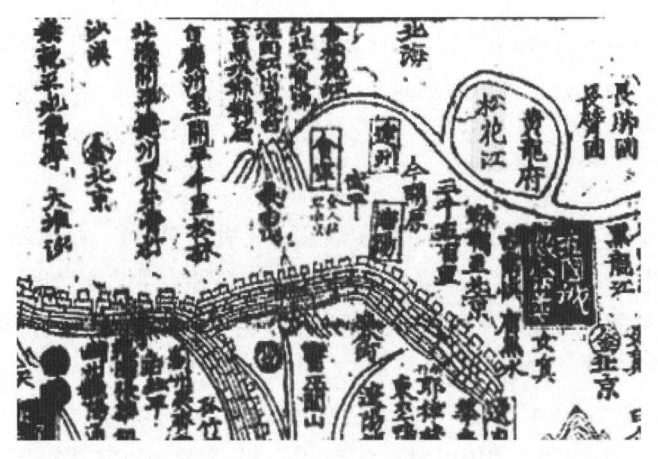

지도53 왼쪽에서 네 번째 문구가 「경주에서 개평까지 천 리 소나무숲[自慶州至開平千里松林]」이라고 되어 있다.

淸代의 [대청광여도]에도 이와 관련된 내용이 나온다(지도31). 경주와 관련하여 「크게 늘어선 큰 소나무들이 모두 여기 있다[大羅高松皆此]」, 「소나무가 울창하여 천 리 소나무 구릉이다[松漠

千里松原]」

지도54. 당산과 개평

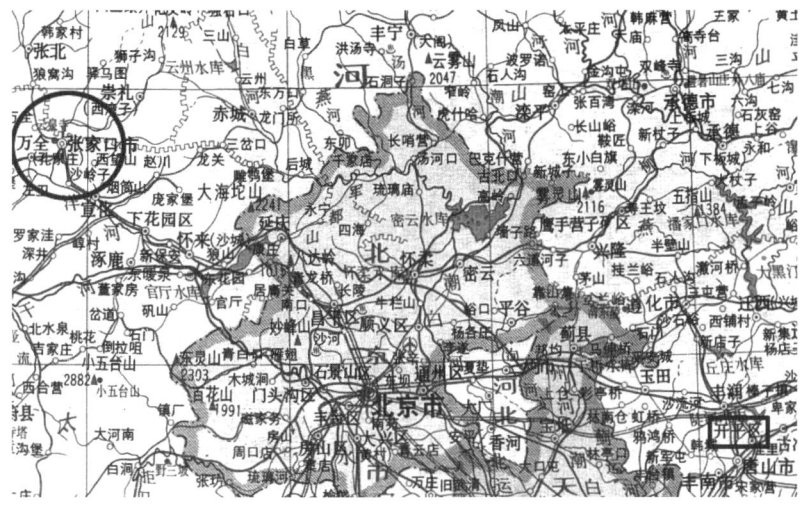

　　舊개평(白城)은 하북성 서북부에 있고 今개평은 당산 인근 동북에 '開平區'로 남아 있으며 지도31의 경주는 위치를 표시한 것이 아니고 설명하는 것이다. 그래서 舊개평에서 동으로 대략 천 리 정도 되는 개평을 보면 산지로 죽 이어져 있는데 燕山(연산)이다.

지도55. 舊개평과 개평

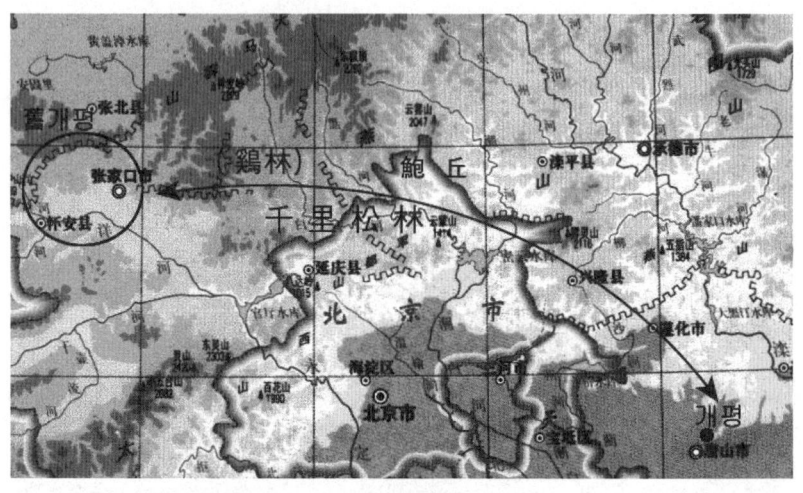

이 거리는 대략 하북성 동서폭에 해당하고 전국시대 연의 진개가 동정했다는 겉보기거리인 산서성 태행산맥에서 천진(패수하류)까지의 거리(千里)와 비슷하다(실사로는 발해만 서안에 예가 있었으므로 낙랑국의 동서폭인 600~700리 정도였다). 즉 舊개평이 지도53[自慶州至開平千里松林]의 개평이고 여기서 대략 동으로 천리 정도 되는 숙개평이 원래의 경주라는 것이다. 이 숙개평은 한대의 낙랑군지의 중심에 해당하므로 이곳이 바로 고려의 경주라는 것이다.

그런데 이렇게 놓고 보니 고려 경주가 바로 요와 금이 일어났을 때의 경주와 겹쳐버린다. 요와 금의 경주가 고려의 경주와 다른 곳이 아니라는 것이다. 즉 요와 금의 경주는 고려가 요나라에 빼앗긴 것이라는 점이다.

그런데 대륙인들은 왜 이렇게 개평이란 지명을 천 리나 동으로 가져다 붙여 놓았을까?

    그것은 후기신라와 고려의 강력한 연고지인 경주를 지우기 위해 하북성 서북부의 개평이란 지명을 가져다 경주를 덮어서 경주라는 지명은 증발시켜버린 것이다. 개평이란 지명이 난하라는 강이름과 함께 묶여 옮겨진 것은 앞에서 보았다.

    경주는 고려 왕건이 귀순한 경순왕에게 식읍으로 준 곳이며 후에 요와 금의 경주이기도 한 것이다. 그런데 고려는 어떻게 이런 경주를 차지하게 되었을까? 이 의문을 해소시켜줄 관련기록이 몇 가지 있다.

[구당서] 지제18 지리1

    [구당서] 지제18 지리1[69]에서 당의 강역을 설명하는데 한과 비교를 하고 있다. 동으로는 안동부에 이르고, 서로는 안서부에 이르며, 북으로는 선우부에 이르는데 남북으로는 전한의 전성시와 같고 동으로는 못 미치며 서로는 넘었다 한다. 전한의 전성시는 무제시일 것이다.

    그 중 신라와 고려에 관련되는 동쪽은 「동으로는 못 미친다[東則不及]」고 했다. 그것을 부연하기를 「한지는 동으로 낙랑과 현도에 이르렀는데 지금의 고려와 발해이다. 지금은 요동에 있는데 당토가 아니다[漢地東至樂浪玄菟 今高麗渤海是也 今在遼東 非唐土也]」라고 하였다.

    이 기사를 읽고 낙랑과 현도가 발해라고 오인하기 쉽지만, [구당서]는 後晉(후진) 劉昫(유구)의 주관으로 940년에 착수하여 945년에 張昭遠(장소원)이 완성했다 한다. 고려는 918년에 건국하였고 신라 역시 935년에 고려에 귀복하여 이미 나라가 소멸되었다.

---

69) [구당서] 志第十八 地理一에 『今擧天寶十一載地理 唐土東至安東府 西至安西府 南至日南郡 北至單於府 南北如前漢之盛 東則不及 西則過之 漢地東至樂浪玄菟 今高麗渤海是也 今在遼東 非唐土也 漢境西至燉煌郡 今沙州 是唐土 又龜茲 是西過漢之盛也』

이것은 간단히 생각해 보더라도 고려의 연고를 지우기 위해서라고 하지 않을 수 없는 것이다.

926년에 발해가 망하고도 14년이나 지난 시점인 940년에 착수하여 945년에 완성된 사서에서 고려지를 「今高麗渤海是也」라고 했으니 '발해'는 당연히 위사가 아닐 수 없는 것이다. 이 기사는 원래 「今高麗是也」라고 기술해야 하는 것이고 그 전에는 「新羅地」였다고 기재해야 하는 것이다.

그러면 혹시 [구당서] 지리지의 기록 자체가 잘못된 것인가 하면 전혀 그렇지 않다. [구당서]보다 더 이르게 766년에 착수하여 801년에 완성되었다는 杜佑(두우;735~812)의 [통전]에도 분명히 요동의 동에 있는 현도와 낙랑 두 군은 모두 동이의 땅이 되었다 했다.

[통전] 대당전

[통전] 卷第一百七十二 州郡二 序目下 대당전70)에 『지금 동으로 끝은 안동부 즉 한 요동군이다. 한의 현도·낙랑 두 군은 나란히 요동군의 동에 있는데 지금은 모두 동이의 땅이 되었다』

그런데 여기에 안동부가 요동군에 있는 것으로 되어 있으나 [구당서] 지리지 안동도호부조71)를 보면 총장원년(668) 처음 설치되

---

70) [통전] 卷第一百七十二 州郡二 序目下 대당전 『今東極安東府 則漢遼東郡也 其漢之玄菟樂浪二郡 並在遼郡之東 今悉爲東夷之地矣』

71) [구당서] 지제18 지리2 안동도호부조 『安東都護府 總章元年九月 司空李勣平高麗. 高麗本五部 一百七十六城 戶六十九萬七千. 其年十二月 分高麗地爲九都督府 四十二州 一百縣 置安東都護府於平壤城以統之. 用其酋渠爲都督刺史縣令 令將軍薛仁貴以兵二萬鎭安東府. 上元三年二月 移安東府於遼東郡故城置. 儀鳳二年 又移置於新城. 聖曆元年六月 改爲安東都督府. 神龍元年 複爲安東都護府. 開元二年 移安東都護於平州置. 天寶二年 移於遼西故郡城置. 至德後廢 初置領羈縻州十四 戶一千五百八十二. 去京師四千六百二十五裏 至東都三千八百二十裏』

었던 평양으로부터 676년에 이치된 '요동군고성'에서 그 이듬해인 677년 바로 '(요서)신성'으로 다시 옮겨간 이후로는 요동으로 옮긴 적이 없고 오히려 '평주'로 갔다가 다시 '요서고군성'으로 물러간 것으로 되어 있다.

[구당서] 지리지 평주조[72]에 평주는 원래 (한 요서군) 임유와 비여라 하였다. 비여가 노룡이라 하면서 지금은 난하 하류 동편으로 옮겨져 있으나 원래 우갈석이 있던 지역으로 산서성 영구의 동쪽 정도로 추정된다. 지금은 좌갈석이라는 창려 갈석에 가까이 있다.

따라서 요서 신성으로 물러간 이후로는 평주나 요서고군성이나 전부 전한 요서군에 해당되므로 요수를 넘어 요동으로 안동부를 옮긴 적이 없다는 뜻이고 후기신라지가 요동(今북경)까지였다는 것이다.

[구당서] 이밀전

[통전]뿐만 아니라 [구당서] 李密傳(이밀전)에도 「요수의 동은 조선의 땅이다[遼水之東 朝鮮之地]」라고 하는데 '朝鮮之地'는 [통전]의 '東夷之地'와 같은 뜻이고 양쪽 다 표현을 신라 또는 고려라고 직필하지 않은 것일 뿐이다.

---

72) [구당서] 지제19 지리2 평주조 『平州 隋爲北平郡 武德二年 改爲平州 領臨渝肥如二縣 其年 自臨渝移治肥如 改爲盧龍縣 更置撫寧縣 七年 省臨渝撫寧二縣 天寶元年 改爲北平郡 乾元元年 復爲平州 舊領縣一 戶六百三, 口二千五百四十二 天寶領縣三 戶三千一百一十三 口二萬五千八十六 在京師東北二千六百五十裏 至東都一千九百裏 盧龍 後漢肥如縣 屬遼西郡 至隋不改 武德二年 改爲盧龍縣 複開皇舊名 石城 漢縣 屬右北平 貞觀十五年 於故臨渝縣城置臨渝 萬歲通天二年 改爲石城 取舊名 馬城 開元二十八年 分盧龍縣置』

[구당서] 천문지

또 [구당서] 志第十六 天文下에 「樂浪在朝鮮縣 玄菟在高句驪縣 今皆在東夷也」라고 나온다. <낙랑과 현도가 지금 모두 동이에 있다>고 하였다.

전한 낙랑과 현도는 고려지

고려가 낙랑과 현도를 차지하게 된 데 대한 경우의 수를 생각해보면 ▶ 고려가 신라로부터 물려받았거나, ▶ 고려초에 낙랑·현도고지를 차지한 사건이 있었거나 둘 중 하나일 것이다.

그런데 [삼국유사]에서 신라건국신화의 하나인 '선도성모수희불사'조를 보면 「제54대 경명왕이 매사냥을 좋아해 일찍이 이곳에 올라 매를 놓았다가 잃어버렸다. 신모께 기도하기를 "만약에 매를 찾으면 마땅히 신모께 봉작하겠습니다" 하였다. 얼마 안 가 매가 날아와 책상 위에 앉았으므로 이로 하여 대왕에 봉했다[第五十四景明王好使鷹 嘗登此放鷹而失之 禱於神母曰 "若得鷹 當封爵". 俄而鷹飛 來止机上 因封爵大王焉]」고 한다.

이곳이란 성모가 거했다던 仙桃山(선도산)이고 성모는 신라의 국토신이므로 선도산은 신라의 초기건국지로서 바로 북경 북 鮑丘(포구)라는 곳이다. 즉 후기신라 경명왕이 포구에서 사냥을 했다는 뜻이고 이는 후기신라의 영토에 초기건국지도 포함된다는 뜻이다. 남의 나라 땅에 가서 사냥을 할 수는 없기 때문이다.

더구나 경명왕은 재위기간이 917~923년으로 정확히 고려건국시기(918)와 일치한다. 이것은 일연국사가 고려건국시기에 바로 해당하는 후기신라왕을 내세워 신라의 초기건국지도 고려지였다는 것을 알려주기 위해 교묘히 꾸며서 넣어둔 기록이라고 하지 않을 수 없는 것이다.

즉 고려가 차지한 낙랑과 현도는 후기신라로부터 물려받은 것이고 바로 그 중에서 전한 낙랑군지를 경순왕에게 식읍으로 주었다는 것이 맨 앞에 인용한 [삼국사기]와 [삼국유사]의 경순왕 귀복건인 것이다. 낙랑·현도뿐만 아니고 사실은 북경 북·서북의 계림도 포함되므로 요동(북경)도 포함되는 것이다.

그래서 고려의 경주는 요와 금의 경주와 같은 곳이고 [요사] 지리지 동경도 개주조[73]에서 경주는 최초 고구려지명이라 하고 있는 것이다. 후기신라 이전에 낙랑군지는 고구려지였기 때문이다. 고로 이 경주(今개평구)의 서남 인근에 고구려지명 唐山(당산)이 있는 것도 이상할 것이 전혀 없다는 것이다.

개주는 본래 예맥지이고 고구려가 경주로 하였다[本濊貊(濊貊)地 高麗爲慶州]고 하는데 예맥지가 아니고 사실은 마한지였는데 마한이란 이름은 반도로 밀어내기하였으므로 직필 불가한 것이다. 기술순서가 '예맥>고려>발해'이므로 발해 이전의 고려는 당연히 고구려를 가리킨다. 본래 책성지라든가 그 이하 발해와 엮은 것은 위사에 해당된다. 「돌을 쌓아 성을 만들었는데 둘레가 20리이고 당 설인귀가 고구려를 칠 때 고구려 대장 온사문과 웅산에서 전투를 하였으며 석성에서 선사자를 사로잡았는데 바로 이곳이다[疊石爲城 周圍二十裏. 唐薛仁貴征高麗 與其大將溫沙門戰熊山 擒善射者於石城 即此]」라고 하여 이곳이 고구려지였음을 말해주고 있다. 개주의 '開'자가 바로 [명사] 지리지에서 난하와 팩키지로 옮겨 경주를 덮어버린 開平의 '開'자와 연결되는 것이다.

[요사] 지리지 동경도 흥주는 「본래 한의 해명현지[本漢海冥縣

---

73) [요사] 지리지 동경도 개주조『開州 鎭國軍 節度 本濊貊(濊貊)地 高麗爲慶州 渤海爲東京龍原府 有宮殿 都督慶 鹽 穆 賀因州事 故縣六 曰龍原 永安 烏山 壁穀 熊山 白楊 皆廢 疊石爲城 周圍二十裏 唐薛仁貴征高麗 與其大將溫沙門戰熊山 擒善射者於石城 即此 太祖平渤海 徙其民於大部落 城遂廢 聖宗代高麗還 周覽城基 復加完葺 開泰三年 遷雙韓二州千餘戶實之 號開封府開遠軍 節度 更名鎭國軍 隸東京留守 兵事屬東京統軍司 統州三 縣一 開遠縣 本柵城地 高麗爲龍原縣 渤海因之 遼初廢 聖宗東討復置以軍額 民戶一千』

地]」라 하였는데 당산, 석성(우북평속현) 등과 함께 실사로는 낙랑군지에 해당된다(지도4,72-2).

여기서 지리적으로 발해와 연결한 것은 하북성 북부의 이러한 고구려·신라·고려의 연고를 지우기 위해 영정하를 요하로 치환한 위사작업의 일환이었음을 알고도 남는다. 통일신라 강역은 하북성 북부만 보아도 최소 요수(영정하)까지였다는 것이고 이것이 후기신라 말까지 이어져 고려로까지 넘어가 고려 태조 왕건이 경순왕에게 식읍으로 주기까지 했다는 것이다.

그런데 이것을 뒷받침하는 내용이 또 있다. 바로 이러한 사실을 다시 설화체로 표현한 것으로서, [삼국사기]와 [삼국유사]에 고려 태조 왕건이 장녀 낙랑공주를 경순왕에게 처로 주었다 한 것이다. 이 공주의 이름 낙랑은 古낙랑군지를 은유한 것이며, 왕건이 경순왕에게 준 경주가 한의 낙랑군지라는 것을 직필할 수는 없고 해서 설화체 형식을 빌려 의인화해서 알려주고 있는 것이다. 마치 고구려 호동왕자와 낙랑 영동칠현을 의인화한 낙랑공주의 경우처럼 보이게 되어 있다. 사서에서 영토문제를 직필하기 어려울 때 천신지기사상을 이용하여 신화설화체로 꾸미는데 왕의 영지를 의인화하여 왕의 딸[公主]로 표현한 사례가 많다[74].

지금 여기서 [삼국사기]와 [삼국유사] 집필자들이 직필하지 못한 사항은 다음과 같이 세 가지로 볼 수 있다.

- 요동군과 압록수(난하) 사이의 전한 현도·낙랑군이 후기신라지였다는 사실

---

74) [삼국유사] 서동설화의 선화공주(비사벌가야), [삼국사기] 진흥기의 백제 왕녀(비사벌가야), [삼국사기] 유리기의 한인지녀 치희(낙랑영동칠현), [삼국사기] 온달전 평강공주(우북평군), 중국제실지녀 선도성모(신라국토신; 연산포구), 부여 위구태와 공손도의 종녀(부여지=濊地), 부여왕 현과 모용황의 딸(前燕의 일부), 책계왕과 대방왕의 딸 보과공주(대방군의 일부) 등도 전부 같은 사례에 해당하는 것이다.

- 고려도 그것을 후기신라로부터 물려받았다는 사실
- 그 중 낙랑군지는 경순왕에게 식읍으로 주었다는 사실

    이것을 실사대로 기록하지 못하고 숨긴 것이다. 그리고 왕건의 장녀 이름 낙랑공주는 원래의 이름이 아니고 바로 이런 사실을 암시해주기 위해 지어낸 것이고, 오히려 [삼국유사]의 '神鸞公主(신란공주)'가 본명으로 보인다. 게다가 경순왕이 고려에 귀복했으면 경순왕도 고려인이 된 것인데 왜 타국이라 하였을까? 어쩌면 신라가 고려의 제후국으로 존속한 것이 아닐까 생각되기도 한다. 이때의 신라지는 요동지역 전체(영정하~난하)에 해당되고 2말3초의 공손씨영역과 일치한다.

    이상의 결과를 보면 〈후기신라지였던 요동(영정하~난하)을 고려도 물려받았고 그것을 상실한 것도 고려였다〉는 사실이다. 협의의 요동은 요동군이지만 광의의 요동은 <전한 요동군+현도군+낙랑군 = 古요수~古압록수>인 것이다.

    그런데 이런 것을 [요사] 지리지에서 이렇게 발해와 엮어 위사를 쓸 수 있었던 배경을 보면 다음과 같이 볼 수 있다.

- 이 지역이 원래 고구려지였다(초기신라는 제외하고도)는 사실
- 발해는 고구려를 일부 계승했다는 사실
- 발해가 거란에 망했다는 사실

    위의 세 가지 사실을 이용하여 요수를 영정하에서 요하로 치환하는 위사구도에 따라 천진 이동, 난하 이서에 있었던 요의 동경도 개주를 발해 동경용원부라 하면서 동만주에 갖다 붙여 짜깁기해버린 것이 지금 우리가 보는 [요사] 지리지이며 그 이후의 각종 사서 지리지들인 것이다. 마찬가지로 그 이전의 사서들도 요수를

요하로 치환한 위사구도에 따라 근세에 전면적으로 개작되어 있는 것이다. 거란(요)은 서기 907년에 성립되었다.

간단히 예를 들면 3세기초에 난하 동편에 고구려가 엄연히 존재하였고 진의 진수가 [삼국지]를 쓸 때도 고구려가 있었는데, 조조가 고구려를 넘어 지금의 요서 조양(유성)까지 오환을 정벌하러 왔다고 쓸 수 있었을까? 진수로서는 이런 식의 위사는 상상조차 할 수 없는 '절대불가'인 것이다. 위나라가 난하를 동으로 넘어온 것은 동천왕세의 관구검이 유일하다.

지금의 경북 '경주'는 고려시대 언제인가 今난하 이서의 영토를 상실한 후 되찾을 가능성이 전혀 없다고 판단된 시점에 반도로 옮겨 붙인 것이다. 옮겨 붙일 때는 당연히 상실한 그 지역과 관련된 가장 강력한 연고지에 붙이게 된다. 천진 동쪽에 있던 경주라는 지명을 경북의 중기신라 수도에 갖다 붙인 이유가 바로 그것이다.

옮긴 시점은 아마도 遼·金 이후일 것이며 [삼국사기]가 편찬된 동기와 관련이 있는 것 같고 〈묘청의 서경천도와 攻金論〉도 바로 이것과 관련이 있어 보인다. 공금론의 대상이 바로 난하 이서의 金地였을 것이다. 당연하게도 원래 신라와 고구려의 연고지이므로 되찾아야 한다는 명분이었을 것이다. 단순히 일이백년 정도의 연고가 아니고 당시 기준으로도 <천년이 넘는 연고가 있는 땅>이기 때문이다.

[삼국사기] 최치원전에도 慶州라는 지명이 나오는데 왜 왕건이 새삼스럽게 新羅를 慶州로 고쳤다 하였을까? 최치원전의 경주는 그냥 12세기 고려지명을 소급해서 기록한 것인가? 아니면 위사를 쓰면서도 그 흔적을 남겨둔 것인가?

(원래의) 경주는 신라의 강력한 연고지이므로 이곳을 상실한 후 완전히 역사에서 지워버릴 수도 없어 중기신라 수도였던 지금의 경북 경주로 옮겨 붙인 것이다. 누구라도 이런 사정은 직필할 수 없는 것이다.

이런 식으로 지명을 옮기는 위사기술기법 때문에 얼핏 보면 평양뿐만 아니라 경주까지도 겉보기로는 여러 곳이 나타나는 것이다. 요·금의 경주가 바로 선대 고구려의 경주요, 후기신라 영토가 북경(요수)까지였으니 신라의 경주요, 고려도 그것을 물려받았으니 고려의 경주이기도 한 것이다.

선사자를 사로잡았다는 석성도 겉보기위사로는 전한의 우북평군 속현 중의 하나인 石成이고 후에 唐代의 북평군 속현(盧龍, 石城) 중 石城이지만 사실은 낙랑군 경내의 성이었던 것이다(지도 72-2). 원래 우북평은 북경 서쪽이었고 唐代의 북평군이라는 것도 전한의 우북평을 이름만 바꾸고 전한의 요서군 비여가 노룡으로 바뀌었다는 말만 해놓은 것이다. 이 唐代의 북평군도 겉보기로는 난하 서편 낙랑지와 난하 동편에 일부 걸쳐놓고 있으나 사실은 후기신라지였던 것이다. 여당전쟁의 전장이 전부 북경 동쪽부터 난하(압록수) 동편 고구려중심까지에 분포하고 있어 이 석성 또한 그 중 하나인 것이다.

[요사] 흥종 경복원년(1031) 7월조[75])에 경주가 계주 및 동경이란 지명과 같이 나온다. 경릉의 남에 경주를 세웠다 한다[建慶州於慶陵之南]. 이 계주는 [요사] 兵衛志下 五京鄉下 南京 석진부 계주조[76])에 속현으로 어양·삼하·옥전 셋이 보여 북경의 동남, 천진의 북으로 원래의 전한 요동·낙랑군지에 해당되지만 [한서] 지리지의 겉보기로는 어양·우북평군의 지명으로 보이게 되어 있다. 천진시내 북단의 계현 인근 서남에 三河(삼하)가 있고, 동남에 玉田(옥전)이 있다(지도35).

[요사] 흥종 중희16년(1047) 7월조[77])에 흥종이 경주에서 사냥

75) [요사] 흥종 경복원년(1031) 7월조『(전략)...庚戌 振薊州饑民. 癸酉 詔寫大行皇帝御容. 甲寅 錄囚. 以觀察姚居信為上將軍. 建慶州於慶陵之南 徙民實之 充奉陵邑. 乙卯 以比歲豊稔 罷給東京統軍 司糧...(후략)』
76) [요사] 兵衛志下 五京鄉下 南京 석진부 계주조『薊州 漁陽縣丁八千 三河縣丁六千 玉田縣丁六千』

을 했다는데 [삼국사기] 온달전78)에서 고구려도 해마다 낙랑지에
서 사냥을 했다고 한다. 온달전에 후주 무제가 군사를 내 고구려
를 쳤다는데 이때의 요동이 바로 속북경인 것이다.

이상과 같이 지금의 경북 慶州(경주)는 원래 천진 동쪽 唐山
(당산) 인근에 있던 지명인데 난하 이서의 영토를 상실한 고려가
후에 옮겨 붙인 것이다.

薩水(살수)

[요사] 지리지 중경도 택주에는 撒河(살하)가 있다는데 이 강이
바로 [삼국사기]의 薩水(살수)에 해당한다(제4장 [요사] 지리지/3.
중경도 택주 참조)

---

77) [요사] 흥종 중희16년(1047) 7월조 『秋七月辛卯 幸慶州 自是月至於九月
    日射獵於楚不溝霞列 系輪 石塔諸山』
78) [삼국사기] 온달전 『高句麗常以春三月三日 會獵樂浪之丘 以所獲猪鹿 祭
    天及山川神...(중략)...時 後周武帝出師伐遼東 王領軍逆戰於拜山(絑山)之
    野』라 한다.

제4장

ɔ3

[요사] 지리지

제4장 _ [요사] 지리지

[요사] 지리지에서 요동과 요서, 낙랑, 현도 등의 군현과 관련된 내용들만 집중 발췌해 보았다. 다만 발해와 관련하여 민을 어디로 이주시켰다는 것은 있을 수 있으나 <지리적으로 발해와 연결한 것은 요수를 영정하에서 요하로 치환한 위사>이므로 전부 절사하고 보아야 한다.

1. 상경도

상경도79)의 개요에 「유주는 발해와 갈석의 사이에 있다[幽州在渤碣之間]」고 하는데 [사기] 화식전에서 「무릇 연은 발해와 갈석사이의 한 도회이다[夫燕亦勃碣之閒一都會也]」라고 한 燕地(연지)에 해당한다. 이 갈석은 창려의 좌갈석이 아니고 연도 薊(계)를 축

---

79) [요사] 지리지 상경도(개요) 『帝堯畫天下為九州. 舜以冀青地天 分幽並營為州十有二. 幽州在渤碣之間 並州北有代朔 營州東暨遼海. 其地負山帶海 其民執幹戈 奮武衛 風氣剛勁 自古為用武之地. 太祖以迭剌部之眾代遙輦氏 起臨潢 建皇都 東並渤海 得城邑之居百有三. 太宗立晉 有幽涿檀薊順營平蔚朔雲應新媯儒武寰十六州 於是割古幽並營之境而跨有之. 東朝高麗 西臣夏國 南子石晉而兄弟趙宋 吳越 南唐航海輸貢. 噫 其盛矣! 遼國其先曰契丹 本鮮卑之地 居遼澤中 去榆關一千一百三十裏 去幽州七百一十四裏. 南控黃龍 北帶潢水 冷陘屏右 遼河塹左. 高原多榆柳 下隰饒蒲葦. 當元魏時 有地數百裏. 至唐 大賀氏蠶食扶餘室韋奚靺鞨之區 地方二千餘裏. 貞觀三年 以其地置玄州. 尋置松漠都督府 建八部為州 各置刺史 達稽部曰峭落 紇便部曰彈汗州 獨活部曰無逢州 芬阿部曰羽陵州 突便部曰日連州 芮奚部曰徒河州 墜斤部曰萬丹州 伏部曰匹黎赤山二州. 以大賀氏窟哥為使持節十州軍事. 分州建官 蓋昉於此. 迨於五代 闢地東西三千裏. 遙輦氏更八部曰互利皆部 乙室活部 實活部 納尾部 頻沒部 內會雞部 集解部 奚嗢部 屬縣四十有一. 每部設刺史 縣置令. 太宗以皇都為上京 升幽州為南京 改南京為東京 聖宗城中京 興宗升雲州為西京 於是五京備焉. 又以征伐俘戶建州襟要之地 多因舊居名之 加以私奴置投下州. 總京五 府六 州軍城百五十有六 縣二百有九 部族五十有二 屬國六十. 東至於海 西至金山 暨於流沙 北至臚朐河 南至白溝 幅員萬裏』

으로 발해의 반대편에 있다 하던 영구 근방의 우갈석인 것이다.
즉 '발갈지간'이란 <발해만과 우갈석의 사이>라는 뜻이다.

지도56. 우갈석

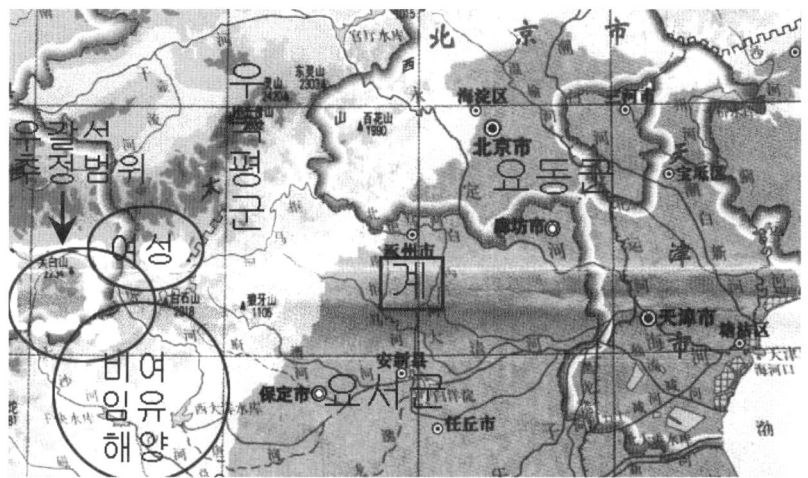

※ [한서] 지리지 연지조 「薊 南通齊趙 勃碣之間一都會也[1]...(후략). [1]師古
曰 薊縣 燕之所都也 勃 勃海也 碣 碣石也」>「계는 남으로 제와 조로 통하
고 발해와 갈석 사이의 한 도회이다」. 탁주 계성을 축으로 발해와 반대편은
대략 산서성 영구 근방으로 볼 수 있다. 이곳에 원래의 갈석산이 있었다는
뜻이다(右갈석=西갈석). 지금의 요서 유관과 가까운 고구려의 左갈석은 東갈
석인데 창려의 갈석산이고 이것은 위사를 뒷받침하기 위해 이름을 옮겨 붙여
놓은 위증용이다.

　　그런데 유주가 발해와 갈석 사이에 있다는 것은 대략 지금의 <난하
동편으로는 유주가 아니다>라는 뜻이 되므로 지금의 요서와 요동, 현도,
낙랑 등이 유주에 속했다는 것이 위사임을 간명하게 알려주고 있다.
　　「병주는 북으로 대와 삭이 있다[並州北有代朔]」하여 병주는 산
서성 代와 朔州(삭주)의 남쪽이란 뜻이다.
　　「영주는 동으로 요해에 이른다[營州東曁遼海]」고 하여 <영주(유
성)가 요해의 서쪽에 있다는 뜻>인데 이 요해는 요수(영정하)가 흘

러드는 바다이므로 발해만(천진앞바다)을 가리키는 것이다. 유성은 앞서 본 대로 천진 서남방 지금의 '大城'으로 비정되므로 정확한 표현이라 할 수 있다. 대성에서 동으로 가면 정확히 발해만의 남북 중간지점에 이른다. 이 역시 조양이 유성일 수 없음을 말해주는 것인데 [통전] 주군전 유성군조에 있듯이[柳城郡東至遼河四百八十里. 南至海二百六十里], 조양에서는 동으로 가도 바다가 아닌 요하에 이르게 되고 남으로 가야 바다가 있다. 즉 [통전]의 기사는 개작된 위사임을 간단히 알 수 있는 것이다.

지도57. 유성(대성)과 요해(발해만)

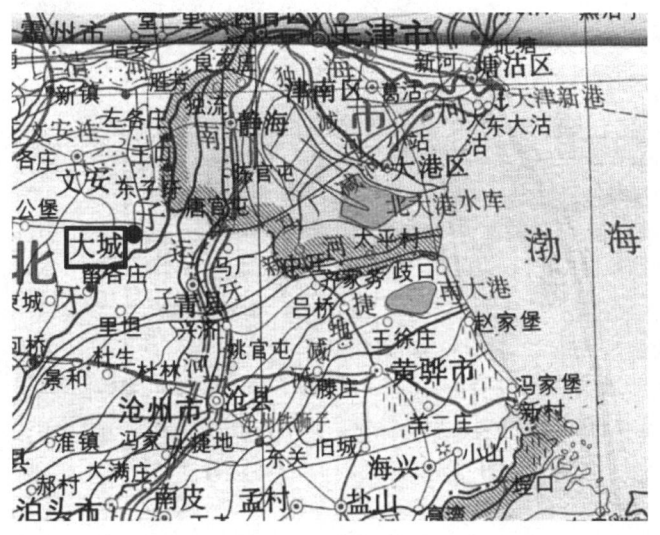

「요국은 그 선이 거란인데 본래 선비의 땅이고, 요택 중에 거했다[遼國其先曰契丹 本鮮卑之地 居遼澤中]」고 한다. 요택은 유성과 인접이고 유성은 2세기 후반부터 오환선비들의 근거지였지만 원래 전국시대에는 (남려의 先)예맥조선의 땅이었다. 그런데 이 예맥조선을 지우기 위해 후대에 할거하던 선비의 先으로 대치하여 기술해놓은 것이 [사기] 조세가 무령왕 19년기 「(趙)東有胡」의 '胡

(호)'에 대한 주[43]에 '烏丸의 先'이라고 위사를 쓰고 있는 것이다. 요의 경우에도 발해만 서안에 거했던 예맥을 지우기 위해 요택에 거했다고 한 것으로 보인다. 요택이란 것도 사실은 유성인데 이 지명을 쓰면 위사가 드러나므로 쓸 수 없어 유성과 인접한 요택에 거했다는 식으로 비틀어 기술한 것이 아닌가 생각된다.

「모두 5경, 6부, 주·군성 156곳, 209현, 52부족, 60속국이 있다. 동으로 바다에 이르며 서로는 금산에 이르고 유사까지이며, 북으로 여구하, 남으로 백구에 이르는데 폭원이 만 리이다[總 京五 府六 州 軍城百五十有六 縣二百有九 部族五十有二 屬國六十. 東至於海 西至 金山 暨於流沙 北至臚朐河 南至白溝 幅員萬裏]」라고 한다. 이 폭원 도 보면 꼭 [후한서] 오환선비전에 2세기후반 선비 단석괴의 영역을 나타낼 때 '동서만사천여리'라고 한 것처럼 기술해놓았다. 동으로 바 다라는 것이 과거 발해의 동쪽(연해주) 바다를 가리키는 것 같다. 이 역시 난하부터 今요동까지 있었던 고려를 지우고 기술한 것이다.

상경 임황부

「상경도 상경 임황부[80])는 본래 한 요동군 서안평현이다. 신의

---

80) [요사] 지리지 상경도 상경임황부『上京道上京臨潢府 本漢遼東郡西安平 之地 新莽曰北安平 太祖取天梯 蒙國 別魯等三山之勢於葦甸 射金齪箭以 識之 謂之龍眉宮 神冊三年城之 名曰皇都 天顯十三年 更名上京 府曰臨 潢 淶流河自西北南流 繞京三面 東入於曲江 其北東流為按出河 又有禦河 沙河 黑河 潢河 鴨子河 他魯河 狼河 蒼耳河 輞子河 臚朐河 陰涼河 豬 河 鴛鴦湖 興國惠民湖 廣濟湖 鹽濼 百狗濼 火神澱 馬盂山 兔兒山 野鵲 山 鹽山 鑿山 松山 平地松林 大斧山 刊出 屈劣山 勒得山一一唐所封大 賀氏勒得王有墓存焉 戶三萬六千五百 轄軍 府 州 城二十五 統縣十 臨潢 縣 太祖天贊初南攻燕薊 以所俘大戶散居潢水之北 縣臨潢水 故以名 地宜 種植 戶三千五百, 長泰縣 本渤海國長平縣民 太祖伐大諲撰 先得是邑 遷 其人於京西北 與漢民雜居 戶四千, 定霸縣 本撫餘府強師縣民 太祖下扶 餘 遷其人於京西 與漢人雜處 分地耕種 統和八年 以諸宮提轄司大戶置 隸長寧宮 戶二千, 保和縣 本渤海國富利縣民 太祖破龍州 盡徒富利縣大 散居京南 統和八年 以諸宮提轄司大戶置 隸彰湣宮 戶四千, 潞縣 本幽州 潞縣民 天贊元年 太祖破薊州 掠潞縣民 佈於東京 與渤海人雜處 隸崇德 宮 戶三千, 易俗縣 本遼東渤海之民 太平九年 大延琳結構遼東夷叛 圍守

왕망은 북안평이라 불렀다[上京道上京臨潢府 本漢遼東郡西安平之
地. 新莽曰北安平]」고 하는데 서안평은 지금도 북경 동남에 '安
平'이란 지명으로 남아 있다.

지도58. 상경 임황부; 서안평(북안평)과 사하, 흑하, (어양)평곡, 선화

※ 가운데 위에 黑河(흑하)가 보이고, 북경시내 昌平(창평) 아래에 沙河(사하)
가 보인다. 북경시 서북에 宣化(선화)가 있고 북경시 동남에 요의 수도였던
한의 요동 서안평이 지금도 安平(안평)으로 남아 있다.

經年 乃降 盡遷於京北 置縣居之 是年 又徒渤海叛人家属置焉 戶一千,
遷遼縣 本遼東諸縣渤海人 大延琳叛 擇其謀勇者置之左右 後以城降 戮之
徒其家於東東北 故名 戶一千, 渤海縣 本東京人 因叛 徒置 興仁縣 開泰
二年置, 宣化縣 本遼東神化縣民 太祖破鴨淥府 盡徒其民居京之南 統和
八年 以諸宮提轄司大戶置 隸彰湣宮 戶四千』

※ 昌平(창평)의 서북에 居庸關(거용관)과 八達嶺(팔달령)이 보인다.

상경도 상경 임황부지명들 중 沙河(사하)는 북경시내에 있고, 黑河(흑하)는 북경 북에 있다. 馬盂山(마우산)은 [대청광여도]에 경주와 함께 보이는데 경주는 당산 동북의 개평이다(지도54).

지도31 오른쪽 위에 경주가 보이는데 노주와 금녕, 마우라는 지명이 있고「크게 늘어선 큰 소나무들이 모두 여기 있다[大羅高松皆此]」는 설명이 있다. 경주의 왼쪽 아래에는 松漠(송막)이 보이고「천 리 소나무 구릉[千里松原]」이라고 되어 있다. 이것은 '平地松林(평지송림)'이란 기사와 통하는 것이다.

현이 10개인데 임황현은 남으로 황수를 끼고 있다 한다. 즉 서안평현 남을 흐르는 강이 황수라는 뜻인데 지도37에서 보면 북경 동남 안평의 남을 흐르는 강은 溫楡河(온유하)이며 [수경주] 권14 에는 濕餘水(습여수)로 되어 있다. 선화현은 북경 서북에 있다(지도58). 속현 중에 潞縣(노현)은, [한서] 지리지 어양군조에「...路莽曰通路亭 雍奴 泉州 有鹽官 莽曰泉調 平谷 安樂...」이라 하는 路(노)에 해당하고 이 중 平谷(평곡)은 지금도 북경시내 동쪽에 있다(지도58).

상경도

상경도 祖州(조주)의 지명으로「祖山 龍門 黎穀 液山 液泉 白馬 獨石 天梯之山」 등이 있다 하는데 이 중에서 龍門(용문)과 獨石(독석)이 지금도 북경 서북에 있고(지도58) 白馬(백마)는 북경 동북에 나타나는 지명이다.

지도59. 백마관

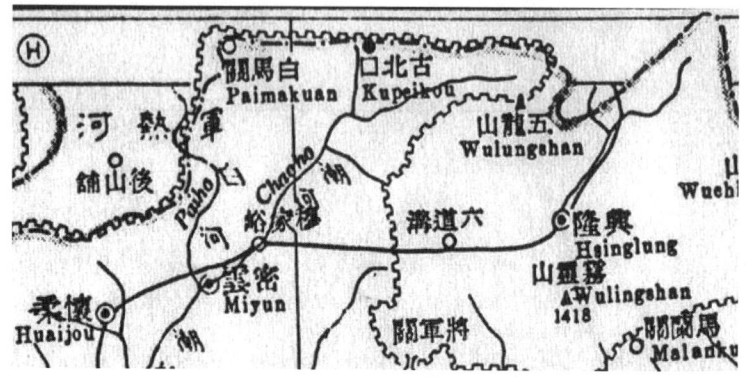

※ 密雲(밀운)의 북에 白馬關(백마관)이 있고 동에 六道溝(육도구;六道河)가 있으며 동북에 古北口(고북구)가 보인다.

慶州(경주)는 전한 낙랑군지의 당산 동북 인근 지금의 개평구에 해당된다(지도54).

烏州(오주)는 본래 오환지인데 「遼河 夜河 烏丸川 烏丸山」 등이 있다 한다. 이제는 遼水(요수) 대신 遼河(요하)라는 이름을 쓰기 시작하고 있다. 그러나 요하와 오환은 아무런 관련이 없다.

龍化州(용화주)는 원래 한의 북안평현이라 하는데 거란 시조 奇首可汗(기수가한)이 거했다 한다. [한서] 지리지의 요동군 서안평현을 신의 왕망이 (요서군 신안평현에 상대적으로) 북안평이라 부른 것이다. 북경 동남이고 임황부와 같다(지도58).

饒州(요주)는 본래 당의 요락부라 하고 당 태종 정관중 송막부를 둔 곳이라는데 송막은 북경 북이다(지도31,55).

壕州(호주)는 요동 서안평현이라 하고, 原州(원주)와 福州(복주)는 본래 요동 북안평현이라는데 서안평과 같으므로 상경 임황부·용화주와 같다(지도58).

橫州(횡주)는 전한 요동군 요양현이라 하는데 요수의 하류 북안으로 지금의 천진시 서북부 정도에 해당하고 橫山(횡산)이 있다 한다.

鳳州(봉주)는 稾離國故地(고리국고지)라 하고 (동경도) 韓州(한주)의 북 200리에 있다 한다[鳳州 稾離國故地...(중략)...在韓州北二百裏...(후략)]. 이곳은 현도군 고구려현으로 북경 동쪽 지금의 興隆(흥륭)을 중심한 지역이다(지도47).

遂州(수주)는 檀州(단주)의 서쪽 200리라 하는데 단주가 겉보기로 북경 동쪽 어양군 지명으로 밀운과 함께 종종 나타나므로 수주는 밀운 서쪽 200리 정도의 북경 서북이다. [수서] 지리지 안락군조에는 장성이 있고 古河(고하)가 있다는데 今백하이며(지도37,38) 지명으로 檀州(단주), 大興(대흥), 方城(방성), 燕樂(연락), 密雲(밀운), 古河(고하), 白檀(백단), 安市(안시), 土垠(토은) 등지가 보인다. 대흥과 밀운은 지금도 북경시내에 남아 있고(지도58) 안시는 요수의 하구가 있는 현으로 천진시 북으로 추정되고 고구려 안시성이 있던 곳이다(지도29). 토은은 전한 우북평군 속현으로 되어 있어 겉보기로는 지도72-2의 석성과 함께 천진 동쪽 원래의 낙랑군지에 해당한다.

豐州(풍주)는 원래 요택의 대부락이라 하는데 영정하 하류 남방이다.

順州(순주)는 전한 요동군 요대현이라 하는데 안시 근방일 것이다.

閭州(여주)는 의무려산에 가깝다 하는데 의무려산은 북경 동북 연산도 서쪽 입구에 있는 무령산(2116m)으로 추정된다(지도47). 그 바로 서쪽에 고구려 서변 요해처로 연산도 서쪽 입구를 지키던 신성이 있다. 요동군 무려현에 의무려산이 있다 했는데 지금은 요서 錦州(금주)의 동북 北寧(북녕) 인근으로 옮겨져 있다.

松山州(송산주)는 豊州(풍주)처럼 원래 요택의 대부락이라 하는데 상경의 남쪽에 있다 하므로 영정하 하류 남방이다.

豫州(예주)는 상경의 북 300리에 있다 하여 북경 북이다.

기타의 주와 성들은 위치가 현대지도에서는 불명이지만, 위와 같이 〈요의 중심부인 상경도는 대체로 북경 일대부터 천진시의 동쪽, 영정하 하류 남방에까지 걸쳐 있어 한대의 요동·요서군과 현도·낙랑군에 해당한다〉.

2. 동경도

동경 요양부

동경 요양부81)의 연혁설명을 대략 보면, 본래 조선지로서 주

---

81) [요사] 지리지 동경 요양부 『東京遼陽府 本朝鮮之地. 周武王釋箕子囚 去之朝鮮 因以封之. 作八條之教 尚禮義 富農桑 外戶不閉 人不為盜. 傳四十餘世. 燕屬真番朝鮮 始置吏 築障. 秦屬遼東外徼. 漢初 燕人滿王故空地. 武帝元封三年 定朝鮮為真番臨屯樂浪玄菟四郡. 後漢出入青幽二州 遼東玄菟二郡 沿革不常. 漢末為公孫度所據 傳子康 孫淵 自稱燕王 建元紹漢 魏滅之. 晉陷高麗 後歸慕容垂 子寶 以勾麗王安為平州牧居之. 元魏太武遣使至其所居平壤城 遼東京本此. 唐高宗平高麗 於此置安東都護府 後為渤海大氏所有. 大氏始保挹婁之東牟山. 武后萬歲通天中 為契丹盡忠所逼 有乞乞仲象者 度遼水自固 武后封為震國公. 傳子祚榮 建都邑 自稱震王 併吞海北 地方五千裏 兵數十萬. 中宗賜所都曰忽汗州 封渤海郡王. 十有二世至彝震 僭號改元 擬建宮闕 有五京 十五府 六十二州 為遼東盛國. 忽汗州即故平壤城也. 號中京顯德府. 太祖建國 攻渤海 拔忽汗城 俘其王大諲撰 以為東丹王國 立太子圖欲為人皇王以主之. 神冊四年 葺遼陽故城 以渤海 漢戶建東平郡 為防禦州. 天顯三年 遷東丹國民居之 升為南京. 城名天福 高三丈 有樓櫓 幅員三十裏. 八門 東曰迎陽 東南曰韶陽 南曰龍原 西南曰顯德 西曰大順 西北曰大遼 北曰懷遠 東北曰安遠. 宮城在東北

무왕이 기자를 봉하여 40여 세를 전했다 하고, 전국시대 연나라 때 처음으로 관리를 두고 장새를 쌓았고, 진나라 때는 요동 외요에 속했는데 한초에 연인 위만이 故공지에서 왕을 하다가 한무제 원봉3년에 조선을 평정하여 진번과 임둔, 낙랑, 현도 등 4군으로 삼았다 한다. (후)한말 공손도가 근거하여 아들 강에게 전해지고 손자 연은 연왕을 자칭하다 위가 멸했다 하고, 진시에는 고구려로 넘어갔다 한다.

요동이 연·진의 영역이었다는 것은 위사이며 전한 무제시 남려의 예가 한에 넘어간 직후에 요동도 넘어간 것으로 보인다. 전한이 조선(마한)을 평정했다는 것은 허기이며 전쟁에 져서 망한 것이 아니고 대신들이 우거왕을 죽이고 한에 편입된 것이다. 요동의 공손씨의 경우 조위 명제 경초2년(238) 사마의가 공손도의 손자 공손연을 쳐서 양평성에서 멸했다. 이런 요동이 고구려로 넘어간

隅 高三丈 具敵樓 南為三門 壯以樓觀 四隅有角樓 相去各二裏. 宮牆北有讓國皇帝禦容殿. 大內建二殿 不置宮嬪 唯以內省使副 判官守之. '大東丹國新建南京碑銘'在宮門之南. 外城謂之漢城 分南北市 中為看樓 晨集南市 夕集北市. 街西有金德寺 大悲寺 附馬寺 鐵幡竿在焉 趙頭陀寺 留守衛 戶部司 軍巡院 歸化營軍千餘人 河 朔亡命 皆籍於此. 東至北烏魯虎克四百裏 南至海邊鐵山八百六十裏 西至望平縣海口三百六十裏 北至挹婁縣範河二百七十裏. 東西南三面抱海. 遼河出東北山口為範河 西南流為大口 入於海 東梁河自東山西流 與渾河合為小口 會遼河入於海 又名太子河 亦曰大梁水 渾河在東梁範河之間 沙河出東南山西北流 逕蓋州入於海. 有蒲河 清河 浿水 亦曰泥河 又曰軒芋濼 水多軒芋之草 駐蹕山 唐太宗征高麗 駐蹕其顛數日 勒石紀功焉 俗稱手山 山顛平石之上有掌指之狀 泉出其中 取之不竭 又有明王山 白石山 亦曰橫山. 天顯十三年 改南京為東京府曰遼陽. 戶四萬六百因. 轄州 府 軍 城八十七. 統縣九 遼陽縣 本渤海國金德縣也 漢壩水縣 高麗改為勾麗縣 渤海為常樂縣 戶一千五百, 仙鄉縣 本漢遼隊縣 渤海為永豐縣'八神仙傳'雲 '仙人白仲理能煉神丹 點黃金以救百姓'戶一千五百, 鶴野縣 本漢居就縣地 渤海為雞山縣 昔丁令成家此 去家千年 化鶴來歸 集於華表柱 以味畫表雲 "有鳥有鳥丁令威 去家千年今來歸 '城郭雖是人民非 何不學仙塚纍纍'"戶一千二百, 析木縣 本漢望平縣地 渤海為花山縣 戶一千, 紫蒙縣 本漢鑢芳縣地[1] 後拂涅國置東平府 領蒙州紫蒙縣 後徙遼城 並入黃嶺縣 渤海後為紫蒙縣 戶一千, 興遼縣 本漢平郭縣地 渤海改為長寧縣 唐元和中 渤海王大仁秀南定新羅 北略諸部 開置群邑 逐定今名 戶一千, 肅慎縣 以渤海戶置, 歸仁縣, 順化縣. [1]本漢鑢芳縣地 鑢芳 漢書地理志 後漢書郡國志均作鑢方 屬樂浪郡』

것은 서진시 4세기초인데 [삼국사기] 미천기에도 대략 실려 있다.

[통전] 변방전 고구려전에도 「한의 낙랑·현도군지는 후한부터 위세에 걸쳐 공손연이 망하기까지 공손씨의 근거가 되었다가 서진 영가 이후 다시 고려로 넘어갔다. 그 불내와 둔유, 대방, 안시, 평곽, 안평, 거취, 문성 등은 모두 한의 두 군의 현들이다. 즉 조선, 예맥, 옥저땅이었다[漢樂浪玄菟郡之地 自後漢及魏 爲公孫氏所據 至淵滅 西晉永嘉以後 復陷入高麗 其不耐屯有帶方安市平郭安平居 就文城皆漢二郡諸縣 則朝鮮濊貊沃沮之地]」고 되어 있다.

북위 태무(424~451)가 고구려수도 평양성에 사신을 보낸 바 있는데 요의 동경이 본래 이곳이라 한다[元魏太武遣使至其所居平壤城 遼東京本此]. 이 기사는 [삼국사기] 장수왕 23년기와 같은 내용으로 보이는데 장수왕 15년 평양으로 천도한 지 8년 후로서 북위 태무제 태연원년(435)에 해당한다. 이 기사를 보면 요의 동경이 바로 장수왕이 천도했던 평양이란 뜻으로 이해되는데 험독으로 추정되고 지금의 당산 인근 서쪽 韓城으로 비정된다(지도12,47).

당고종이 고구려를 평정했을 때 이곳에 안동도호부를 두었다[於此置安東都護府]고 한다. 여기서도 위사구도가 그대로 드러나 있다. 당이 최초 안동도호부를 두었다던 원래의 고구려수도 평양과 장수왕이 천도했다던 평양을 같이 놓고 보고 있는데, 장수왕이 천도한 곳은 한의 요동군 험독(한성)이고, 동천세에 천도했다던 선인 왕검의 도읍 평양과는 다르기 때문이다. 당의 안동도호부가 최초로 설치된 곳은 고구려수도 평양(창려)이었고 신라에 쫓겨나 두 번째로 설치된 곳이 遼東郡故城(요동군고성)이라 하였는데 이 기사를 보면 험독으로 보인다.

문제가 되는 것이 발해의 중경 현덕부 홀한주가 원래 평양성으로 당이 주었다 하는데 위사이다. 당은 고구려고지에서 신라에게 밀려나 발해와 접경도 할 수 없었다. 이 기사는 요의 동경도를 발해고지라 하면서 요수를 영정하에서 요하로 치환하여 신라사를 지운 채 설명하고 있는 것이다.

요양부 지명

동경도 요양부에 등장하는 지명들로 당태종의 주필산, 명왕산, 백석산(횡산)이 있고, 속현은 요양현의 경우 한의 壩水縣(패수현)이고 고구려의 구려현이라 한다. 선향현은 전한 요대현이고, 학야현은 전한 거취현이며, 석목현은 전한 망평현이라 한다. 자몽현은 전한 누방현이고, 흥요현은 전한 평곽현이라 한다. 기타 숙신현과 귀인현이 있고, 순화현은 전한 낙랑군 누방현이라 한다. 漢代에 壩水縣이란 이름은 보이지 않는데 전한 낙랑군 浿水縣(패수현)으로 보인다.

전한 요동군 속현으로 요대와 거취, 평곽, 망평 등이 있고, 낙랑군 지명으로 패수와 누방이 있다. 백석산의 별칭이 횡산이라는데 상경도에도 횡주에 횡산이 있었다. 당태종의 주필산은 천진의 서북으로 추정된다(지도72-2 주마대).

[삼국사기] 보장기 4년 10월조에 당이 함락시킨 성이 「현도 횡산 개모 마미 요동 백암 비사 협곡 은산 후황」 등 열 곳이라 하는데 횡산이 들어 있다. 현도성은 현도군 중심지(속흥륭)였을 것이고 요동성도 빼앗겨 당의 요주가 되었다 한다. (당태종시)여당전쟁은 그 전장이 북경 동쪽부터 난하까지 주로 전한 요동·현도·낙랑군지였다.

안동도호부는 신라가 고구려고토에서 당을 몰아내는 과정에 북경 남쪽 원래의 전한 요서군으로 물러갔으므로 발해와는 무관하다.

경내의 강으로는 범하와 요하, 동량하, 혼하, 태자하(대량수), 사하, 포하, 청하, 패수(泥河) 등이 있는데 이 이름들은 이미 요하 일대와 그 동쪽으로 전부 설정해놓고 쓴 것이다. 즉 북경과 난하 사이에 있던 현도·낙랑군지를 요하 동쪽으로 옮겨 기술한 것이다. 그러나 [수경주] 권14에서 설명하고 있는 일곱 줄기 강 중 가장 동쪽에 있는 패수가 요수(영정하)와 압록수(난하) 사이에 있는 강이므로 절대로 지금의 요동으로 올 수 없는 것이다.

지도60. 상건하(요수)와 혼하

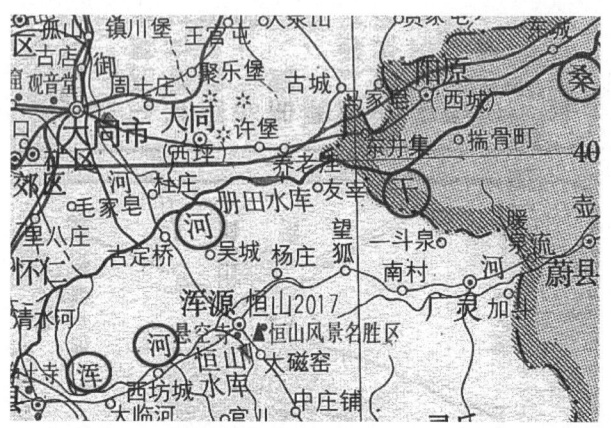

※ 원래의 요수인 영정하의 상류에 해당하는 桑乾河(상건하;桑干河로 표기됨)
와 그 지류인 渾河(혼하)인데 지금의 요하와 혼하는 이 이름들을 묶어서 옮
겨놓은 것이다. 혼하의 발원지라는 뜻을 가진 渾源(혼원)이란 지명이 恒山(항
산) 서쪽에 보인다.

　　지금의 요동에 있는 태자하를 전국시대 연 태자 丹(단)과 결부
시켜 생각하는 것은 심각한 오인이다. [사기] 연소공세가 희왕 29
년기에 「진이 계성을 쳐서 함락시켰다. 연왕은 도망하여 요동으로
옮겨 거했다. 단의 목을 베어 진에 바쳤다[秦攻拔我薊 燕王亡 徙
居遼東 斬丹以献秦]」고 한다. 전국시대 연의 중심지는 탁주와 역
주인데 그 중 수도는 탁주 薊城(계성)이었고 이 성이 진군에 떨어
지자 연왕 喜(희)가 요동으로 도망을 갔다고 한다(BC226). 수도인
북경 남쪽 탁주 계성이 떨어졌다고 전국칠웅 중의 하나였던 연의
왕이 今요동까지 새가 날아가듯이 도망을 갔다는 것은 황당한 것
이다. 게다가 진의 시황은 4년 후(BC222)에 今요동까지 군사를
보내 연왕 희를 잡아갔다고 한다. 섬서성 함양에서 今요동까지 근
만 리를 군사를 보내 연왕을 잡아갔다고 믿는다면 이 역시 이상한
것이다. 연왕 희가 도망간 요동은 요수(영정하) 건너 지금의 북경
인 것이다. 지금의 요동에 있는 강에 태자하라는 이름을 붙인 것
은 창려 갈석산에 온 적도 없는 진시황이 마치 왔다 간 적이 있는

것처럼 秦皇島(진황도)라는 섬이름을 붙인 것과 꼭 같은 경우이다. 이런 것들은 전부 위사가 치밀하게 계획적으로 이루어졌다는 반증일 뿐이다.

    <동경 요양부는 대체로 전한 요동군의 동부와 낙랑군에 해당하고 동으로 난하를 넘지 않고 있다>

동경도 속주

    동경도 開州(개주)[73]는 고구려 경주라 하는데 상경도 경주와 중복된다. 속현 개원은 본래 책성지라 하는데 발해와 연결시키기 위해 고구려 동쪽 지명 책성을 이용한 것 같다. 그러나 개주 석성은 난하(압록수) 하류 서쪽에 있었다(지도72-2).

    定州(정주)와 속현 定東(정동)은 본래 고려가 둔 것이라 하는데 지금은 평안북도로 들어와 있지만 개주 인근이므로 실사상의 전한 낙랑군지에 해당된다. 평북은 위사상의 낙랑군지에 해당된다.

    保州(보주)도 고려가 설치한 주라 한다. 요성종 통화말(29년)은 1011년으로 고려 현종 2년에 해당하고 개태3년(1014)은 고려 현종 5년인데 고려가 요에게 1010년대 초에 보주와 정주 두 주를 빼앗긴 것으로 보인다. 來遠縣(내원현)은 [삼국사기]에 있는 萊遠城(내원성)으로 보이는데 어딘지 불명이다.

    辰州(진주)는 본래 고구려 개모성이라 하고, '辰'자는 辰韓에서 땄다 한다. 진한이 북경 북 포구에 있었으므로 이상할 것은 없다. [구당서] 고려전에 「(당태종 정관19년;645) 여름 4월, 이적의 군이 요수를 건너 진격하여 개모성을 쳐서 함락시켜 2만을 포로로 하고 그 성에 개주를 두었다[夏四月 李勣軍渡遼 進攻蓋牟城 拔之 獲生口二萬 以其城置蓋州]」고 했다. [삼국사기] 보장왕 4년 4월조[82])에는 이세적이 통정에서 요수를 건너 현도로 갔다 하고, 그러다 도종과 함께 개모성을 쳐서 함락시켜 1만을 포로로 하고 군량 10만 석을 노획하며 그 지역을 개주로 했다 한다. 개모성은 현도군 속현으로 보이는데 서진 회제 영가(307~312)를 전후한 4세기 초부터 고구려로 넘어갔다가 후에 당이 고구려로부터 빼앗아 잠시 개주로 하였으나 신라의 대당전 이후 후기신라로 넘어갔다. 이 역시 '辰'자와 관련될 것이다. 통정에서 출발하여 건넌 요수는 대요수인 영정하가 아니고 소요수인 구하에 해당한다. 구하가 현도군(고구려현)에서 발원하기 때문이다. [삼국사기] 보장기 4년 4월조의 통정은, 그 전에 수양제가 고구려의 무려라를 빼앗아 요동군을 설치하고 거기에 通定鎭(통정진)을 두었다 한 것인데 북경시내 동부에 있는 通州(통주)에 해당한다. 요동군과 통정진을 설치하기 직전에 수양제가 요수를 건너갔다 했는데 그 요수는 대요수가 아니고 소요수였던 것이다. 북경 통주에서 바로 동으로 가면 소요수(今구하)가 나오고 건너면 바로 현도군지인 것이다(지도29,30). 이 지역이 후기신라지라는 것은 앞서 본 [구당서] 지리지의 당토와 한지를 비교하는 기사[69])를 보면 알 수 있다. 신라는 쏙 빼고 신라보다 먼저 소멸된 발해를 고려와 나란히 기술하거나 북경 동쪽을 언급하면서 발해와 연결시키는 것은 전부 지금의 요동부터 북경까지 사이의 고구려사와 신라사, 고려사 지우기에 해당하는 것이다. 학계의 통설로 보더라도 今요동(현도군지)까지 고려지였다는 말이 된다. 그러나 사실은 그 정도가 아니고 북경까지였다.

盧州(노주)에는 산양, 삼로, 한양, 백암, 상암 등의 故현명이 있다 하는데 노주는 경주와 가까운 것으로 [대청광여도]에 나타난

---

82) [삼국사기] 보장왕 4년 4월조 『夏四月 世勣自通定 濟遼水 至玄菟 我城邑大駭 皆閉門自守. 副大摠管江夏王道宗 將兵數千 至新城 折衝都尉曹三良 引十餘騎 直壓城門 城中驚(懼) 無敢出者. 營州都督張儉 將胡兵爲前鋒 進度遼水 趨建安城 破我兵 殺數千人. 李世勣·江夏王道宗 攻盖牟城 ⊡{拔}之 獲一{二}萬人·糧十萬石 以其地爲盖州. 張亮帥舟師 自東萊度海 襲卑沙城. 城四面懸絶 惟西門可上. 程名振引兵夜至 副摠管王大度先登』

다(지도31). 속현으로 熊嶽(웅악)이 있는데 바다 가까이에 웅악산이 있다 한다[傍海有熊嶽山]. 내운성은 본래 숙여직지라 하는데 역시 현도 인근에 2세기초부터 오래도록 거하던 위구태부여와 관련된 것이다. 숙여직(북부여·흑수말갈)은 서만주에, 생여직(동부여·속말말갈)은 동만주에 있었다. 요성종이 통화중(983~1011) 고려(성종,목종,현종)로부터 빼앗은 땅이라 한다. 신라로부터 물려받은 고려가 10세기말이나 11세기초에 상실한 것 같다. 서희(10세기말)의 강동육주는 난하(압록수) 동편으로 보인다. 고려의 서방이 처음에는 영정하 동편이었다가 요에 빼앗긴 후에 난하 동편으로 축소된 것으로 추정된다.

鐵州(철주)는 전한 안시현이라 하는데 고구려 안시성이고 요수(영정하)의 하류 북안이며 하구가 있다고도 했다(지도29).

興州(흥주)는 전한 (낙랑군) 해명현이라 한다(지도72-2). 이 지도는 전한 낙랑군이 천진~난하 일대라는 것을 분명히 증명해주고 있다. 산산현이 있는데 [삼국사기] 도미전에 蒜山(산산)은 고구려 지명으로 나온다. 도미전은 침류·진사·아신왕의 삼대에 걸친 백제의 왕권쟁탈전을 설화로 만든 것인데 마지막으로 도미와 부인이 천성도에서 재회한 후 고구려 산산으로 갔다 하여 역시 이곳 낙랑군지(대방)와 관련된 것이다. [호태왕비문] 영락14년(404) 갑진년조 대방계전투의 전장지명 석성이 이 지역에 보이는 것이 결코 우연이 아닌 것이다(지도72-2).

湯州(탕주)는 전한 양평현이라 하는데 요동성이 있던 곳이고 천진시 북단 계현으로 추정된다(지도29).

崇州(숭주)는 전한 (낙랑군) 장잠현이라는데 위·진시에는 대방군 속현이었다.

海州(해주)는 본래 옥저국지인데 고구려 사비성(비사성)이었다 한다. 속요서가 전부 옥저고지였고 [삼국사기] 동천기에 고구려수도 평양은 남옥저에 있는 것으로 나타난다. 돌을 쌓아 만든 고구려 비사성은 대단한 요새였던 것 같고 수도 평양 근방의 해변성이

거나 압록수(난하) 하구의 강변성일 것이다. 바다로 침입하는 적으로부터 수도 평양을 지키던 성이었을 것이다. 이 해주는 옥저고지인 今요서의 난하 하류 동편으로 보인다. 여섯 개 고현 중 옥저현이 있다.

淥州(녹주)는 본 고구려로서 발해의 서경 압록부라 하는데 今압록강을 상정하고 쓴 것이다. 그래서 발해를 절사하고 압록수(난하)로 바꾸어 보아야 한다. 녹주라는 이름 자체가 압록수에서 딴 것이다. [삼국사기] 동천왕 20년기의 鴨淥原(압록원)으로 추정된다.

桓州(환주)[83]는 고려중도성이라 하고 고국원왕시 전연 모용황의 분탕질을 언급하고 있다. 녹주에 딸린 환주는 지금의 '都山(도산)' 일대이다. 도산이 고구려 환도산이기 때문이다(지도 3,47).

正州(정주)는 원래 비류왕의 땅이라 한다. 이 비류왕은 [삼국사기] 고국천왕 원년기[84]에 「신대왕은 백고의 2자이다. 백고가 훙하자 국인이 장자 발기가 불초하다 하여 함께 이이모를 왕으로 세웠다. 후한 헌제 건안초에 발기가 형인데도 왕이 되지 못한 것을 원망하여 소노가와 함께 각각 하호 3만여 구씩을 거느리고 공손강에게로 가 투항했다가 다시 돌아와 비류수 상류에 거했다」고 한다. 비류왕은 발기를 가리키는데 공손강에게 병합된 것은 아니다. 전한 東耐縣(동내현)은 낙랑군 속현 東暆(동이)와 不而(불이)의 별칭 不耐(불내)를 합성한 것 같기도 하고 동예(화려·불이)를 가리키는 것 같기도 하다. 불이(불내)는 고구려수도 국내성으로 寬城(관성) 정도로 추정되고 관성의 남을 경유하여 난하(압록수)로 들어가는 瀑河(폭하)가 비류수로 비정된다. 화려는 고구려 초기수도 졸본으로 보며 舊승덕으로 추정된다. 졸본으로 보이는 舊승덕의 동북에 고구려

---

83) [요사] 지리지 동경도 환주 『桓州. 高麗中都城 故縣三 桓都神鄕洪水 皆廢. 高麗王於此創立宮闕 國人謂之新國. 五世孫釗 晉康帝建元初爲慕容皝所敗 宮室焚蕩. 戶七百. 隸淥州. 在西南二百裏』

84) [삼국사기] 고국천왕 원년기 『新大王伯固之第二子. 伯固薨 國人以長子拔奇不肖 共立伊夷謨爲王. 漢獻帝建安初 拔奇怨爲兄而不得立 與消奴加各將下戶三萬餘口 詣公孫康降 還住沸流水上』

'국동대혈'이자 민중왕을 장사지낸 것으로 추정되는 석회굴이 보인다(지도3,47). 동내현에 대한 주의 [색은]에서는 당의 '羈縻代那州(기미대나주)'를 언급하고 있는데 [구당서] 지제19 지리2에 당이 고구려고지에 설치한 14주85) 중에 代那(대나)가 들어 있지만 이렇게 설치한 것도 잠간이고 곧바로 신라로 넘어갔다. 신성과 요동성, 건안성, 남소성, 개모성, 안시성 등 압록수(난하)의 서쪽에 있는 지명들과 함께 열거되고 있다.

녹주에 속한 慕州(모주)도 난하 하류 동편인데 초기고구려 모본왕의 慕本原(모본원)으로 추정된다.

顯州(현주)에는 전한 요동군 무려현과 망평현이 있고 무려현의 의무려산은 유주의 鎭山(진산)으로서 남으로 130리 가면 바다라 하는데 이것은 지금의 요서를 상정하고 쓴 것이다. 망평현은 전한 요동군 속현으로 [한서] 지리지에 「望平 大遼水出塞外 南至安市入海」라 하고, 귀의현도 있는데 [통전] 주군전 범양군조에 「歸義漢易縣也 公孫瓚於此築城 名曰易京」이라 하여 겉보기로 전한 탁군 역현이다. 즉 요의 현주는 북경 일대의 전한 요동군의 무려현(봉선)과 망평현(산동)(지도62) 그리고 북경 서남 탁군의 역현(귀의)을 속현으로 한다는 것이다.

嘉州(가주)와 遼西州(요서주)는 현주의 속주인데 요서주는 전한 요서군지라 하므로 북경 남쪽이고 阜城(부성)은 지금도 하간의 남쪽에 있다.

宗州(종주)는 요동 石熊山(석웅산)에 있다는데 속현이름 熊山(웅산)은 開州(개주)에 있는 산이름이다. 개주 웅산에 석성이 있어 당장 설인귀와 고구려장 온사문이 싸웠다 하였는데73) 석웅산은 石城과 熊山을 합성한 이름 같다.

---

85) [구당서] 지제19 지리2 『新城州都督府 遼城州都督府 哥勿州都督府 建安州都督府 南蘇州 木底州 蓋牟州 代那州 倉岩州 磨米州 積利州 黎山州 延津州 安市州 凡此十四州』

乾州(건주) 봉릉현은 전한 요동군 무려현이라 하는데 현주의 봉선현도 무려현이라 하였다.

貴德州(귀덕주)는 전한 요동군 양평현으로 후한말 공손도가 거하던 요동성이며 지금의 천진시 북단 계현으로 비정되는데 앞서 나온 탕주도 한 양평이라 하여 역시 중복이다. 貴德도 歸德(귀덕)의 글자를 바꾼 것 같다. [구당서] 지리지 하북도4에 「天寶元年 改範陽郡 屬範陽 上穀 媯川 密雲 歸德 漁陽 順義 歸化八郡」이라 하여 상곡과 규천, 밀운, 어양, 순의 등과 함께 나와 북경 일대로서 역시 漢代의 요동지역이다. 歸化(귀화)도 [삼국사기] 지리지에 나오는 고구려 지명이다.

沈州(심주)에는 삼하와 어양 등의 지명이 있는데 어양은 겉보기로 북경 동쪽으로 나타나고 삼하는 북경의 통주 동북에 지금도 있다(지도35).

巖州(암주)는 발해 백암성이라 하는데 발해가 아니고 고구려 백암성이다. 근세지도에도 북경 동북에 보이는데 연산도에 위치한 성임을 앞에서 보였다. 여당전쟁에서 당군의 진격로를 볼 때 지금의 고북구 바로 동에 위치하여 북경방면 연산도 서쪽입구를 지키던 고구려 신성의 남쪽에 있는 성이었다.

集州(집주)는 '고비리군지'라 하는데 마한 54개 소국 중에 8개 국이나 되는 '~卑離國(비리국)'에서 비롯된 것으로 보인다[古陴離郡地 漢屬險瀆縣 高麗為霜巖縣]. 전한의 험독현이라 하므로 마한 준왕과 위만의 도읍인데 당산의 서쪽 인근 韓城으로 원래 준왕의 마한성이자 장수왕의 평양이었다(지도12,30).

廣州(광주)는 전한 요동군 양평현으로 앞에서 여러 번 나와 다중기술인데 천진시 북단 계현으로 추정된다(지도30). 이곳이 요동성인데 동북아 고대사에 있어 가장 유명하다보니 위사를 쓴 측이 없애버렸다. 고구려가 當山縣(당산현)으로 했다는데 當山은 없고

唐山(당산)이며 계현과 가깝다.

遼州(요주)는 [삼국사기] 보장왕 4년기에 당군이 고구려의 요동성을 빼앗아 요주로 하였다는데 지금의 천진시 북단 계현으로 추정된다. 이 요주는 한의 요동성(양평성)이고 遼河(요하)가 있다고 하는데 소요수(습구하)일 것이다. 요동성(계현)은 소요수 하류의 동쪽에 있기 때문이다. 羊腸河(양장하)는 글자 그대로 하류가 양장처럼 꼬불꼬불 흐르는 패수의 하류일 것이다(지도12).

요빈현의 遼濱(요빈;물가 濱)이란 이름을 보면 요수의 하류를 끼고 있거나 하구 근방일 것이고 安定縣(안정현)은 [삼국사기] 지리지에 신라지명으로 나오는데 지금도 안차의 서북에 있다.

지도61. 안정과 안차

※ 북경시내 大興(대흥)의 동남으로 安定(안정)이 있고 다시 그 동남에 安次(안차)가 있다. 안차는 동천왕사적이 기술된 [고려벽비]에 「王幸安次三塞」라고 나오는데 동천왕 16년(242)에 위의 요동 서안평을 친 직후로 보이고 이 서안평침공건은 위 유주자사 관구검이 고구려를 침공하는 빌미가 되었다.

祺州(기주)는 고구려 신성의 바로 서남쪽 북경시내 동북의 밀운이다(지도28,58).

通州(통주)는 본래 부여왕성이라는데 扶餘城(부여성)이라는 지명이 동만주에 지금도 있지만 이 역시 발해는 절사하고 북경시내 동쪽에 있는 通州(통주)로 보아야 한다(지도29,58). 인근 주들이 전부 북경이기 때문이다. 통주의 바로 동북으로 현도가 있었고 그 인근 북에 2세기초부터 위구태부여가 있었다.

韓州(한주)는 「본래 고리국 치소 유하현[本稿離國舊治柳河縣]」이라 하는데 이곳은 현도군 고구려현으로서 현도군의 중심지였고 柳河라는 강이 지금도 천진시 계현의 북에 있는 興隆(흥륭)에서 발원하여 대체로 동으로 흘러 난하(압록수)로 들어가고 있다(지도 3,47). 고리국이 전한 무제시까지 위만마한의 바로 북에 있었는데 마한이 망할 때 같이 망해 4군이 설치될 때 현도군이 되고 그 중심이 고구려현이었다. 한무제의 조한전 직전에 북경 북 포구에 진한이 있었고 북경~난하에 고리와 마한이 있어 '韓州'라고 부른 것이 우연이 아닌 것이다.

同州(동주)는 전한 요동군 양평현이라는데 앞서 여러 번 나와 역시 다중기술이다. 요동성이 있던 천진시 북단의 계현이다.

鹹州(함주)는 고구려 동산현이고 한의 요동군 후성현 북이라 한다. 후성은 후한시에는 현도군 속현으로도 되어 있어 그 위치는 요동의 북경 동쪽 정도로 보아야 한다.

郢州(영주)에는 延慶縣(연경현)이 있는데 북경시 서북 장성관문 거용관이 있는 곳이다(지도58,62).

銅州(동주)의 석목현은 전한 요동군 망평현으로 북경시 서쪽 일대이다. 망평은 [한서] 지리지 요동군조에 대요수(영정하)가 장성 밖에서 요동군으로 들어오는 위치라 하여 역시 연경현(영주) 인근이다

지도62. 연경현과 망평현

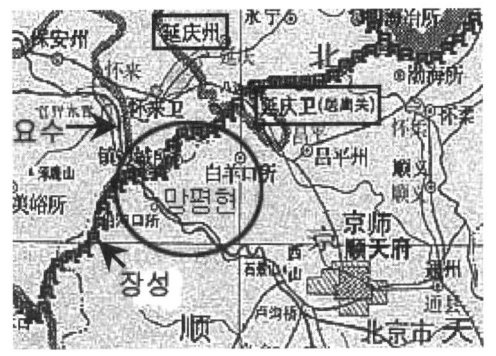

冀州(기주)와 東州(동주), 尙州(상주), 吉州(길주), 麓州(녹주), 荊州(형주), 懿州(의주) 등이 있는데 이 중 기주는 하북성 동남 형수 인근에 지금도 있고, 의주의 영창은 본래 平陽(평양)이라는데 하북성 중서부 阜平(부평)의 동쪽에 있다(지도63).

蘇州(소주)는 본래 고구려 南蘇(남소)라는데 [한서] 지리지 현도군조에 남소수가 있다는 곳이다. [한서] 지리지 현도군조의 남소수는 소요수의 지류로 추정되어 북경 동쪽 평곡이 남소로 추정되는데 계현(요동성)의 서북에 해당한다(지도29,30).

동경도의 동방한계

요나라 동경도의 동방한계는 난하 중하류 동편 今요서의 옥저 고지 서부였던 고구려의 중심부 낙랑영동칠현 정도로 나타나는데 사실은 이마저도 당시에는 중세 고려지였던 지역에 이름만 걸쳐놓은 것으로 보인다. 왜냐하면 고조선과 고구려의 수도 평양이 고려의 서경으로서 그 지역(창려)에 있었기 때문이다. 이 서경은 후에 원으로 넘어가 원의 동녕로가 된 곳이다.

3. 중경도

대정부

요의 중경도 대정부[86]는 진의 요서군이라 하고 전한 요서군 신안평이라 한다. 이곳에 외교사신 숙소도 있다 하는데 宋使는 대동역에서, 新羅使는 조천관에서, 夏使는 내빈관에서 접빈했다 한다. 산은 칠금산, 마우산, 쌍산, 송산이 있다 하고 10주 9현이 있다 한다. 장흥현은 전한 빈종현이고, 부서현은 전한 신안평현이고, 권농현은 전한 빈종현이고, 귀화현은 전한 유성현이라 한다. 신수현은 전한 도하현이고, 금원현은 당의 청산현이라 한다. 기타 대정현과 문정현, 승평현이 있다.

---

86) [요사] 지리지 중경도 대정부『中京道大定府 虞爲營州 夏屬冀州 周在幽州之分 秦郡天下 是爲遼西 漢爲新安平縣 漢末步奚居之 幅員千裏 多大山深穀 阻險足以自固 魏武北征 縱兵大戰 降者二十餘萬 去之松漠 其後拓拔氏乘遼建牙於此 當饒樂河水之南 溫渝河水之北 唐太宗伐高麗 駐蹕於此 部帥蘇文從征有功 奚長可度率衆內附 力量饒樂都督府 鹹通以後 契丹始大 奚族不敢復抗 太祖建國 擧族臣屬 聖宗嘗過七金山土河之濱 南望雲氣 有郛郭樓閣之狀 因議建都 擇良工於燕 薊 董役二歲 邦郭 宮掖 樓閣 府庫 市肆 廊廡 擬神都之制. 統和二十四年 五帳院迸故奚王牙帳地. 二十五年 城之 實以漢戶 號曰中京 府曰人定. 皇城中有祖廟 景宗承天皇後禦容殿. 城池湫濕 多鑿井洩之 人以爲便. 大同驛以待宋使 朝天館待新羅使 來賓館待夏使. 有七 金山 馬盂山 雙山 松山 土河 統州十 縣九 大定縣 白□故地 以諸國俘戶居之 長興縣 本漢賓從縣 以諸部人居之 富庶縣 本漢新安平地 開泰二年析京民置 勸農縣 本漢賓從縣地 開泰二年析京民置 文定縣 開泰二年析京民置 升平縣 開泰二年析京民置 歸化縣 本漢柳城縣地 神水縣 本漢徒河縣地 開泰二年置 金源縣 本唐青山縣境 開泰二年析京民置』

지도63. 중경도 대정부 역현, 패주, 대성, 안평(요서 신안평)

※ 귀화는 유성이라 하는데 전한 유성은 임구 동쪽의 大城으로 비정된다.

　　[한서] 지리지에 전한의 요서군은 진이 설치했다 하여 진과 한
의 요서군이 같다는 뜻이다. 여당전쟁시 당태종의 주필산은 요수
(영정하)를 건넌 후 요동에 나타나는 지명인데(지도72-2 천진 위
의 駐馬臺) 북경시내를 서북에서 동남으로 흐르는 溫楡河(온유하;
溫渝河)의 북이라 할 수 있다. 네 산 중에 馬盂山(마우산)은 [대청
광여도]에 경주(개평)와 함께 나타나는 지명이다(지도31). 대정부
는 주로 요서에 해당되는데 요동의 일부도 포함되어 있는 것 같
다. 마우산과 송산은 상경 임황부 설명에도 나와 이중기술이다.

　　조천관에서 신라사를 접빈했다 하는데 요가 일어난 것은 907
년이고 신라가 망한 것은 935년이다. 대정현과 문정현, 승평현은
어딘지 불명이고 나머지 6개의 현은 전부 요서에 위치하고 있다.

대정부 속주

恩州(은주)는 전한 요서군 신안평현이라 하므로 대정부와 같다 (지도63).

惠州(혜주)는 본래 당의 귀의주지라 하고 귀의주는 치소가 양향현이었다 하는데 良鄕(양향)은 지금도 북경시내 서남에 있다(지도35).

高州(고주)는 당의 信州(신주)라 하고 평정산과 난하가 있으며 속현으로 삼한현이 있다 하였다[有平頂山灤河. 屬中京. 統縣一 三韓縣]. 진한은 부여가 되고 변한은 신라가 되었으며 마한은 고려가 되었다고 했다[辰韓爲扶餘 弁韓爲新羅 馬韓爲高麗]. 평정산이란 이름은 흔한 이름이지만 난하와 같이 기술되어 난하의 동편 도산의 동북에 있는 평정산(1056m)일 것이다. 이 지역은 기원전 삼한의 위치와 근접한 지역이며 고구려 중심지였던 동예와 옥저고지이다. 현이름 '三韓'이 결코 우연이 아닌 것이다. 이곳은 고구려 고토로서 신라의 대당전 이후는 당토가 아니었으므로 당의 신주라는 말도 허기인 것이다. 「진한이 부여가 되었다[辰韓爲扶餘]」는 것은 현도군 인근 북에 있던 부여의 서쪽 鮑丘(포구)에 진한이 있었는데 조위 경초중(238) 망하여 반도로 이주한 후, [자치통감] 권97 동진 목제 영화2년기(346)[87]에 나오듯이 부여가 백제의 침공으로 「西徙近燕」하였을 때 진한고지 포구에 정착한 것으로 보인다. 「변한이 신라가 되었다[弁韓爲新羅]」는 것은 신라가 반도로 이주했을 때의 일로 이해된다. 「마한이 고려가 되었다[馬韓爲高麗]」는 것은 마한고지인 낙랑군을 서진 회제 영가(307~312) 이후 고구려가 차지한 것을 가리킨다. [삼국유사] 기이1 마한조에도 최치원의 말을 빌려 「마한은 고구려」라고 했다. 이 고주의 '高'자도 고구려에서 딴 것으로 보인다. 이 지역은 이미 동경도 해주와 요

---

87) [자치통감] 권97 동진 목제 영화2년기 『初 夫餘居於鹿山 爲百濟所侵 部落衰散 西徙近燕 而不設備 燕王皝遣世子俊帥慕容軍慕容恪慕輿根三將軍萬七千騎襲夫餘 俊居中指授 軍事皆以任恪 遂拔夫餘 虜其王玄及部落五萬餘口而還 皝以玄爲鎭軍將軍 妻以女』

주, 빈주, 녹주, 환주(고려중도성;환도성), 풍주, 정주, 모주 등지와 겹친다. 같은 지역에 행정기구를 두 벌 이상을 만들어 겹치는 것(동경도)을 동만주의 발해까지 갖다 붙여 놓은 것이다. 요수를 영정하에서 요하로 치환한 위사구도에 따른 것이다.

지도64. 평정산과 난하

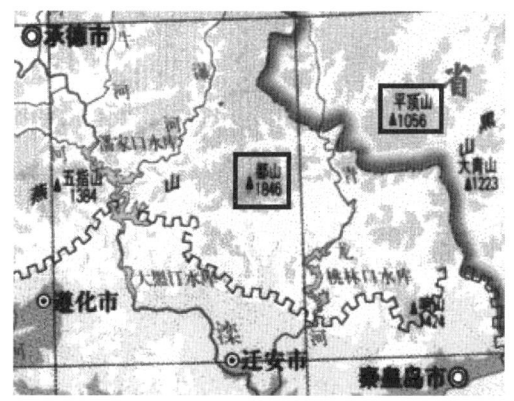

※ 도산(환도산)의 서쪽에 난하가 있고 동북으로 평정산이 보인다.

榆州(유주)는 전한 요서군 임유현인데 후에 우북평 여성현에 붙였다 한다(갈석산도 요서 비여에서 우북평 여성으로 이렇게 옮겼다). 이 지역은 원래 우갈석이 있던 곳이다(지도56). 속현 중 영화현은 전한 창성현이라는데 우북평군 속현이었다. 임유가 지금은 산해관 서쪽 榆關(유관)으로 옮겨져 있고 주이름 '榆'와 연결된다(지도33). '臨渝關>臨閭關>臨榆關>榆關'으로 변했다.

澤州(택주)는 본래 전한의 우북평군 토은현이라 하는데 겉보기로는 천진 동쪽의 원래의 낙랑군지로 보이게 되어 있다. 그래서 灤河(난하)와 撒河(살하)가 있다 하는 것이다. 속현 중 난하현은 전한 서무현이라 하는데 역시 우북평 속현이다. 중경도가 주로 전한 요서군이라 했는데 일부는 광의의 요동지역에도 걸쳐 있어 이 역시 동경도와 겹친다. 지도3에 흥륭에서 발원하여 반벽산을 경유하는 작은 강이 보이는데 현대지도에는 澈河(산하)로 표기되어 있으나 이것이 撒河(살하)로 보이고 古낙랑군지의 북에 있던 薩水(살수)로 비정된다. [삼국사기] 대무신기의 살수이기도 하고 을지문덕의 살수이기도 한 것이다. 이 강을 지나 동으로 난하를 건너는 코스가 대군의 통행이 어렵다던 모용황의 남로로 보이고 북로는 연산도에 해당된다.

北安州(북안주)와 속현 흥화는 본래 전한 상곡군 女祁(여기)와 且居(차거)라 한다. [한서] 지리지에는 '女祈(여기)'로 되어 있다. 진시에는 북연의 풍발이 있던 곳이라 한다. 원래 상곡군은 산서성 대의 동쪽 오대산과 하북성 부평 일대였지만 [한서] 지리지에는 북경 서쪽으로 밀어 올려놓았다.

潭州(담주)는 전한 교려현이라 하는데 요서군 창려의 고명이다. 용산이란 이름은 용성(유성·今대성)의 북에 있다 한 산이름이다. 요서군 창려는 요수(영정하) 하류 남쪽이다.

松山州(송산주)에는 북경 동·동북 연산도 연변의 숙소들이 있다 한다. 역시 천진 동쪽의 경주(今개평)의 북·서북이므로 松漠(송막)으로 유명하다(지도31,54,55). 지명들을 보면 松山川(송산천)과 燕京(연경), 順州(순주), 檀州(단주), 古北口(고북구), 烏灤河(오란하), 灤州(난주), 柳河(유하), 石子嶺(석자령) 등은 북경과 그 동·동북 인근, 난하 하류 서쪽 지명들이다. 유하는 古현도군지에 있는 강으로 동경도 韓州(한주)에 유하현이 있어 역시 중복이다. 송산주 송산현이 본래 전한 (요서군) 文成縣地(문성현지)라 하는데 관련지명들을 보면 요동(송막,연경,순주,단주)과 현도(고북구,유하), 낙랑(난주)에 해당하여 요서가 아니다.

흥중부

중경도 흥중부[88)는 전한 요서군 유성현(용성)과 차려현이다. 建州(건주), 霸州(패주), 宜州(의주), 錦州(금주), 白川州(백천주) 등 5주가 있었다 한다. 흥중부는 영정하 하류의 남방으로 전한 (요서군) 유성현이라 한 대정부 귀화현과 겹친다. 유성은 천진 남방 大城으로 비정되고 패주는 천진 서쪽의 今패주시에 해당된다. 금주는 지금의 요서지명이므로 위사이다.

기타 安德州(안덕주)는 천진 서쪽의 霸州(패주)에 해당한다. 패성 동남 용산과 도하의 땅과 호를 나누어 설치했다 하는데 유성에 있는 지명 용산과 한대의 요서지명 도하가 있다. 패주의 동남에 유성(대성)이 있다.

黔州(검주)는 전한 요서군지라 하므로 북경 남쪽이다.

宜州(의주)는 본 요류현이라는데 淩河(능하)가 보여 今요서로 상정하고 쓴 것이므로 위사이다.

錦州(금주)는 전한 요동군 무려현이라는데 今요서의 의무려산(867m)이 있는 곳이다(금주시 동북 북녕시 인근). 전한 요동군 무려현의 의무려산을 요하 서쪽에 옮겨놓았다. 이 산을 유주의 鎭山(진산)이라 하였는데 五嶽五鎭(오악오진) 중에 북진이라 한다. 원래는 북경 근방의 산이다.

---

88) [요사] 지리지 중경도 흥중부 『興中府 本霸州彰武軍 節度 古孤竹國 漢柳城縣地 慕容遼以柳城之北 龍山之南 福德之地 乃築龍城 構宮廟 改柳城為龍城縣 遂遷都 號曰和龍宮 慕容垂復居焉 後為馮跋所滅 元魏取為遼西郡 隨平高保寧 置營州 煬帝廢州置柳城郡 唐武德初 改營州總管府 尋為都督府 萬歲通天中 陷李萬榮 神龍初 移府幽州 開元四年復置柳城 八年西徒漁陽 十年還柳城 後為奚所據 太祖平奚及俘燕民 將建城 命韓知方擇其處 乃完葺柳城 號霸州彰武軍 節度 統和中 制置建 霸 宜 錦 白川等五州 尋落制置 隸積慶宮 後屬興聖宮 重熙十年升興中府 有大華山 小華山 香高山 麝香崖一一天授皇帝刻石在焉 駐龍峪 神射泉 小靈河 統州二縣四 興中縣 本漢柳城縣地 太祖掠漢民居此 建霸城縣 重熙中置府 更名營丘縣 析霸城置 象雷縣 開泰二年以麥務川置 初隸中京 後屬 閭山縣 本漢且慮縣 開泰二年以羅家軍置 隸中京 後屬』

巖州(암주)는 전한 요서군 해양현으로 원래 북경 서남 비여와
임유의 인접현이었는데 지금은 산해관 서쪽으로 옮겨놓았다. 동경
도 염주조에도 해양이 있었고 동경도에 고구려 백암성을 암주라
하는데 역시 중복되는 것이다.

川州(천주)는 당의 청산주라 하는데 [구당서] 지리지에 유주도
독에 속하고 치소가 범양현과의 계에 있다 한다. 범양은 대체로
북경 남쪽이었다. 전한 요서군 도하에 청산이 있었는데 영정하 이
남 요서지역이다.

建州(건주)의 속현은 영패과 영강이 있는데 영강은 당의 창려현
이라 한다. 전한 요서군 교려현으로 원래 영정하 남쪽 요서군의 중
심지였다. 今요서의 창려(평양)는 당토가 아니고 후기신라지였다.

遷州(천주)와 潤州(윤주)는 한의 요서군 양락현이라 하므로 전
부 영정하 남쪽이다. 한의 동방한계는 북경 동쪽의 현도와 천진
동쪽의 낙랑이었으므로 난하(압록수)의 동쪽으로는 한의 어떤 지
명도 나타날 수가 없다.

요의 중경도는 영정하 이남의 원래의 요서라고 했지만 속현들
이 북경과 그 주변에도 산재해 있어 상경도 및 동경도와 상당히
겹친다.

4. 남경도

석진부

남경 석진부[89]는 본래 古기주지라 한다. 고양씨는 유릉이라 했

---

89) [요사] 지리지 남경 석진부『南京析津府 本古冀州之地 高陽氏謂之幽陵 陶
唐曰幽都 有虞析為幽州 商並幽於冀 周分並為幽 [職方]東北幽州 山鎭醫巫
閭 澤藪畦養 川河沴浸榴時 其利魚鹽 其畜馬牛豕 其穀黍稷 稻. 武王封太
保奭於燕 秦以其地為漁陽上穀右北平遼西遼東定郡 漢為燕國 歷封臧荼 盧
綰 劉建 劉澤 劉旦 嘗置涿郡廣陽國 後漢為廣平國廣陽郡 或合於上穀 復
置幽州 後周置燕及範陽郡 隋為幽州總管 唐置大都督府 改範陽節度使 安
祿山 史思明 李懷仙 朱滔 劉怦 劉濟相繼割據 劉總歸唐 至張仲武 張九仲
以王得民 劉仁恭父子憎爭 逐入五代 自唐而晉 高祖以遼有援立之勞 割幽
州等十六州以獻 太宗升為南京 又曰燕京 城方三十六裏 崇三丈 衡廣一丈
五尺. 敵樓 戰櫓具 八門 東曰安東 迎春 南曰開陽 丹鳳 西曰顯西 清晉
北曰通天 拱辰 大內在西南隅 皇城內有景宗 聖宗禦容殿二 東曰宣和 南曰
大內 內門曰宣敎 改元和 外三門曰南 端 左掖 右掖 左掖改萬春 右掖改千
秋 門有樓閣 球場在其南 東為永平館 皇城西門曰顯西 設而不開 北曰子北
西域巔有涼殿 東北隅有燕角樓 坊市 廨捨 寺觀 蓋不勝書 其外 有居庸 松
亭 榆林之關 古北之口 桑乾河 高梁河 石子河 大安山 燕山一一中有瑤嶼
府曰幽郡 軍號盧龍 開泰元年落軍額 統州六 縣十一 析津縣 本晉薊縣 改
薊北縣 開泰元年更今名 以燕分野旅寅為析木之津 故名 戶二萬 宛平縣 本
晉幽都縣 開泰元年改今名 戶二萬二幹 昌平縣 本漢軍都縣 後漢屬廣陽郡
晉屬燕國 元魏置東燕州 平昌郡及昌平縣 郡廢 縣隸幽州 在京北九十裏 戶
七千 良鄉縣 燕為中都水 漢改良鄉縣 舊屬涿郡 北齊天保七年省入薊縣 武
平六年復置 唐聖歷元年改固市鎭 神龍元年復為良鄉縣 劉守光徙治此 在京
南六十裏 戶七千 潞縣 本漢舊縣 屬漁陽郡 唐武德二年置元州 貞觀元年州
廢 復為縣 有潞水 在京東六十裏 廣六千 宋次縣 本漢舊縣 屬漁陽郡 唐武
德四年徒置東南五十裡石樑城 貞觀八年又徒今縣西五裏常道城 開元二十三
年又徒耿就橋行市南 在京南一百二十裏 戶一萬二千 永清縣 本漢益昌縣
隨置通澤縣 唐置武隆縣 改會昌 天寶初為永清縣 在京南一百五十裏 戶五
千 武清縣 前漢雍奴縣 屬漁陽郡 [水經注] 雍奴者 藪澤之名 四面有水曰雍
不流曰奴 唐天寶初改武清 在東京商一百五十裏 戶一萬 香河縣 本武清孫
村 遼於新倉置榷鹽院 居民聚集 因 分武清 三河 潞三縣戶置 在京東南一
百二十裏 戶七千 玉河縣 本泉山地 劉仁恭於大安山創宮觀 師煉丹羽化之
術於方士王若訥 因割薊縣分置 以供給之 在京西四十裏 戶一千 潮陰縣 本
漢泉山之霍村鎭 遼每季春 弋獵於延芳澱 居民成邑 就城故潮陰鎭 後改為
縣 在京東南九十裏 延若澱方數百畝 春時鵝鶩所聚 夏秋多菱芡 國主春獵
衛士皆衣墨綠 各持連錘 鷹食 刺鵝錐 列水次 相去五七步 上風擊鼓 驚鵝

고 도당은 유도라 하였으며 유우는 나누어 유주로 했다 한다. [주례직방]에 동북 유주의 진산은 의무려산이라 했다 한다. 居庸(거용)과 松亭(송정) 楡林之關(유림지관) 古北之口(고북지구) 桑乾河(상건하) 高梁河(고량하) 石子河(석자하) 大安山(대안산) 燕山(연산) 등이 있다 한다. 府(부)는 幽郡(유군)이라 하고 軍(군)은 盧龍(노룡)이라 하는데 관할하는 주는 6주, 현은 11현이라 한다.

거용은 북경시내 서북 창평의 서북에 있고(지도58,62), 유림관과 상건하는 산서성 동북부에 있으며(지도65), 고북구는 북경시내 동북 밀운의 인근 동북에 있다(지도58,59). 대안산도 [대청광여도]에 북경의 서쪽에 기재되어 있고(지도72-1) 북경 북 산지가 전부 연산이다.

稍離水面 國主親放海東青鶻擒之 鵝墜 恐鶻力不勝 在列者以佩錐刺鵝 急取其腦飼鴨 得頭鵝者 例賞銀絹 國主皇族群臣各有分地 戶五千 宋王曾'上契丹事'曰 自雄州白溝驕渡河 四十裏至新城縣 古督亢亭之地 又七十裏至涿州 北渡範水劉李河 六十裏至良鄉縣 渡盧溝河 六十裏至幽州 號燕京 子城就羅郭西南為之 正南曰啟夏門 內有元和殿 東門曰宣和 城中坊□皆有樓 有閔忠寺 本唐太宗為征遼陣亡將士所造 又有開泰寺 魏王耶律漢寧造 皆遣朝使遊觀 南門外有於越王廨 為宴集之所 門外永平館 舊名碣石館 謂和後易之 南即桑乾河』

지도65. 유림관과 상건하, 양원

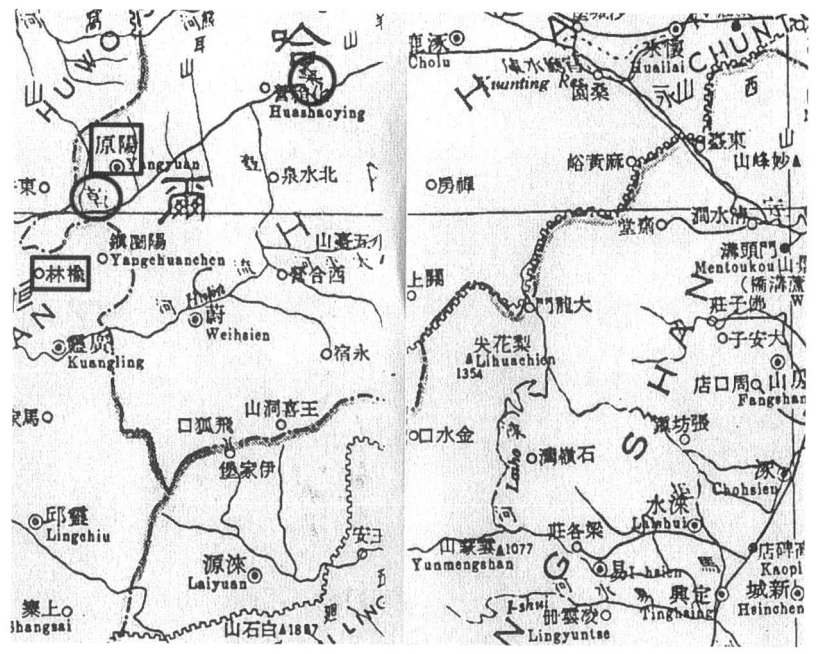

　　속현들을 보면, 석진현(本晉薊縣 改薊北縣), 완평현(本晉幽都縣), 창평현(本漢軍都縣), 양향현(漢良鄉縣), 노현(本漢舊縣 屬漁陽郡), 송차현(本漢舊縣 屈漁陽郡), 영청현(本漢益昌縣), 무청현(前漢雍奴縣 屬漁陽郡 [水經注] 雍奴者 藪澤之名 四面有水曰雍 不流曰奴), 향하현(本武清孫村), 옥하현(本泉山地, 薊縣分置) 등과 潞陰縣(곽음현)이 있다.

　　이 속현들은 대체로 북경시 서북·서남에서 천진시 서쪽까지에 걸쳐 있고, 그 중 곽음현은 영정하 하류 남방 요택에 걸쳐 있다. 석진현은 천진시 북단 계현이고 완평현은 [대청광여도]에 북경 순천부 서쪽에 기재되어 있다(지도72-1). 창평은 [한서] 지리지의 상곡군 군도로서 북경시내 서북이고 양향은 북경시내 서남에 있다

(지도35). 노현과 송차현은 겉보기로 북경과 천진 사이에 나타나는 어양군의 지명이고, 무청과 영청은 천진시와 그 서쪽에 지금도 있으며 옥하는 계현을 나눈 것이라 한다(지도17,35). 석진부 곽음현이 바로 요택[延若澱方數百裏]이 있는 곳이다.

順州(순주)에는 온유하와 백수하, 조왕산이 있다 한다. 속현 회유가 후에 순의현으로 바뀌었다 하는데. 懷柔(회유)는 북경시내 順義(순의)의 북에 있다. 溫渝河(온유하)도 북경시내 서북 창평에서 동남으로 흐르는 '濕餘水(습여수)=溫餘水(온여수)=溫楡河(온유하)'이다. 요동군(今북경)에는 공손씨가 거했는데 위 명제 경초2년(238) 이후 위의 유주에 속했고 송막은 북경 북이다(지도31,54,55).

檀州(단주)는 전한 (어양군) 백단현이라 하는데 북경시내 동북 밀운이다. 또 鮑丘山(포구산)과 桃花山(도화산)이 있다 하는데 밀운의 북이 포구이며 진한이 있던 곳이다. 진한이 있던 곳을 선도성모신화에서는 仙桃山(선도산;西鳶山>西燕山)이라 하였는데 도화산과 이름이 통한다. 조조 북정기에 나타난 중간경유지 (어양군) 백단은 위사이다. 유성이 영정하 하류 남방이고 당시 요동(북경)에는 공손강이 있었기 때문이다.

涿州(탁주)는 전한의 탁군이라 하는데 이 지역은 북경 서쪽(탁수)과 서남쪽(역), 남쪽(탁·신성·범수)까지에 걸쳐 있다. 속현이 넷인데 범양현(전한 탁현)과 고안현(전한 방성현), 신성현(전한 신창현), 귀의현(전한 역현) 등이 있다.

易州(역주)는 전한의 역과 고안 두 현지라 하는데 속현이 셋이고 역현과 내수현, 용성현이라 한다. 역주 역현과 탁주 귀의현은 본래 전한의 역현이라 하여 겹친다. 역주의 역과 고안, 신성, 내수, 용성 등은 북경 서남이다. 狼山(낭산)은 지금의 狼牙山(낭아산)으로 보인다.

薊州(계주)는 속현이 셋인데 어양현(전한 어양현)과 삼하현, 옥전현(전한 무종현) 등이 있다(지도35,54). 이 지역은 북경 동쪽부터 천진 북쪽까지이다. 어양현에 포구수가 있다는데 지금의 조하에 해당한다(지도37,38). 이 지역이 중원세력에 넘어간 것은 전한 무제시의 일이다. 계주 역시 어양과 삼하가 있는 동경도 심주와 겹친다(지도35,54).

景州(경주)는 계주 준화현이라 하는데 상대에는 고죽국이고, 춘추시대에는 산융국이라 한다. 속현은 셋이고 노룡현(전한 비여현)과 안희현(전한 영지현), 망도현(전한 해양현) 등인데 영정하 남쪽의 전한 요서군에 해당된다. 이것을 난하 중하류 동서로 옮겨놓고 설명하고 있어 위사이다. 진과는 무관하고 공손씨가 거한 지역은 난하 서쪽이었다. 비여는 본래의 갈석산이 있던 곳이고 영지와 해양은 비여와 가까운 현이었다. 계주는 천진시 북단(계현)이고 준화는 원래의 낙랑군 북부 정도에 해당되는 지역이다(지도54 계현의 동북). 또 해양은 동경도 鹽州(염주)와 중경도 흥중부 巖州(암주) 등에도 있어 다중기술인 것이다.

고죽과 산융을 난하 동쪽이라 하는 것은 요수를 영정하에서 요하로 치환한 위사구도에 따라 옮겨진 것이며 하북성 북부 산지가 전부 예맥고지였고 이들이 춘추시대 산융이었다. 망도가 전한 요서군 해양현이라[望都縣 本漢海陽縣] 하여 원래의 해양을 바로 알려주고 있는데 고조선식 청동검이 나온 곳이고 역시 원래의 비여와 임유에 가깝다. 보정의 서남에 망도가 있고 보정의 북이자 서수의 인근 서쪽에 전국시대 낙랑의 '遂城(수성)'이 보인다(지도36).

灤州(난주;古황락성)의 석성은 전한 우북평 속현인데 원래의 낙랑군지에 있다(지도72-2). 이것을 난하 동편 유관·해양과 연결시키고 있는데 이 역시 지금의 요서로 설정하고 쓴 것이다. 그래서 전한 석성현을 해양으로 불렀다 하고 인근의 (임)유관을 의식하여 임유산과 임유하가 있다 한 것이다. 부소의 이야기는 명대에 완성된 난하 동편의 장성을 진장성으로 부회한 [진서] 지리지의 내용과 같은 맥락이다. 부소는 몽념과 함께 진장성의 동단이 있었던 섬서성 동북의 上郡(상군)에 주둔했었다[119](지도14). 석성은 동경도 開州(개주)조에도 있어 중복기술이다.

營州(영주)는 진의 요서군이며 한의 창려군이라 하는데 창려군은 조위가 설치한 것으로 되어 있다. 속현 광녕현이 한대의 요서군 유성현이라 하는데 중경도 흥중부 및 중경도 대정부 귀화현과 중복된다. 이곳은 하간의 동북쪽 대성일대이다.

요의 남경도는 상경도와 동경도, 중경도와 완전히 겹친다. 요의 동방인 동경도에서 발해를 분리해버리고 보면 동방한계는 난하 중하류 동편 동경도 桓州(환주;고려중도성;지도47,64) 또는 중경도 高州(고주;지도64) 등에 불과하고, 남경도 역시 전한 우북평의 노룡과 석성을 이미 옮겨놓은 산해관 서쪽의 해양과 연관시키며 난하 하류 동편까지 걸쳐두고 있는 것을 볼 수 있다. 그러나 난하(압록수) 중하류 동편은 당시까지도 중세 고려지였기 때문에 그마저도 위사인 것이다.

서안평과 유성(영주), 석성 등은 이미 여러 차례 나왔다. 한 지역에 여러 벌의 행정기구를 둔 것처럼 눈속임으로 만들어 여벌의 것을 동만주 발해지까지 전개시켜 놓는 수법을 쓴 것이다. 이렇게 해놓은 것은 본래의 요동인 북경부터 지금의 요동까지의 고구려와 신라, 고려의 연고를 사서에서 지우기 위해서였다고 보지 않을 수 없는 것이다.

西京道

요의 서경도는 한국고대사와 연관성이 별로 없는 요의 서방영역이다. 다만 북경일대에 해당되는 지역은 원래는 후기신라영역이었다. 기준으로는 하북성 북부 중에서 영정하와 그 상류인 *洋河*(양하)의 동쪽으로는 신라였다고 본다. 왜냐하면 북경 북·서북 일대가 雞林(계림)이었기 때문이다. 이것이 후에 고려로 넘어갔다가 고려가 요에게 압록수(난하) 서쪽을 빼앗기게 된 것이다.

제5장

&

조선계 국가들

제5장 _ 조선계 국가들

현재까지 알려지기로 낙랑군이 설치된 곳이 고조선이 있었던 것으로 되어 있으나 고조선의 영역은 대단히 넓었던 것으로 보이고 [후한서]와 [삼국지], [진서] 등의 동이전을 분석해본 결과 낙랑군이 설치되었던 지역은 마한고지였던 것으로 나타나며 기타 여러 세력들이 지리적으로 마한을 중심으로 넓은 지역에 걸쳐 분포되어 있었던 것으로 밝혀졌다.

1. 고조선

BC2333년 阿斯達(아사달)에서 건국하였다. 지금의 赤峰(적봉)이 아사달이며 적봉의 하가점하층유적유물은 고조선의 것이라 본다. 시대(when)가 [삼국유사]의 고조선건국신화상의 건국시기와 가장 근접하기 때문이다.

그 후 여기서 동남으로도 이동하고 남으로도 이동하였으며 서남으로 이동하기도 했다고 본다. 남으로 이동한 세력의 중심지가 바로 남옥저의 고조선 평양으로 고구려 동천왕이 수도로 정했던 곳인데 지금의 요서 창려에 해당된다. 또 이곳의 평양성을 長安城(장안성)이라고도 했는데 이 성이 [삼국유사]의 고조선건국신화에 나오는 藏唐京(장당경)이기도 하다. 장당경은 <唐의 수도[京]를 숨긴[藏] 것>이라는 뜻인데 당의 수도는 '長安'이므로 장안성을 숨겨서 '장당경'이라는 암호명으로 만든 것이다. 즉 고구려 평원왕이 수도를 옮겼다는 장안성은 동천왕의 평양성이었다.

기층민

고조선은 최초 기층민이 부여인과 옥저인으로 추정된다. 적봉과 지리적으로 가장 가깝기 때문이다. 그 다음으로 가까운 예맥은 [후한서]와 [삼국지] 예전에 「호랑이를 신으로 섬긴다[祠虎以爲神·祭虎以爲神]」고 했는데 건국신화에서 호랑이가 배제되어 있어 예맥인은 빠졌던 것 같다.

■ 太白山

태백산은 다섯 곳이 있는데 그 중 한인 조상들의 나라와 관련 있는 민족의 靈山(영산)인 태백산은 어느 산일까?

태백산을 찾는 조건으로는 <고조선과 고구려, 초기신라 등 세 나라의 건국지에서 가까워야 한다>는 것이다. 왜냐하면 태백산은 고조선건국신화에도 등장하고[太伯山] 고구려 건국신화에도 등장하며[太伯山] 초기신라의 일성기 5년 10월조에도 「북으로 순행하여 태백산에서 친히 제사를 지냈다[冬十月 北巡 親祀太白山]」고 하였기 때문이다.

고조선건국지는 적봉이고, 고구려건국지는 난하(古압록수) 중류 동편 동예이며, 진한은 북경 북 연산 포구에서 국가체제를 갖추었다.

태백산

1) 섬서성 西安(서안) 서남의 太白山(3767m)
2) 산서성 靈丘(영구)의 太白山(2234m)

3) 함경도의 백두산(2744m)
4) 강원도 태백산(1567m)

  1)은 세 나라와 거리가 너무 멀고, 2)는 진한의 선주지 북경 서쪽
탁수와는 가까우나 고조선이나 고구려건국지와는 거리가 멀다. 3)
백두산은 세 나라의 건국지와는 역시 멀고 4)는 중기신라의 영역이
기는 하지만 고조선이나 고구려 건국지와는 관련이 없다. 이 네 산
은 [삼국사기]와 [삼국유사]에서 말하는 태백산이 아닌 것이다.

   그러면 위의 세 나라의 건국지와 동시에 가까운 산을 찾아야
한다는 말이 된다. 그래서 보면 적봉의 서쪽에 서북에서 동남으로
약간 비스듬히 달리는 산줄기가 하나 있는데 칠로도산 즉 고대의
단단대령이다. 이 단단대령의 북쪽 맨 끝에 이 산줄기의 최고봉이
있는데 현대이름으로 大光頂子山(대광정자산:2037m)이다. 이 산
은 古압록수인 난하의 동쪽 상류의 발원지가 있는 산이다. 이 산
줄기의 고봉들에는 유난히도 光頂山(광정산), 光頭山(광두산) 등
'빛 光'자가 들어 있다. 아사달은 '아침땅'이라는 뜻인데 의미가
통한다. '아침'이란 왕조가 처음 열리는 것을 뜻한다.

지도66. 태백산(대광정자산)

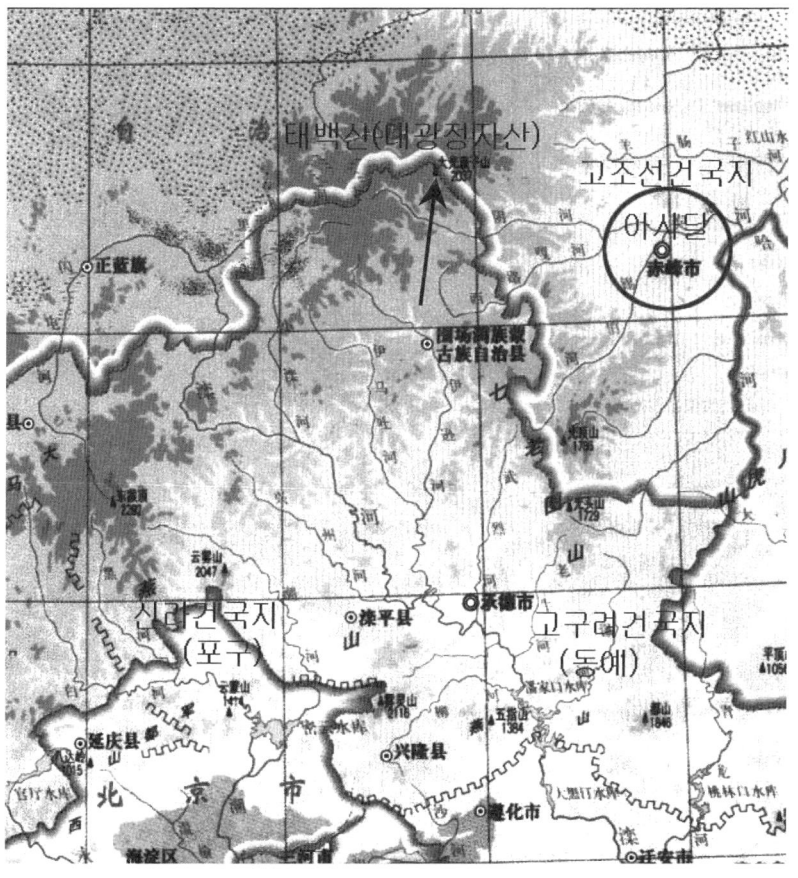

단단대령의 최고봉인 대광정자산은 <고조선과 고구려, 초기신라 등 세 나라의 건국지와 동시에 가까운> 조건을 만족시키는 유일한 산이다. 고로 한민족의 영산인 太白山(太伯山)은 단단대령(칠로도산)의 제일 북쪽 최고봉인 대광정자산인 것이다.

이 태백산과 고조선건국지인 적봉의 남북으로 (북)부여·(북)옥저의 지리적인 관계가 지금은 백두산과 (동)부여(동만주)·옥저(함경도)의 지리적인 관계로 치환되어 있다. 난하(압록수)를 압록강으로 치환한 위사구도대로 보는 시각이다.

2. 낙랑

조선계 고대국가 중 가장 중원에 가깝고 가장 부강하여 연나라로부터 진개를 인질로 잡기도 했던 나라였다. 그러나 인질로 잡았던 적장을 너무 믿고 국방의 중요한 비밀도 알려주었던 것 같다. 결국은 그 적장의 기습에 망하고 다시는 독립할 수 없었다(지도70,71).

3. 부여

[후한서] 부여전

[후한서] 부여전[90] 『부여국은 현도의 북 천 리에 있다. 남으로는 고구려와, 동으로는 읍루와, 서로는 선비와 접한다. 북으로 약수가 있고 땅은 방 2천 리이다. 본래 예지였다.

처음, 북이 색리국 왕이 출타를 하였는데 그 시녀가 후궁에서 임신을 했다. 왕이 돌아와 죽이려 했다. 시녀가 말하기를 "전에 하늘

---

90) [후한서] 부여전 『夫餘國 在玄菟北千里. 南與高句驪 東與挹婁 西與鮮卑接 北有弱水. 地方二千里 本濊地也. 初 北夷索離國王出行[1] 其侍兒於後妊身[2] 王還 欲殺之. 侍兒曰 "前見天上有氣 大如雞子 來降我 因以有身". 王囚之 後遂生男. 王令置於豕牢[3] 豕以口氣噓之 不死. 復徙於馬蘭[4] 馬亦如之. 王以爲神 乃聽母收養 名曰東明. 東明長而善射 王忌其猛 復欲殺之. 東明奔走 南至掩㴲水[5] 以弓擊水 魚鱉皆聚浮水上 東明乘之得度 因至夫餘而王之焉...(중략)...其王葬用玉匣 漢朝常豫以玉匣付玄菟郡 王死則迎取以葬焉. [1] '索'或作'橐' 音度洛反 [2]妊音人鴆反 [3]牢 圈也 [4]蘭即欄也 [5]今高麗中有蓋斯水 疑此水是也 [6]貀似豹 無前足 音奴八反 [7]魏志曰 牛蹄解者爲凶 合者爲吉. 建武中 東夷諸國皆來獻見. 二十五年 夫餘王遣使奉貢 光武厚荅報之 於是使命歲通. 至安帝永初五年 夫餘王始將步騎七八千人寇鈔樂浪 殺傷吏民 後復歸附. 永寧元年 乃遣嗣子尉仇台詣闕貢獻 天子賜尉仇台印綬金綵. 順帝永和元年 其王來朝京師 帝作黃門鼓吹角抵戱以遣之. 桓帝延熹四年 遣使朝賀貢獻. 永康元年 王夫台將二萬餘人寇玄菟 玄菟太守公孫域擊破之 斬首千餘級. 至靈帝熹平三年 復奉章貢獻. 夫餘本屬玄菟 獻帝時 其王求屬遼東云』

위를 보니 이상한 기운이 있어 크기가 계란만했는데 제게로 내려오더니 그때부터 임신이 되었습니다"했다. 왕이 가두었더니 후에 마침내 사내아이를 낳았다. 왕이 돼지우리에 두라 했더니 돼지가 입김을 불어주어 죽지 않아 다시 마구간으로 옮겼더니 말도 그와 같이 했다. 왕이 신이하게 여겨 모에게 거두어 기르라 했다. 이름을 동명이라 하였는데 자라면서 활을 잘 쏘았다. 왕이 그 용맹함을 꺼려 다시 죽이려 하였다. 동명은 도망하여 남으로 엄사수에 이르러 활로 물을 치니 물고기와 자라가 모두 모여 물 위에 떠올라 동명은 그것에 올라 건널 수가 있었다. 그리하여 부여로 가서 왕노릇을 했다...(중략)... 그 왕은 장례에 옥갑을 사용하는데 한시에는 미리 옥갑을 현도군에 맡겨두고 왕이 죽으면 가져다 장례에 사용하였다.

건무중 동이제국이 모두 조헌하고 입견하였다. 25년에 부여왕이 사신을 보내 공물을 바치므로 광무가 후하게 보답하였고 이에 사절이 해마다 다니게 되었다. 안제 영초5년이 되자 부여왕 시가 보기 7,8천을 이끌고 낙랑을 침구하여 노략하고 관리와 민을 죽였으나 후에 다시 귀부하였다. 영녕원년에 사자(嗣子) 위구태를 보내와 공헌하였다. 천자가 위구태에게 인수와 금채를 주었다. 순제 영화원년에 경사에 들어왔다. 제가 황문고취와 각저희를 보여주어 보냈다. 환제 연희4년에 사신을 보내 조하하고 공헌하였다. 영강원년에 왕 부태가 2만여 군사를 이끌고 현도를 침구하였으므로 현도태수 공손역이 깨뜨리고 천여를 참수하였다. 영제 희평3년에 이르러 다시 표장을 올리고 공헌하였다. 부여는 본래 현도에 속했는데 헌제시 그 왕이 요동에 속하기를 청했다 한다』

개요의 when과 where

여기 개요에서 말하는 강역설명은 시대에 따라 이동과 정벌에 의해 달라지므로 전시대를 일관되게 보면 대부분의 경우 오류에 빠지게 되거나 설명이 불가능하게 된다. 개요에는 육하원칙 중

when과 where가 여러 시대의 것이 조합되어 있는 것이다. 부여
뿐만 아니고 다른 나라도 마찬가지로 시대별 상황들이 짜깁기되어
있어 요소별로 시대별로 분해해서 보아야 한다.

부여의 위치

「부여국은 현도의 북 천 리에 있다」고 하는데 이 구절은 부여고지
의 위치를 말하는 것이다. 부여고지는 요동군(북경)의 동북 200리에
있던 현도군에서 천 리 떨어진 지역이라는 것이다. 그러면서 「남으로
는 고구려와, 동으로는 읍루와, 서로는 선비와 접하고, 북으로 약수가
있다」고 하였다. 이 위치는 적봉의 북쪽 임서와 파림우기, 파림좌기
등지에 해당하는 것이고 남으로는 적봉 근방에서 고구려와 접하고 있
는 것이다. 읍루(말갈·숙신의 先)는 송화강 유역이다.

지도67. 부여고지

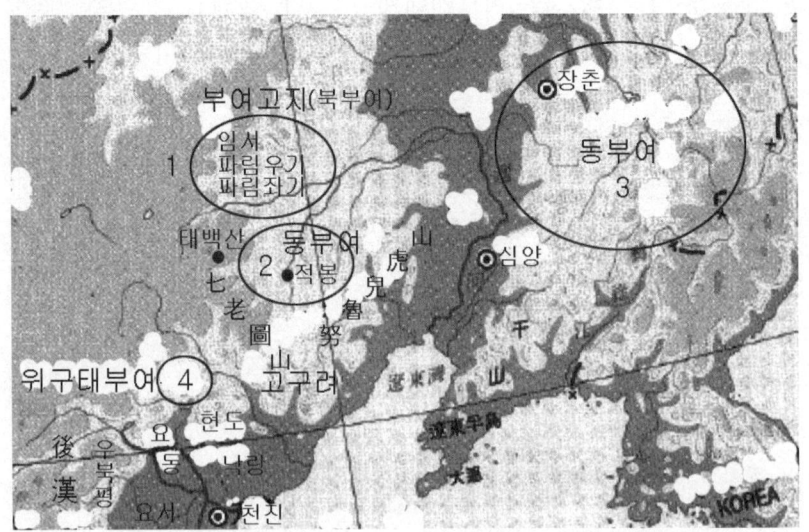

※ 1(부여고지), 2(동부여:대소까지), 3(동부여:대소 이후), 4(위구태부여)

※ 태백산이 있는 산맥이 지금은 칠로도산인데 고대의 단단대령이며 그 동쪽

의 노로아호산이 고대의 개마대산이었다.

※ 강을 보면 지금의 西요하의 최상류 일대가 부여고지에 해당하고 그 북으로는 송화강의 상류가 여러 갈래 있다. 약수는, 부여를 동만주로 설정하고 今요동의 동으로 설정된 현도의 북 천 리라는 거리를 감안하여 길림성 북의 송화강으로 간주하고 쓴 것으로 보인다.

해부루 때 천제(상제)의 명에 의해 1차로 옮겨가게 된 곳이 지금의 적봉 정도로 추정되는데 해부루의 동부여이다. 이 시기(금와·대소)에 태백산 남쪽 우발수일대도 동부여 영향권으로 추정된다. [삼국사기] 대무신기에 의하면 대소왕시 적봉일대에서 고구려 대무신왕과 충돌하여 대소왕이 전사하고 대소의 아우가 갈사왕이 되었다거나 대소의 종제가 고구려에 항복했다거나 하였다. 그러나 [삼국사기]에는 나오지 않지만 일부가 다시 동만주로 이주해 가서 대륙사서에 기록이 없을 정도로 따로 평화롭게 번성하다가 [호태왕비문]에 따르자면 광개토왕세에 고구려에 흡수된 것으로 보인다.

동으로 읍루와 접한다는 것은 부여고지(임서,파림우기,파림좌기) 기준일 것이고 (길림성의) 동부여 기준이면 북으로 접한다고 하였을 것이다.

해부루가 옮겨간 이후의 부여고지는 북부여로 불리다가 2세기초에 읍루의 후인 숙신(물길·흑수말갈)에 밀려나 단단대령 서쪽으로 남하하여 북경 동북의 현도군 인근에 자리 잡았는데 이들이 바로 위구태부여에 해당한다.

2세기초 무렵 부여고지를 차지한 숙신은 대략 적봉일대에서 고구려와 접하게 되는데 이것은 [삼국사기] 동천기에 관구검이 고구려를 침공했을 때 위군이 고구려 국내성과 환도성을 공파하고 동천왕을 추격하여 북옥저 방면으로 나아가 숙신 남계까지 갔다왔다는 기사로 확인할 수 있다(동천왕은 도중에 방향을 바꾸어 남옥저로 갔다). 즉 북부여에서 2세기초에 부여(위구태의 先)가 밀려

난 이후 부여고지에는 숙신이 자리잡고 있었다는 뜻이다. 옥저고지 중에서도 북옥저는 대략 남옥저(난하하류동편)에서 800리 정도 되는 적봉의 남쪽일대이다.

또 부여의 서방에 선비가 있었다는 것은 위구태부여에 해당하는데 이 내용은 [삼국지] 부여전에서 요동(요수~압록수)의 공손도가 위구태부여를 선비와 고구려 二虜(이로) 사이에 두었다는 기사로 확인 가능하다. 다만 이때도 부여 바로 서쪽에 진한이 포구에 있어 인접하였지만 진한사는 절사되었을 뿐이다. [삼국지] 한전과 [삼국사기] 초기기록에는 진한이 천진 동북의 낙랑·대방군 등과 접촉하는 기록이 실려 있다. 그러나 포구진한이 요동·현도군 등과 접촉하는 기록은 [삼국사기]에서도 절사되었는데 포구진한과 백제가 위구태부여와 접촉하는 기록에는 부여가 말갈로 기술되어 있다.

땅이 방 2천 리라는 것은 부여고지에 해당하는 내용이고 본래 예지였다는 내용은 부여고지가 아니고 북경 동북의 위구태부여에 해당하는 내용이다. 하북성 북부가 대체로 예맥고지였고 특히 그 중 북경 북 연산산지는 그 전역이 예맥고지였으므로 진한(예지)과 현도군(소수맥지), 위구태부여(예지)가 전부 본래 예맥지였고 동으로 난하(압록수) 건너 초기고구려의 중심부도 예맥고지 중 가장 동쪽의 동예였던 것이다.

영동칠현의 화려(졸본)와 불이(국내) 두 현이 동예였다. 불이가 국내성이라는 것은 [삼국사기] 동천기에도 [괄지지]를 인용하여 不耐城(불내성)이란 이름으로 암시해주고 있고(不耐=不而) 지리지에도 國內州(국내주)를 「불내라고도 한다[一云不耐]」라고 하였다. [삼국유사]에는 왕력편에서 「계해, 국내성으로 도읍을 옮겼는데 불이(내)성이라고도 한다[癸亥 移都國內城 亦云不而(耐)城]」고 바로 알려주고 있다. 계해년(3)은 유리왕 22년에 해당된다.

초기신라(진한)도 북경 북 예맥고지 포구에서 건국했다는 것이 [삼국유사] 선도성모신화에 실려 있다. 그래서 [삼국사기] 남해기에 북명인(예인)이 등장하고 예족대표 석탈해가 진한에 귀복할 수도 있었던 것이다. 음독 '예(濊)'를 훈독 '예[昔]'로 치환하여 예족이라는 부족을 석씨라는 씨족집단으로 바꾼 것이다. 사실은 예왕인을 바친 북명인이 바로 석탈해를 달리 꾸민 인물이다. 王印(왕인)을 바쳤다는 것은 나라를 들어 귀복했다는 뜻이다. 즉 왕인이란 국가의 삼요소인 <통치권+영토+민>을 상징하는 것이다. 또 고구려에도 대무신기에 북명인 괴유가 등장하고 [삼국지] 예전에는 영동칠현이 「민이 모두 예인이다. 후에 (동부)도위를 없애고 그 거수들을 봉해 후로 하였다. 지금의 불내예는 모두 그 종족이다. 한말에 다시 구려에 속했다[皆以濊爲民 後省都尉 封其渠帥爲侯 今不耐濊皆其種也 漢末更屬句麗]」고 하였다. 고구려의 중심부가 원래 예지의 일부였고 민도 예인이 많다는 뜻이다.

여러 가지 기록과 정황들이 다 들어맞는다.

■ 한국고대사에 있어 신라·고구려·백제 삼국의 초기강역 비정은 한의 군현 중 낙랑군을 중심에 두고 비정하지 않으면 반드시 오류에 빠지게 되어 있다. 왜냐하면 [삼국사기] 초기기록에는 삼국이 모두 여러 차례씩 낙랑군(마한고지)과 심각한 접촉을 하고 있기 때문이다. 또 삼국이 마한과도 동시에 접촉하고 있는데 이 역시 앞서 본 바 낙랑군지가 바로 마한고지였기 때문에 이런 기록들이 남아 있게 된 것이다. 따라서 삼국이 낙랑군 및 마한과 동시에 접촉하는 기록들을 합리적으로 설명할 수 있는 설만이 옳은 설인 것이다. 만약에 삼국 중 2국은 설명이 가능하나 나머지 1국을 설명할 수 없다면 두말할 필요도 없이 강역비정의 오류인 것이다. 오늘날 한일양국 학계의 학설들은 전부 이런 오류에 빠져 있다. 학자들이 이런 것을 알아보지 못하는 것은 실로 한민족의 비극이라고 하지 않을 수 없는 중차대한 문제인 것이다.

동명신화 (색리국,탁리국,고리국)

부여 동명신화는 고구려 주몽신화와 비교하면 임신하고 출산하는 방식만 다르고 다른 부분은 흡사하다. 천신계 신화 중에 光球(광구)타입에 해당한다. 천신계 신화에는 두 가지가 있는데 하나는 천신의 精氣(정기)라 할 수 있는 빛[光]을 쬐고 여인이 임신을 하여 알을 낳고 그 알에서 아이가 태어나는 방식인데 光柱(광주)타입이라 할 수 있다(spotlight방식). 또 하나는 여인이 하늘(새가)에서 떨어지는(떨어뜨려준) 알 또는 과일을 삼키고 임신이 되어 아이를 낳는 방식이다. 알 또는 과일 역시 천신의 정기에 해당하는 광구인 것이다.

동명신화는 계란 크기의 이상한 기운이 곧 천신의 정기에 해당하는 흰색 광구라고 할 수 있는 것이다. 청 태조 누르하치의 경우는 신작이 떨어뜨려준 朱果(주과)를 삼키고 임신을 했다 하여 붉은색 광구에 해당하는 것이다.

왕이 출타 중에 후궁에서 임신을 했다 하였는데 어찌 보면 간음을 한 것처럼 보이지만 시조의 혈통의 신성성을 천신에게서 찾는 방식일 뿐이다. 단석괴의 경우도 부가 흉노의 전쟁에 수년 간 종군했다 오니 처가 길을 가다가 하늘에서 떨어지는 우박 같은 것을 삼키고 아이를 낳았다 하였다. 또 처녀가 임신을 하여 아이를 낳는 경우도 있는데 누르하치가 이에 해당된다.

부여와 후한

처음에는 사절도 보내고 사이가 좋았다가 안제 영초5년(111)에 부여왕 始가 보기 7,8천을 이끌고 낙랑을 침공하여 관리와 민을 죽였다 한다. 이 기록은 부여가 고지에서 물길(숙신·흑수말갈)에 밀려 단단대령 서쪽으로 남하하여 북경의 동북 인근에 처음으로 내려왔을 때에 해당한다. 처음 이주해서는 낙랑을 침공했다가 다시 귀부했다 한다. 영녕원년(120)에는 嗣子(사자) 위구태를 보내와 공헌했다 한다. 그러자 천자가 위구태에게 印綬(인수)와 金綵(금채)를 하사했다 한다. 인수는 왕권을 상징하는 보물로 보이고 사이가 아주 좋아진 것이다.

다시 순제 영화원년(136)에 왕이 후한의 수도에 갔는데 제가 황문고취와 각저희를 보여주었다 한다. 환영을 성대하게 한 듯하다.

다시 환제 연희4년(161)에 사신을 보내 조하하고 공헌했다 한다. 영강원년(167)에는 왕 夫台(부태)가 2만여 군사를 이끌고 현도를 침구하였으므로 현도태수 공손역이 깨뜨리고 천여를 참수했다 한다.

그러다 영제 희평3년(174)에 이르러 다시 표장을 올리고 공헌하였다 한다.

「부여는 본래 현도에 속했는데 헌제시(190~219) 그 왕이 요동에 속하기를 청했다」고 한다. 이것은 외교창구를 현도에서 요동으로 바꾸었다는 뜻인데 이때 요동영역의 군현들은 공손씨가 장악하고 있었다. [삼국지] 부여전에는 이때의 부여왕이 위구태로 되어 있는데 안제 영녕원년(120)에 보이는 왕자 위구태와는 시차가 너무 커서 다른 인물로 보이기도 한다.

이 내용들은 본기에도 그대로 실려 있는 기사들이다. 그런데 한 가지 누락된 것은 [후한서] 본기 안제 건광원년(121) 12월조에 「고구려와 마한, 예맥이 현도성을 포위하자 부여왕이 아들을 보내 주군과 함께 힘을 합쳐 쳐서 깨뜨렸다[高句驪馬韓穢貊圍玄菟城 夫餘王遣子與州郡并力討破之]」고 한다. 고구려가 마한 및 예맥과 함께 연합작전을 하고 부여는 현도를 도와주고 있는 것이다[91].

---

91) 한의 낙랑군은 본래 조선구지 중 마한고지에 해당되므로 한의 낙랑군 주변에는 마한 잔존세력이 있을 수 있다. 위의 기사는 마한이란 나라가 존재한 것이 아니고 한의 낙랑군에 반대하는 고구려내 마한인 외인부대(마

同 연광원년(122) 2월조에 「부여왕이 아들에게 군사를 주어 보내 현도성을 구원하여 고구려와 마한, 예맥을 쳐서 깨뜨렸다. 그리고는 사신을 보내 공헌하였다. [1]부여왕자는 위구태이다[夫餘王遣子將兵救玄菟[1] 擊高句驪馬韓穢貊 破之 遂遣使貢獻. [1]夫餘王子 尉仇台也]」라고 한다.

[후한서] 오환선비전에 단석괴에 대해 「동으로 부여를 물리고[東卻夫餘]」, 「우북평부터 동으로, 부여와 예맥을 접하는 요동까지 20여 읍을 동부로 하고[從右北平以東至遼東 接夫餘濊貊二十餘邑 為東部]」라고 하였는데 이때의 부여 역시 북경 동북에 있던 위구태부여를 말하는 것이지 동만주의 동부여가 아닌 것이다. 선비 단석괴는 원래의 요동인 북경 인근에서 위구태부여와 접했다는 뜻이다(이때도 진한은 절사되었다). 대륙사서의 위사구도를 모르면 여기 요동을 지금의 요동으로, 위구태부여를 동만주의 동부여로 오인하게 된다.

한독립세력) 정도로 볼 수 있을 것이다. 그러니까 난하 동편에 위치한 그 전 낙랑의 영동칠현을 중심으로 하고 있던 고구려와 연합작전이 가능한 것이다. 예맥 또한 하북성 북부가 전부 예맥고지이고 고구려가 동예에서 건국하였으므로 이상할 것이 전혀 없는 것이다. 한일양국 학계의 기존의 학설로는 마한뿐만 아니라 예와의 연합작전도 설명이 안 될 것이다. 고구려가 예맥과 연합작전을 한 것은 [삼국사기] 태조기 59년(111)과 66년(118)에도 보여 여러 차례 있다. 이 기사는 [삼국사기]에도 태조기 69년(121) 12월조와 70년기에 옮겨져 있는데 「마한은 백제 온조왕 27년에 망했는데 지금 고구려왕과 더불어 군사를 움직이는 것은 아마도 망했다가 다시 일어난 것 같다[馬韓以百濟溫祚王二十七年 滅 今與麗王行兵者 盖滅而復興者歟]」고 하였다. 고려인들은 실사를 다 알았을 터인데도 모른 체하고 있는 것이다. [후한서]와는 달리 전장이 현도성과 요동 두 군데로 되어 있다. 마한과 예맥의 기병이 1만여 기라 하여 규모가 작지 않다.

[삼국지] 부여전

  [삼국지] 부여전[92] 『부여는 장성의 북에 있고 현도에서 천 리
된다. 남으로 고구려와, 동으로 읍루와, 서로는 선비와 접한다. 북
으로는 약수가 있고, 땅은 사방 2천 리 된다. 호가 8만이며 그 민
들은 토착생활을 한다...(중략)...부여는 본래 현도에 속했다. 한말
공손도가 해동으로 뻗쳐 위력으로 외이를 복속시킬 때 부여왕 위
구태는 다시 요동에 속했다. 이 시기에 구려와 선비가 강성하여
공손도는 부여를 두 오랑캐 사이에 두고 종녀를 처로 주었다. 위
구태가 죽은 후 간위거가 섰다. 적자는 없고 얼자 마여가 있었다.
위거가 죽자 제가가 마여를 공립하였다. 우가의 형의 아들도 이름
이 위거였는데 대사가 되어 재물을 남에게 선뜻 베풀기 좋아하여
국인이 그를 따랐다. 해마다 사신을 수도로 보내 공헌하였다. 정
시중 유주자사 관구검이 구려를 칠 때 현도태수 왕기를 부여에 보
냈더니 위거는 대가를 보내 교외에서 맞이하고 군량을 공급했다.
계부 우가가 두 마음이 있어 위거는 계부 부자를 죽이고 재물을
몰수하여 조사관을 보내 재산목록을 만들어 관에 보냈다. 옛 부여
의 풍속에 가뭄이나 장마가 져 오곡이 익지 않으면 그 허물을 왕
에게 돌려 "왕을 바꾸어야 된다거나 혹은 죽여야 한다"고 하였다.
마여가 죽자 그 아들 여섯 살짜리 의려를 왕으로 세웠다...(후략)』

---

92) [삼국지] 부여전 『夫餘在長城之北 去玄菟千里 南與高句麗 東與挹婁 西
  與鮮卑接 北有弱水 方可二千里. 戶八萬 其民土著...(중략)...夫餘本屬玄
  菟. 漢末 公孫度雄張海東 威服外夷 夫餘王尉仇台更屬遼東. 時句麗鮮卑
  彊 度以夫餘在二虜之間 妻以宗女. 尉仇台死 簡位居立. 無適子 有孼子
  麻餘. 位居死 諸加共立麻餘. 牛加兄子名位居 爲大使 輕財善施 國人附
  之 歲歲遣使詣京都貢獻. 正始中 幽州刺史毋丘儉討句麗 遣玄菟太守王頎
  詣夫餘 位居遣大加郊迎 供軍糧. 季父牛加有二心 位居殺季父父子 籍沒
  財物 遣使簿斂送官. 舊夫餘俗 水旱不調 五穀不熟 輒歸咎於王 或言當易
  或言當殺. 麻餘死 其子依慮年六歲 立以爲王...(후략)』

[후한서] 부여전과 대동소이한데 다른 것만 보면 「호가 8만」이라 하는데 호당 5인으로 잡으면 약 40만 정도라는 말이다. 원래 부여고지(북부여)의 인구일 것이다. 민이 토착생활을 한다는 말은 遊牧民(유목민)이 아니고 定住(정주)하면서 농사와 목축을 한다는 뜻이다.

부여는 장성의 북에 있다 하는데 이 장성은 북경 동쪽의 것을 의미한다. 현도 근방으로 이주한 위구태부여는 북경 북을 지나는 장성의 북 예맥고지에 있었다. 이 역시 장성이 만들어진 후에 기술된 것이다. 장성을 보더라도 동만주의 부여는 아닌 것이다.

부여가 고지에서 물길에 밀려 북경 동북 현도군 인근으로 옮겼으므로 공손씨가 요동을 장악하자 자연스럽게 그 세력권에 편입되게 된 것이다. 종녀를 주었다는 것이 그것인데 이 종녀란 위구태부여가 자리 잡고 있는 후한 영토의 일부를 의인화한 것이다. 그 위치가 북경 일대의 선비와 난하 중류 동편 고구려와의 사이라고 한다(지도19). 사실은 선비와 부여 사이 포구에 진한이 있었지만 기록이 절사되어 나타나지 않는다. 이때 이 선비가 2세기중후반, 3세기초 하북성 북부 요동(북경) 근방까지 진출한 단석괴나 가비능 등인 것이다.

예왕의 인

도장의 문구에 '예왕의 인'이라 새겨져 있다는 것은 부여가 그들의 고지에서 물길(숙신)에 밀려 북경 동북 예맥고지로 이주(망명)하여 예지에서 예성을 근거로 예인을 흡수하여 거느리고 나라를 유지하고 있었다는 말을 비유적으로 표현한 것이다. 그것은 하북성 북부가 전부 예맥고지였으므로 당연한 것이다.

[진서] 부여전

[진서] 부여전93)에『무제시 자주 와서 조공하였는데 태강6년에 이르러 모용외에게 공격당해 그 왕 의려가 자살하였다. 자제들이 옥저로 달아나 보전하였다. 무제는 그들을 위해 조를 내려 이르기를 "부여왕은 세세 충성과 효도를 지키다가 못된 오랑캐에게 망한 것을 매우 가엽게 생각하노라. 만약에 그 유민으로서 복국할 만한 사람이 있으면 마땅히 방책을 강구하여 나라를 세워 유지케 하도록 하라"고 하였다. 유사가 주하기를 "호동이교위 선우영이 부여를 구하지 않아 기회를 놓쳤습니다"하였다. 조하여 선우영을 파면하고 하감으로 바꾸었다. 이듬해 부여의 後王(후왕) 의라는 사자를 하감에게 보내 남은 사람들을 이끌고 돌아가 다시 나라를 세우기를 원해 구원을 청했다. 하감은 전열을 정비하고 독우 가침을 보내 군사를 데리고 호송하도록 했다. 모용외도 그들을 도중에 기다리고 있었으나 가침이 모용외와 싸워 대패시키자 외의 군사가 물러가고 의라는 나라를 다시 세울 수 있었다. 그 후에도 번번이 (모용)외는 그 사람들을 잡아다 중국에 팔았다. 제가 가엽게 여겨 조를 내려 나라의 비용으로 속전을 주어 돌려보내고 사주와 기주 두 주에 영하여 부여인의 매매를 금지시켰다』

개요는 [삼국지] 부여전의 내용과 같은데 <남으로 선비와 접한다>고 하는 것은 시대적으로 볼 때 4세기 선비족 모용씨가 강성할 때 북경을 중심한 요동영역이 대체로 선비족 세력권에 포함되었기 때문이다. 이때 부여는 북경 북 포구의 진한고지에 있었던

---

93) [진서] 부여전『武帝時 頻來朝貢 至太康六年 為慕容廆所襲破 其王依慮
自殺 子弟走保沃沮. 帝為下詔曰 夫餘王世守忠孝 為惡虜所滅 甚愍念之.
若其遺類足以復國者 當為之方計 使得存立. 有司奏護東夷校尉鮮于嬰不
救夫餘 失於機略. 詔免嬰 以何龕代之. 明年 夫餘後王依羅遣詣龕[1] 求
率見人還復舊國 仍請援. 龕上列 遣督郵賈沈以兵送之[2]. 廆又要之於路
沈與戰 大敗之 廆眾退 羅得復國. 爾後每為廆掠其種人 賣於中國. 帝愍
之 又發詔以官物贖還 下司冀二州 禁市夫餘之口』

것으로 보인다.

부여와 서진

「무제시 자주 와서 조공하였는데 태강6년(285)에 이르러 모용
외에게 공격당해 그 왕 의려가 자살하였다. 자제들이 옥저로 달아
나 보전하였다」고 한다. 선비족 중에 단석괴가 2세기 중후반 활동
하다가 그 뒤 공손씨가 요동영역을 장악하여 한동안 위세를 떨쳤
는데 위 명제 경초2년(238)에 조위에 토벌당해 소멸되고, 이때 공
을 세운 선비족 모용외가 이 일대에서 득세하기 시작한 것이다.
결국은 모용씨에게 복속하지 않으려다가 부여가 당한 것으로 보인
다. 왕이 자살할 정도로 망한 것이다. 그러다가 서진 무제의 도움
으로 나라를 다시 세우게 되었다 한다.

모용씨들은 변방의 힘없는 민들을 잡아다 인신매매를 한 것 같
다. 진의 무제시(266~290) 자주 조공하였다는데 후한이나 조위시
처럼 중원국가와는 사이가 좋아 복국까지 시켜준 것 같다. 모용씨
도 그 강역은 시대만 다를 뿐 산서성 북에서 하북성 서북부를 거
쳐 남하하여 북경 남 요서군에 자리 잡고 그 전 공손씨 영역이던
요동까지 세력을 떨쳤던 것이다.

실제로 공손씨가 하북성 북부의 요동에서 세력을 떨칠 때 모용
씨는 북경 남 요서 창려에 거하면서 위의 사마의가 공손씨를 칠
때 조위에 협력하여 종군한 것으로 되어 있고 그 공으로 점차 그
곳에서 자리를 잡고 세력을 키운 것이다. 따라서 자연스럽게 그
전 공손씨의 영역까지 세력을 떨칠 수 있게 된 것이다.

부여와 모용씨

[진서] 모용황전[94])에 『모용각이 고구려 남소를 쳐서 이기고 수병을 배치한 후 돌아왔다. 3년, 그 세자 준과 각이 기병 만칠천을 이끌고 동으로 부여를 쳐서 이기고 그 왕과 민 5만여 구를 포로로 하여 돌아왔다』

[자치통감] 권97 동진 목제 영화2년기(346)[87)]에는 [진서]와 같은 내용이 실려 있다. 처음 부여는 녹산에 거하다가 백제의 침공을 받아 부락이 쇠하고 흩어져 서쪽으로 연 가까이 옮기자 연왕황이 세자 준을 보내 모용군과 모용각, 모여근 세 장군을 거느리고 만칠천여 기가 공격하였고 이때 패한 왕 玄(현)과 백성 5만여가 포로가 되어 결국 전연에 복속하게 되었는데 이때 황은 현을 진군장군으로 삼고 딸을 처로 주었다 한다. 이때도 모용황의 딸은 전연의 영토 일부로 해석해야 하고 그 전 공손도가 위구태에게 종녀를 처로 주었다 한 경우와 꼭 같이 신속한 것으로 보아야 한다.

또 부여가 모용황에게 당하기(345) 직전인 고국원왕 12년(342)에 고구려도 크게 당해 미천왕의 능을 파 시신을 가져가고 왕모를 데려가며 포로로 민을 5만여 잡아간 적이 있었다. 이 시기는 전연이 전성기라서 주변을 쳐서 땅을 넓히고 인구를 늘리는데 크게 힘을 쏟은 것 같다. 침공시점이 세력이 큰 고구려는 342년이고 약한 부여는 3년 후인 345년이다.

이때 나타나는 부여 중심지 지명 鹿山(녹산)은 부여가 고지로부터 남하하여 요동 방면으로 이주한 후에 정착한, [삼국지] 부여

---

94) [진서] 모용황전『慕容恪攻高句麗南蘇 克之 置戍而還. 三年 遣其世子雋
與恪率騎萬七千東襲夫餘 克之 虜其王及部衆五萬餘口以還』

전의 현도 인근 예성이 아닐까 생각된다. 후에 언제인지 정확히 기술되어 있지는 않으나 백제[95]의 침공으로 그 서쪽 즉 북경 북 포구로 이동하고, 이때 북경 남쪽 요서에 중심을 두고 요동까지 세력을 떨치던 전연이 북으로 부여를 쳐서 굴복시킨 것이다. 이후 부여는 전연으로부터 영지를 할양받아 북경의 북 진한고지(포구)에 있었던 것으로 보인다([요사] 지리지 중경도 高州조 '辰韓爲扶餘')(지도68).

포구진한은 [삼국지] 한전에 의하면 조위 경초중(237~239) 낙랑과 대방 두 군과의 전쟁에서 패한 후 이동하여 [삼국사기]에 의하면 3세기말 기림기에 경북에 정착한 것으로 되어 있다. 포구에 있던 부여가 모용황에게 당하기 직전에 지도9,10에서 현도와 낙랑·대방구지는 4세기초에 고구려령이 되었는데 이후 이 요동지역에서 모용씨 연과 지속적으로 접전을 벌이게 된다. 그러다가 고국원왕 12년(342)에 모용황에게 크게 한 번 당해 현도·낙랑·대방구지를 일시적으로 잃었을 것이다.

위의 내용들을 보면 부여는 후한[印綬·金綵와 玉匣], 공손씨[공손도의 인척 위구태], 조위[현도군 玉匣], 서진[羅得復國], 전연[모용황의 사위 玄] 등과 줄곧 비슷한 관계를 유지하며 하북성 북부에 오래도록 있었다는 것을 알 수 있다.

---

95) 부여를 침공한 백제; 다만 모용황이 부여를 치기 전, 4세기초 미천세에 고구려가 현도와 낙랑, 대방 등 요동지역의 대륙국가 군현들을 전부 쳐서 편입하였으므로 이때 현도의 북에 있던 부여가 고구려에 밀려 서쪽으로 이동했을 수도 있다(지도10). 즉 [자치통감]에서 부여를 침공한 것은 백제가 아니고 고구려일 수 있다는 점이다. [진서] 모용황전에서 「모용각이 고구려 남소를 쳐서 이기고 수병을 배치한 후 돌아갔다」고 한 것이 전연과 고구려의 요동에서의 각축을 말해주고 있는 것이다. 고구려 남소성은 현도와 요동의 경계 정도로 지금의 북경 동쪽 평곡으로 추정된다.

[통전] 변방전 부여전96)에서 다른 기록과 차이가 나는 부분만 보면 「순제 영화초에 그 왕 始가 내조하였다. 제가 황문고취와 각 저희를 관람시켜 보냈다...(중략)...그 왕 始가 죽고 아들 위구태가 섰다...(중략)...손자대가 되자 위거가 위를 이었다」고 한다.

백제와 부여

[삼국지] 부여전에는 요동의 공손도가 부여왕 위구태에게 종녀를 주어 처로 삼게 했다고 한다. 이것은 요동영역을 장악하고 있던 공손도가 그 영토의 일부를 위구태에게 주고 신속시켰다는 의미로 해석되는데 대략 170년대부터로 보인다. [후한서]와 [삼국지] 부여전에 의하면 위치는 현도군의 북쪽에 해당한다.

[북사]와 [수서] 백제전에는 요동의 공손도가 동명의 후 구태(仇台)에게 딸[女]을 주어 처로 삼게 했다고 한다. 대방고지에서 건국했다 하고 영토할양과 신속관계에 해당한다. 종녀와 딸의 차이는 종녀라 한 경우 공손도를 독립된 왕으로 간주하지 않았다는 뜻이고 딸이라 한 경우는 독립된 왕국의 왕으로 간주했다는 뜻이다.

[삼국사기] 책계 원년기에는 왕이 대방왕의 딸 보과를 취하여 사위가 되었다고 하는데 영토의 일부를 할양받았다는 뜻으로 이때 백제는 대방군의 일부였다는 뜻이다. 재위기간이 286~297년으로 3세기말이다.

[자치통감]에는 전연의 모용황이 위구태의 후손 부여왕 玄(현)을 진군장군에 임명하고 딸을 처로 주었다고 했다. 역시 모용황도 공손도와 마찬가지로 영토의 일부를 할양하고 신속시킨 것으로 해

---

96) [통전] 변방전 부여전 『順帝永和初 其王始來朝 帝作黃門鼓吹角抵戱以遣之...(중략)...其王始死 子尉仇台立...(중략)...至孫位居嗣立』

석된다. 이때 모용황은 이미 연왕을 자처한 후이므로 딸이라 한 것인데 346년이다. 황이 연왕을 자처한 것은 [진서] 모용황전에 「皝於是以咸康三年僭卽王位」라 하므로 동진 성제 함강3년은 337년이고 연왕을 자칭한 지 9년이 지난 시점이므로 바른 표현이다.

그런데 부여와 백제 사이에는 또 묘한 의문점이 있다.

책계왕과 부여왕 의라

[삼국사기] 책계왕 원년(286년)은 부여의 의라가 나라를 다시 찾은 서진 무제 태강7년(286년)에 정확히 해당되어 어찌 보면 삼국사기 집필자들은 의라와 책계왕을 동일인물로 본 것 같기도 하다. 영토를 여성으로 나타내는 의인화기법으로 기술하면 서진의 군사원조에 의해 나라를 다시 찾은 것[羅得復國]은 사위로 삼은 것으로 표현될 수 있다. 서진이 의라에게 영토를 마련해주었기 때문이다.

책계기의 「이에 앞서[先是]」라는 것은 의례적인 수사로 볼 수도 있고 그 전부터 동일한 관계였다는 의미일 수도 있다. [삼국사기] 집필자들은, 책계왕 이후는 백제와 부여를 동체로 본 것 같기도 하다. [삼국사기]의 이러한 기술태도는 백제사에 있어 많은 수수께끼를 더해 주고 있는데 이렇게 백제와 부여가 동체인 듯이 기술하여 엉거주춤 알아보기 어렵게 연결해놓고 이후 대륙의 백제사는 지워버렸는지도 모를 일이다. [북사]와 [수서] 백제전에서는 동체로 보고 있기도 하다.

근초고왕과 부여왕 현

한편 [자치통감]에 모용황이 부여왕 현을 진군장군으로 삼고 딸을 처로 준 그 해가 묘하게도 백제 근초고왕 원년(346년)에 정확히 해당된다. [자치통감]의 이 기사에서 백제의 부여 침공[爲百濟所侵]이 그 시기의 사건이라면 백제와 부여를 동체로 보기 어려울 것 같기도 하다. 그래서 [자치통감]의 기록은 당시의 주변 역학관계로 볼 때 부여를 침공한 것은 백제가 아니고 고구려일 수 있다는 것이다.

위에서 알 수 있는 것은 대륙사서에서도 영토를 여성으로 의인화하는 신화설화체 기술기법을 사용하고 있고 한 나라의 총체적인 국권을 왕인, 금인 등으로 상징하기도 한 것이다.

4. 예맥

1) 남려의 예

[후한서] 예전97)에는 『예는 북으로는 고구려 및 옥저와, 남으로 진한과 접하고 동으로는 대해와 닿았고 서로 가면 낙랑이 있다. 예와 옥저, 구려는 본래 모두 조선지이다...(중략)...원삭원년에 예군 남려 등이 우거에 반하여 28만 인을 이끌고 요동으로 가 내속하였다. 무제는 그 땅을 창해군으로 삼았다가 수년 지나 파했다...(후략)』

---

97) [후한서] 예전『濊北與高句驪沃沮 南與辰韓接 東窮大海 西至樂浪. 濊及沃沮句驪 本皆朝鮮之地也...(중략)...元朔元年 濊君南閭等畔右渠 率二十八萬口詣遼東內屬 武帝以其地爲蒼海郡 數年乃罷...(후략)』

한무제 원삭원년인 BC128년에 남려의 예맥지에 창해군을 설치했다가 원삭3년인 BC126년에 군을 파했다 한다. 이 내용이 예전에 들어있기 때문에 남려의 예와 동예를 동일한 집단으로 보기 쉬우나 이 남려가 이끌던 예맥은 옥저나 고구려와 관련된 동예와는 전혀 다른 집단이다.

[한서] 식화지에 「창해군을 설치하자 연제지간에 미연이 발동하였다[置滄海郡 則燕齊之間靡然發動]」고 한다. 달리 말하자면 예왕 남려가 있었던 지역에 창해군이 설치되었는데 그곳이 원래 '연제지간'이라는 뜻이다. 연제는 지역명인데 연은 하북성 중북부였고 제는 산동성 서부였으므로 그 사이는 천진과 황하 하류 사이의 발해만 서안에 해당하는 지역인데 겉보기위사로는 전한의 발해군지에 해당된다. 그곳에 예맥인이 28만이나 있어 군을 설치했다 한 것이다. 동예는 난하(압록수) 중류 동쪽에 있었다.

'미연발동'이란 말은 완곡한 비유법인데 「복종하는 기운이 생겨나기 시작했다[靡然發動]」는 뜻으로 풀이된다. 말을 바꾸면, 팽오가 예왕 남려를 설득하여 한의 세력권으로 편입을 시키자 이때부터 비로소 예가 중원세력에 굽히기 시작했다는 뜻이다. 즉 그전에는 완강하게 중원세력에 굽히지 않았다는 것인데 실사상 전국시대는 말할 것도 없고 진의 통일시에도 진에 편입되지 않고 있었다는 뜻이다.

그런데 예가 「요동으로 가 내속하였다」고 하는 것은 위사구도상 요수를 지금의 요하로 인식시키기 위해 [후한서] 오환선비전에 기술된 단석괴의 3부[36] 중 동부와 연결시키려는 트릭인 것이다. 즉 예왕 남려가 강원도 동해안에 있다가 지금의 요동으로 이동하여 내속했다는 듯이 말을 하고 있는데 단석괴의 동부는 우북평에서 요동까지라고 했고 이 요동에서 부여와 예맥을 접한다고 했기 때문이다.

사실은 단석괴가 예맥고지인 북경(요동) 근방에서 위구태의 부여를 접했던 것을 요수(영정하)를 요하로 치환하여 지금의 요동에서 남려의 예와 동만주의 동부여를 접했다는 듯이 위사를 쓴 것이다. 그러자니 강원도 동해안에 있었다고 설정한 예가 지금의 요동으로 이동했다고 하지 않으면 앞뒤가 맞지 않게 된 것이다.

그러나 강원도 동해안의 좁은 국에서 당시 28만이란 인구가 살 수도 없었을 뿐더러 설사 있었다 하더라도 그들이 어떤 경로로 어떤 이동수단을 이용하여 지금의 요동까지 갔다는 말일까? 이렇게 생각해보면 실로 황당무계하여 과학적으로 불가능한 일이었다.

예왕 남려가 우거왕에 반하여 한에 귀복했다 하였으므로 BC128년까지는 창해군 지역도 조선의 영역이었고 이 예의 북으로 위만 마한이 있었던 것이다. 이 예와 마한의 접경이 지금의 천진일대였다. 남려의 선이 춘추시대 제의 환공과 충돌했던 산융으로 추정된다.

지도68. 예맥고지

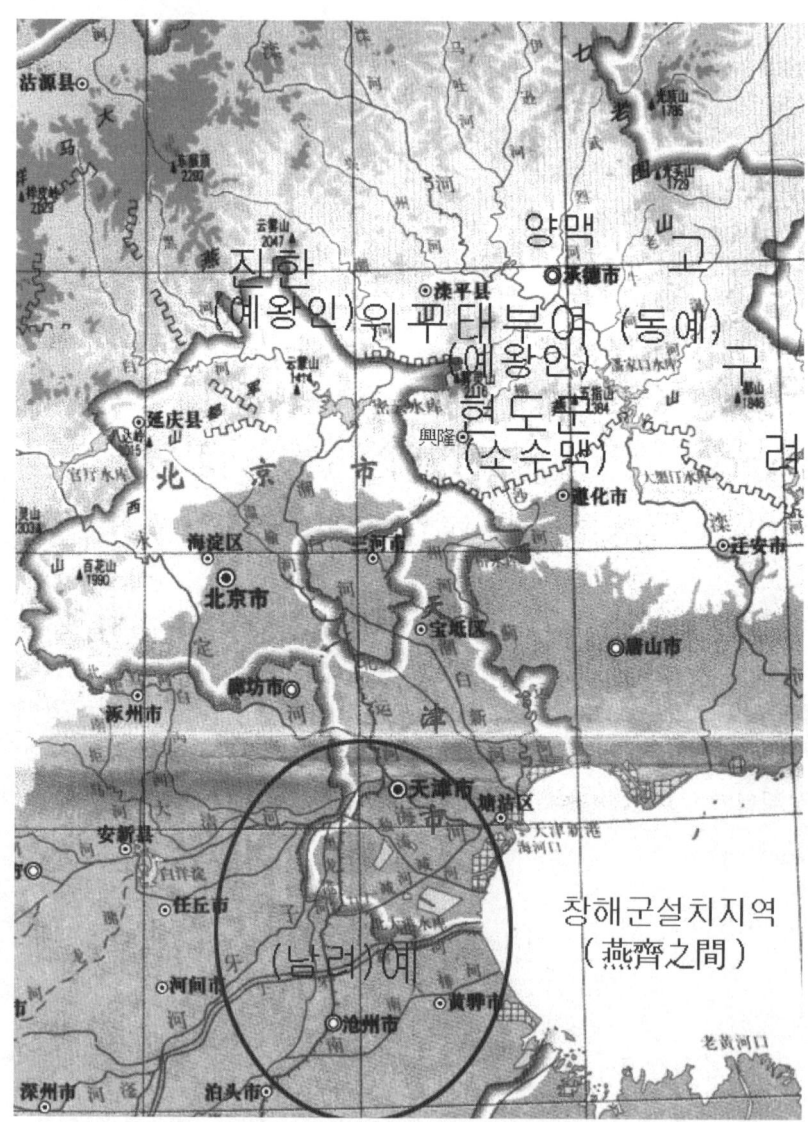

※ 하북성 북부 연산산지 전역이 예맥고지였다. 창해군 지역이 예왕 남려가
거하던 곳이고, 하북성 북부 포구의 진한, 포구 동의 위구태부여, 현도의 소
수맥, 난하 동편의 양맥과 동예 등이 예맥고지에 해당된다. 그 중 난하(압록
수) 동편의 동예와 옥저는 영동칠현으로 고구려의 초기강역에 해당된다. 진한
과 고구려 사이에는 부여와 현도가 있었기 때문에 초기 약 3세기 동안은 접

촉이 없었다. 조분왕 16년에 처음으로 접촉한 기록은 진한이 낙랑·대방에 망한 후에 해당하여 반도로 이동하던 도중의 기록으로 추정된다.

[후한서] 예전에 「노인들이 말하기를 스스로 구려와 동종이라고 한다. 언어와 법속이 대체로 비슷하다[耆舊自謂與句驪同種 言語法俗大抵相類]」고 하는데 현도군 고구려현도 소수맥이었고 고구려건국세력도 夷貊(이맥)이라고 하여 예와 맥은 사실상 동종이므로 이상할 것이 없다.

예군 남려와 창해군

[사기] 평준서와 [한서] 식화지에는 조선의 한 갈래인 예맥의 왕 남려와 창해군에 관한 내용이 실려 있다.

[사기] 평준서98)에 『이 이후 엄조와 주매신 등은 동구를 불러와 양월을 경영하였는데 강회 사이가 시끄러워 힘을 많이 썼다. 당몽과 사마상여가 서남이로 길을 열었는데 산을 끊고 천여 리 길을 내 파촉까지 넓히니 파촉의 백성들이 고달팠다. 팽오가 조선과 통하여 창해의 군을 설치하자 연제지간에 미연이 발동하였다』

[한서] 식화지99)에 『...팽오가 예맥조선과 통하여 창해군을 설치하자 연제지간에 미연이 발동하였다...』

---

98) [사기] 平準書(평준서) 『自是之後 嚴助朱買臣等招來東甌 事兩越 江淮之間蕭然煩費矣. 唐蒙司馬相如開路西南夷 鑿山通道千餘里 以廣巴蜀 巴蜀之民罷焉. 彭吳賈滅朝鮮[1] 置滄海之郡 則燕齊之閒靡然發動. [1]索隱彭吳始開其道而滅之也』

99) [한서] 食貨志(식화지) 『...彭吳穿穢貊朝鮮 置滄海郡 則燕齊之間靡然發動...』

위에서 [사기] 평준서의 「彭吳賈滅朝鮮[1] 置滄海之郡 則燕齊之閒靡然發動」이란 구절과 [한서] 식화지의 「彭吳穿穢貊朝鮮 置滄海郡 則燕齊之間靡然發動」이란 구절은 같은 내용인데 글자가 다른 것이 있다. [사기] 평준서의 「彭吳賈滅朝鮮(팽오가멸조선)」과 [한서] 식화지의 「彭吳穿穢貊朝鮮(팽오천예맥조선)」이라 한 부분을 대조해 보면 평준서의 '賈滅(가멸)'과 식화지의 '穿(천)'이 같은 뜻으로 대응되고 '조선'과 '예맥조선'이 대응되고 있다.

이에 대해 「이 중 '賈'는 [한서] 식화지에 의하면 마땅히 '穿'으로 바뀌어야 한다. 淸代 王念孫은 [讀書雜誌]에서 "'穿'과 '賈'는 모양이 서로 비슷하여 '賈'로 잘못 표기하였다"고 말하였다. '穿'은 '通'과 통한다. '滅'은 '穢'로 고쳐야 한다. [한서] 식화지에는 '穢貊'으로 되어 있다. 淸代 錢大昕의 [廿二史考異]와 王念孫의 [讀書雜誌] 모두 '滅'자가 '穢'의 오자라고 되어 있다. '穢'는 '濊'와 같은 자이며 종족 이름인데, 지금의 遼寧省 風城縣 동쪽 및 한국의 강원도 일대에 분포해 있었다<史記(表序·書)/정범진외 옮김/까치/2010.3.25/초판 6쇄/253p/주42>」라고 한다.

'穿(천)'자에는 뜻이 여러 가지 있지만 '通할', '구멍[孔]', '뚫을[鑿;착]', '틀어넣을/좇아굽어들어갈[委曲入]' 등의 뜻이 있다.
'靡(미)'자에는 뜻이 많이 있지만 '위력에 눌려 굴복할', '복종할', '쓰러질', '쓸릴' 등의 뜻이 있다.

따라서 '靡然(미연)'은 '복종하는 기운' 정도의 뜻으로 보이고 「靡然發動 > (그 전에는 완강하게 중원세력에 저항하다가) 비로소 굽히기 시작했다」고 하는 정도로 이해된다. 「팽오가 예맥조선과 통하여」라는 것은 아마도 은근히 위력을 과시하고 회유한 것이 아니었을까 생각된다.

그러면 위에 인용한 문장은「팽오가 예맥조선을 처음으로 통하여 창해군을 설치하자 연과 제 사이에 비로소 복종하는 기운이 발동하였다[彭吳穿穢貊朝鮮 置滄海郡 則燕齊之間靡然發動]」고 할 수 있을 것이다. 예맥조선은 조선 중에서 예맥이라는 일파를 말하는 것이다.

이것은 역으로 생각하면 연(하북성 중북부)과 제(황하이남 산동성서부) 사이의 창해군도 원래는 조선지였다는 뜻이다. 전한의 발해군은 천진 남방 황하 하류 북쪽 滄州(창주)를 중심한 일대로서 바로 "연과 제의 사이[燕齊之間]"에 해당하는 지역이다. 전한이 이때 비로소 천진과 황하 사이에 창해군을 설치하여 이 지역이 그들의 동방한계가 되었다는 뜻이다. 연과 제는 원래 춘추전국시대의 국명이지만 후대에도 이 나라들이 주로 거했던 지역의 지역명으로 불리고 있는 것이다.

[사기] 평진후주보전[100]에『원삭3년, 장구가 직에서 물러나고 (공손)홍이 어사대부가 되었다. 이때 서남이와 통하고 동으로는 창해군을 두고 북으로는 삭방군을 구축했다. 홍이 여러 차례 간하기를, 중국을 피폐하게 하면서 쓸데없는 땅을 경영하는 것을 그만두자 했다. 이에 천자는 주매신 등을 시켜 삭방군 설치의 이점으로 홍을 나무라게 하였다. 열 가지 득책을 제시했는데 홍은 하나도 반박하지 못했다. 이리하여 홍은 사과하며 말하기를 "산동 촌놈이 그런 이점은 몰랐습니다. 그러면 서남이와 창해는 그만두고 삭방만 경영하자"했다. 상이 허락하였다…』

---

100) [사기] 平津侯主父傳(평진후주보전)『元朔三年 張歐免 以弘為禦史大夫. 是時通西南夷 東置滄海 北築朔方之郡. 弘數諫 以為罷敝中國以奉無用之地 願罷之. 於是天子乃使朱買臣等難弘置朔方之便. 発十策 弘不得一. 弘廼謝曰 "山東鄙人 不知其便若是 願罷西南夷滄海 而專奉朔方". 上乃許之』

제5장 조선계 국가들   235

(전한 무제 원삭3년)「이때 서남이와 통하고, 동으로 창해군을 두고 북으로 삭방군을 구축했다[是時通西南夷 東置滄海 北築朔方之郡]」고 한다. 그런데 공손홍은「이러한 군들이 나라를 피폐하게는 하지만 쓸모가 없는 땅이라며 파하자고 수차례 간했다[弘數諫以爲罷敝中國以奉無用之地 願罷之]」고 한다. 그러다가 공손홍이 다시「"...서남이와 창해는 파하고 삭방만 경영하자"고 했다. 상이 허락했다["... 願罷西南夷滄海 而專奉朔方". 上乃許之]」고 한다. 즉 창해군도 설치했다가 얼마 안 가 곧바로 파했다는 것이다.

  [한서] 무제 원삭원년기[101]에『가을, 흉노가 요서로 들어와 태수를 죽이고, 어양과 안문으로 들어와 도위를 쳐서 이기고 3천여 인을 죽이고 노략질했다. 장군 위청을 보내 안문을 나가 치게 하고 장군 이식은 대를 나가 치게 하여 적 수급 수천을 얻었다. 동이 예군 남려 등[1]이 백성 28만 인을 데리고 투항하여 창해군으로 삼았다. [1] 복건은 "예맥은 진한의 북이자 고구려와 옥저의 남이고 동으로는 대해로 막혀 있다" 했다. 진작은 "薉(예)는 穢(예)의 옛 글자"라 했다. 사고는 "남려는 예왕의 이름"이라 했다』

  원삭원년(BC128) 가을에「동이 예군 남려 등이 28만 인을 데리고 투항하여 창해군으로 삼았다」고 하는데 [사기] 평준서와 평진후주보전, [한서] 식화지의 내용보다는 구체적이다. 창해군 설치는 같지만 그 유래라는 것이 원래 그 지역에 거하던 예왕 남려가 이끌던 예맥인 28만이 한의 세력권에 자발적으로 들어가 그곳을 군현으로 삼았다는 것이다.

---

101) [한서] 무제 원삭원년기『秋 匈奴入遼西 殺太守 入漁陽雁門 敗都尉 殺略三千餘人. 遣將軍衛青出雁門 將軍李息出代 獲首虜數千級. 東夷薉君南閭等[1]口二十八萬人降 爲蒼海郡. [1]服虔曰 穢貊在辰韓之北 高句麗沃沮之南 東窮于大海. 晉灼曰 薉 古穢字. 師古曰 南閭者 薉君之名』

그러다가 [한서] 무제기 원삭3년기(BC126)에 「3년 봄, 창해군을 파했다[三年春 罷蒼海郡]」고 하여 [사기] 평진후주보전의 내용과 같다. 서남이와 창해는 파하고 삭방만 경영하도록 한 것이다.

그런데 [한서] 무제기 원삭원년(BC128) 「東夷薉君南閭等(동이예군남려등)」에 대해 복건이 「예맥은 진한의 북이자 고구려와 옥저의 남에 있고 동쪽은 대해로 막혀 있다[服虔曰 薉貊在辰韓之北 高句麗沃沮之南 東窮于大海]」고 주를 달았다. 이것은 [후한서]와 [삼국지] 동이전에 삼한을 반도 남부로, 옥저를 함경도로, 고구려를 요동의 동부 정도로 설정한 위사구도에 따른 것이다. 즉 요수를 영정하에서 요하로 치환하고 그 주변의 모든 나라와 군현을 평행이동시킨 구도대로 기술한 것이다. 이것은 복건이 쓴 것이 아니고 사서개작세력이 복건의 이름을 차용한 것이다.

요동에 속하게 했다는 것은, 영정하를 요하로 치환한 위사구도를 뒷받침하기 위해 선비족 단석괴의 영역이 지금의 요동까지 뻗쳐 요동에서 부여와 예맥을 접했다고 한 것과 입을 맞추기 위해 위사를 쓴 것이지만 전한 무제 당시에는 요동도 한이 아니었을 것으로 보인다. 왜냐하면 한과 조선(마한)이 전쟁을 한 것이 원봉 2~3년(BC109~108)인데 요동이 한에 넘어간 것은 남려의 예맥이 한의 세력권으로 넘어간 원삭원년(BC128)부터 원봉원년(BC110) 사이로 추정되기 때문이다. 그래서 그 후 조선(마한)과의 전쟁에서 한의 좌장군 순체의 육군이 요동(북경)으로부터 동에 있는 조선(마한;천진~난하)을 공격할 수 있었던 것이다.

위의 사건은 다음과 같이 전개된 것 같다. 즉 발해만 서안에 옛날부터 조선의 예맥인들이 거하고 있었는데 한무제시 강력한 팽창정책을 보면서 대립하고 전쟁을 하기보다는 한과 화친하면서 그들과 교역도 하고 평화롭게 살기를 원했던 것 같다. 그것을 투항하여 군현을 설치했다 한 것이다.

사방으로 치고 나가 개척하는 분위기는 위의 [사기] 평준서와 [한서] 식화지에 잘 나와 있다. 주변세력들이 굽히고 통상하면서 세금 내면 관작이나 주며 적당히 다독거리고, 말 안 들으면 치고 하는 방식으로 보인다. 그런 상황에서도 남려가 투항한 후 비로소 창해군을 설치하고 있고 그마저도 얼마 지나지 않아 파했다 한다. 이런 분위기는 [사기] 평진후주보전에서 공손홍의 태도를 보면 알고도 남는다. 크게 득 될 것도 없는데 일을 자꾸 벌인다고 하는 것이다.

전한 무제라면 정복군주로 잘 알려진 인물인데 BC141년에 즉위한 후 13년이나 지난 원삭원년(BC128)이 되어서야 겨우 지금의 발해만에 힘이 미치고 있는 것이다.

이 지역에는 漢代부터 겉보기로 주로 발해군이 있었던 것으로 되어 있는데 중원인들이 창해(滄海·蒼海·倉海)라고 부르는 것이 곧 勃海(발해·渤海)인 것이다. 이곳은 전국시대에 예맥조선과 조·제의 접경이었고, 그래서 창해군의 위치가 「燕齊之間」이라고 밝히고 있는 것이다.

예맥조선을 오환선비로 대치

그런데 [사기] 조세가 무령왕 19년기(BC308)[43]에 『19년 봄 정월...(중략)...지금 중산은 우리나라의 중심에 위치해 있고 북으로는 연이 있고, 동으로는 호가 있고 서로는 임호와 누번, 진·한의 변경과 접해 있는데...(후략)』라고 한다.

중산이 조의 중심[腹心]에 있다는 말은 조의 중앙 북으로 중산과 접해 있다는 뜻이다.

「東有胡」에 대한 주[2]에 「(正義) 조의 동은 瀛州(영주)의 동북으로 營州(영주) 지역인데 곧 동호 오환의 땅이다. 복건은 "동호는 오환의 선인데 후에 선비가 되었다"고 하였다[正義趙東有瀛州之東北 营州之境即東胡 烏丸之地 服虔云 東胡 烏丸之先 後為鮮卑也]고 한다. 이것은 천진 서남의 요서 유성을 중심으로 한 "營州(영주)가 오환·선비지였다"는 말을 하고 있는 것이다. 그러나 사실은 전국시대에도 천진 남방으로 황하 하류 일대까지(연제지간) 뻗쳐 있던 조선의 예맥을 지우기 위해, 기원 이후 산서성 북의 선비정으로부터 북경 남쪽 요서지역으로 이주하여 자리잡은 오환선비들이 유성(용성)을 중심으로 거하던 상황을 이용하여 시대를 소급해 기술한 것이다. 말을 바꾸면 [후한서] 동이전의 위사에 대한 신뢰도를 높이려는 의도로 [후한서]가 다룬 시대와 같은 시대의 인물(복건)의 이름을 차용하여 위증을 하고 있는 것이다.

겉보기로는 하북성 북부에 연이 있었던 것처럼 기술되어 있고, 그 남부에 조가 있었으니 연과 조의 접경 중 동부지역이 천진의 남방이자 황하 하류의 북쪽인데 그런 조의 동에 호가 있다 하였으니 거기가 바로 창해지역이고 그 중심지는 지금도 이름이 남아 있는 滄州(창주)인 것이다.

장량과 함께 하남성 박랑사에서 진시황 격살을 시도했던 창해역사도 바로 이곳 출신이었다. '창해'라는 지명을 잘 쓰지 않는 것도 이 이름을 자주 쓰게 되면 위사가 탄로나기 쉬우므로 발해라는 이름으로 대치해버린 것이다. [사기] 조세가 무령왕 19년기(BC308) 「北有燕」의 '燕' 역시 연이 아니고 진개가 동정하기 전, 북경 남쪽 원래의 요서지역에 있던 낙랑이었다. 바로 그런 낙랑의 동쪽 발해만 서안에 있던 세력이 예맥이었다.

지도69. 전국시대의 예맥(남려의 선)

※ 영정하 하류부터 황하 하류까지 연제지간의 창해지역이 예맥고지였는데
연과 제로 표기된 위사효과를 볼 수 있다.

지도70. 전국시대 조의 북에 있던 낙랑

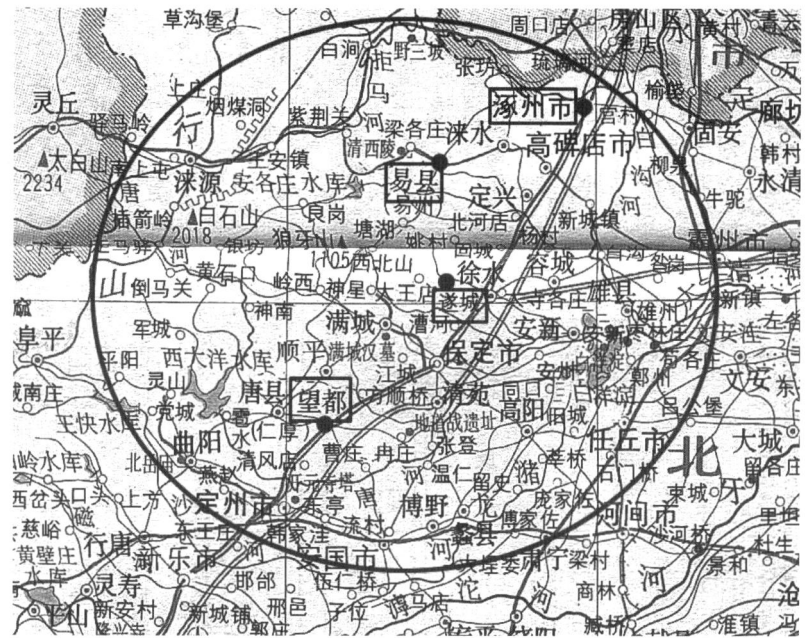

※ 가운데 보정시의 북이자 서수의 서쪽에 遂城(수성)이 보이는데 이곳이 최
초의 낙랑 수성이다. 원래는 武遂城인데 遂城으로 부르기도 하고 武遂로 부
르기도 했던 지명이다.

※ [진서] 지리지 낙랑군조에 진장성의 기점이라던 수성은 明代에 완성된 산
해관에서 끝나는 지금의 장성을 진장성으로 부회하기 위해 하북성 중부(실사
요서)의 최초 낙랑 수성이란 이름을 이용하여 낙랑군 수성현이 산해관 근방
(위사 요서)인 것처럼 기술한 것이다.

※ 낙랑국 수성의 서남쪽에 望都(망도)가 보이는데 여기서 고조선식 청동검이
발견된 것이 결코 우연이 아닌 것이다.

※ 망도의 서남에 靈壽(영수)가 보이는데 중산국의 수도였고 그 인접 서남에
는 平山(평산)이 있는데 최근 중산왕릉이 발견된 곳이다.

[후한서]와 [삼국지] 동이전의 위사를 쓴 측에서는 예맥을 반도의 중동부로 설정하여 기술하면서 원래 예맥이 있던 요서의 연제지간에는 오환의 선이 있었다고 했는데 겉보기로는 이 요서조차 옮겨진 지명들 때문에 원래의 요서인 영정하 남쪽이 아니고 지금의 요하 서쪽인 것처럼 되어 있다. 이렇게 기술하면 하북성 중북부에서의 기원을 전후한 약 5세기 동안의 조선계 나라의 역사가 증발하게 되는데 위사를 쓴 사람들이 의도한 바가 바로 이런 것이다.

이 조선계는 원래의 요서지역의 낙랑과 그 동에 있던 예맥, 북경 서쪽 우북평에 있던 진한, 북경~난하에 있던 마한, 마한의 북에 있던 고리 등이다.

지도71. 기원전 4세기말 조선의 서방영역

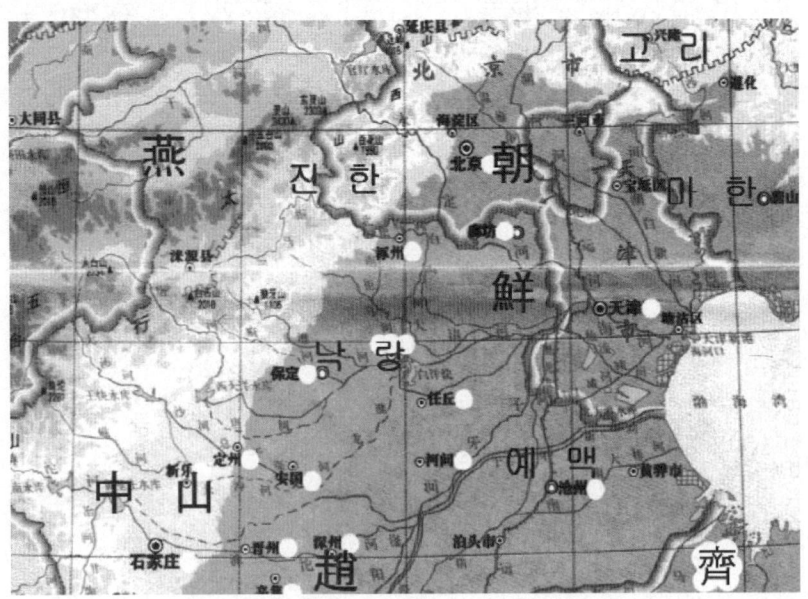

※ 낙랑은 연의 동남, 중산의 동북, 조의 북, 진한의 남, 예맥의 서북, 마한의 서남에 있었다.

한중사서에 실린 한국고대사의 비밀

지도72-1. [대청광여도]의 하북성 중북부

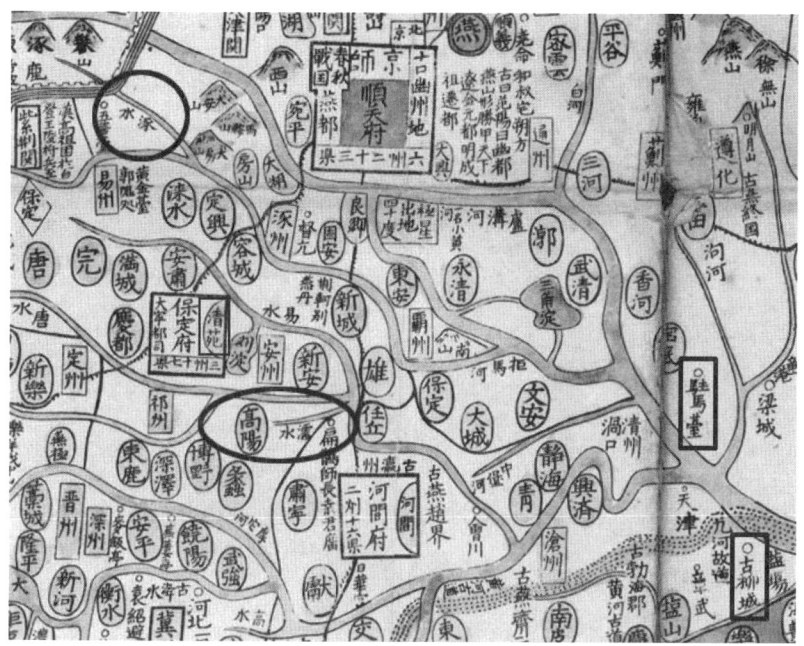

※ 왼쪽 위에 涿水(탁수)가 보이는데 전국시대 진한인의 선주지에 해당하고 그 아래에 보이는 큰 강이 拒馬河(거마하)인데 탁수는 거마하의 지류로 표기되어 있다. 탁수는 북경의 서쪽인데 서북으로 보면 涿鹿(탁록)이 보이고, 왼쪽에는 紫荊關(자형관)이 보이는데, 전국시대 말기 진이 연을 칠 때 진장 왕분이 「薊[荊]를 쳤다」고 할 때의 '荊(형)'이 바로 이곳으로 추정되는데 연의 서방 요새였다. 수도인 탁주 薊城(계성)을 치기 전에 서쪽의 요새를 먼저 친 것이었다.

※ 河間府(하간부)의 위에 「古瀛州(고영주)」라고 되어 있어 瀛州(영주)의 동북에 있다는 營州(영주;유성)는 하간의 동북에 있다는 뜻이다. 천진의 오른쪽 아래에 분명히 古柳城(고유성)이라고 표기되어 있다. 유성이 천진 아래에 있었으므로 지금의 요하가 절대로 요수일 수 없다는 것이다.

※ 하간부 오른쪽에 「옛날 연과 조의 경계[古燕趙界]」라고 되어 있으나 燕(연)이 아니고 앞서 본 「(趙)東有胡」라고 할 때의 胡(예맥)에 해당하는 것이다. 또 하간부에서 오른쪽 아래에 보면 「옛날 연과 제 두 나라의 경계[古燕齊二國界]」라고 되어 있는데 역시 예맥(남려의 先)과 제나라의 경계인 것이다(지도69,71). 이것은 요수를 영정하에서 요하로 바꿔치기한 결과 조선(예맥)이 연으로 대치되어 버린 위사효과인 것이다.

※ 하간부의 왼쪽 위 高陽(고양)의 오른쪽에 '濡水(유수)'가 보이고 아래에 '滹沱河(호타하)'가 보여 유수가 절대로 지금의 난하일 수 없는 것이다.

지도72-2. [대청광여도]의 하북성 동북부

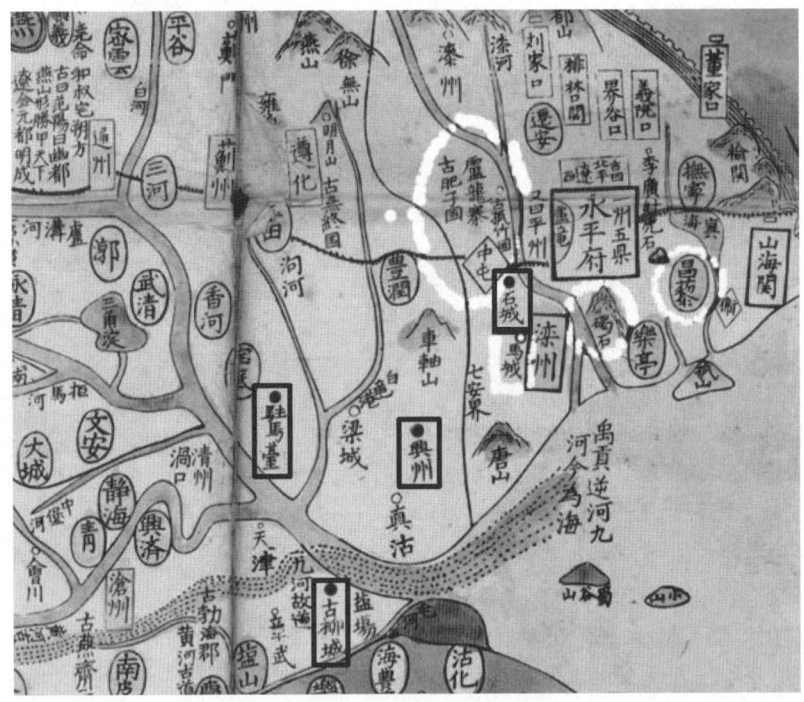

* 난하(압록수) 하류 서쪽에 石城(석성)이 보이는데 겉보기로 우북평 속현이지만 실사로는 낙랑군지에 속한다.

* [요사] 지리지의 동경도 興州(흥주)가 한의 (낙랑군) 해명현이라 했는데 분명히 실사상 낙랑군지에 표기되어 있다.

* 여당전쟁에서 당태종의 주필산으로 추정되는 駐馬臺(주마대)가 지도29의 西馬頭(서마두;당군 주둔지 馬首山으로 추정됨) 정도 되는 위치에 표기되어 있다. 주필이란 이름을 바로 쓸 수는 없기 때문에 이름을 바꾸었을 것이다.

瀛州와 營州 지역이 [사기] 열국분야 조지조에서 말한 탁군의 고양과 막주향, 하간, 발해군 속현 동평서와 중읍, 문안, 속주, 성평, 장무 등지와 겹친다. 즉 조선계인 낙랑과 예맥을 적당히 분할하여 연지와 조지라고 한 것이다.

이런 창해군을 학계에서는 "지금의 한반도 중부"라고 하는데 滄海(창해)란 渤海(발해)를 가리키는 것이다. 발해만 서안의 중심지 지명 滄州(창주)나 滄縣(창현)의 '滄'자는 滄海에서 비롯된 이름이기 때문이다. 예가 "지금의 요녕성 풍성현 동쪽 및 한국의 강원도 일대에 분포해 있었다"는 설도 있는데 강원도 일대라는 것은 [후한서]와 [삼국지] 동이전의 위사구도 그대로이며 요녕성 풍성현이라는 것은 [후한서] 예전에서 「(남려의)요동내속」이라는 구절과 연결시켜 남려가 요동으로 이주한 듯이 해석한 것이다. 이렇게 꾸민 것은 바로 2세기 중후반의 선비 단석괴의 동부가 요동에서 「부여와 예맥을 접했다」고 한 기사를 만족시키기 위한 것이었다. 그러면 요하 이서의 조선계 역사가 증발되어 버린다.

[사기] 留侯世家(유후세가)에는 장량이 역사를 구해 진시황 격살을 시도했으나 실패한 바 있다 하였다. 그런데 장량은 그 넓은 대륙에서 사람을 못 구해 반도벽지 동해안 창해지역 강릉의 예왕을 찾아와 역사를 구했다[東見倉海君 得力士]는 말인가? 창해지역이 한반도중부에 있었다면 이 얼마나 엄청난 거리의 비약인가. 이 역시 요수를 영정하에서 요하로 치환한 위사효과인 것이다. 이런 허황된 설들은 전부, [후한서]와 [삼국지] 동이전의 동이각국 강역설명이 요수를 영정하에서 요하로 치환한 의도적인 위사임을 알아보지 못하기 때문에 생겨나는 것이다.

한편 각도를 달리해 생각해보면, 전한 무제 당시 개척했다는 西南夷(서남이)는 섬서성과 이웃한 사천성의 남쪽 정도로 巴蜀(파촉)이라 불린 곳이고[唐蒙司馬相如始開西南夷 鑿山通道千餘里 以廣

巴蜀 巴蜀之民罷焉], 삭방군은 섬서성 북방의 황하(북하) 남쪽 河南地(하남지)에 설치된 군이다. 섬서성 장안을 수도로 하던 전한이 이런 지역을 겨우 개척하고 있는 마당에 난데없이 창해군만은 머나먼 반도 서북부의 조선(위만마한)을 건너뛰어 반도 중부에 설치하였다고 주장하는 셈이 되니 이 얼마나 황당한 얘기인가!

실사상 남려의 예맥은 발해만 서안 창해지역에 있었고 전한이 발해만에 영향을 미치기 시작한 것이 BC128년 경이며 그 후 20년 가까이 흐른 다음 무제 원봉2년(BC109)에 수륙양군으로 천진~난하의 조선(위만마한)과 전쟁을 벌일 수 있었던 것이다.

[사기] 조선전[102] 『좌장군이 이미 양군을 합해 조선을 급히 쳤다. 조선의 재상 노인과 한음, 이계의 재상 삼과 장군 왕협이 서로 모의하여 "처음 누선에게 항복하려 하였으나 누선은 지금 잡혀 있고 홀로 좌장군이 장수들과 함께 더욱 급히 싸우므로 맞서 싸우기 두려운데도 왕은 항복하려 하지 않는다"고 하면서 한음과 왕협, 노인 등은 모두 도망하여 한에 항복하였다. 노인은 길에서 죽었다. 원봉3년 여름, 이계의 재상 삼이 사람을 시켜 조선왕 우거를 죽이고 내투하였다. 왕험성은 아직 함락되지 않았으므로 우거의 대신 성이가 반하여 다시 관리들을 공격하였다. 좌장군이 우거의 아들 장각과 재상 노인의 아들 최로 하여금 백성들에게 알리고 깨우쳐 성이를 죽이게 함으로써 마침내 조선을 평정하고 4군으로 삼았다. 삼을 획청후로, 한음을 적저후로, 왕협을 평주후로, 장은 기후로 삼았다. 최는 아버지가 죽고 공이 많았으므로 온양후로 삼

---

102) [사기] 조선전 『....左將軍已並両軍 即急擊朝鮮. 朝鮮相路人 相韓陰 尼谿相叅 將軍王唊 相與謀曰 "始欲降樓船 樓船今執 獨左將軍並將 戰益急 恐不能與 (戰)王又不肯降" 陰 唊 路人皆亡降漢. 路人道死. 元封三年夏 尼谿相叅乃使人殺朝鮮王右渠來降. 王險城未下 故右渠之大臣成巳 又反 復攻吏. 左將軍使右渠子長降 相路人之子最告諭其民 誅成巳 以故遂定朝鮮 為四郡. 封叅為漼清侯 陰為荻苴侯 唊為平州侯 長[降]為幾侯. 最以父死頗有功 為溫陽侯』 ※ 조선왕(우거)의 아들 '長降', 각(降)

앗다』

  위의 내용은 조선(마한)이 마지막으로 망하는 상황이다. 조선의 대신들이 한에 항복하기로 하고 이계의 재상 삼이 우거왕을 죽인 후 한에 투항하였는데 대신 成已(성이)가 이에 반발하자 그도 역시 살해당하여 조선은 예왕 남려가 이끌던 예맥이 한의 세력권으로 넘어간 20년 후인 BC108년에 망한 것이다. 한이 조선과의 전쟁에서 군사적으로 이긴 것이 아니고 내부분열로 망한 것이다.

  처음 한이 조선을 공격할 때 누선장군 양복은 산동의 제에서 수군으로 발해를 건너고, 좌장군 순체는 5만 병력으로 요동(북경)에서 진격했다고 한다[遣樓船將軍楊僕從斉浮渤海 兵五萬人 左將軍荀彘出遼東]. 이러한 작전은 발해만을 끼고 있는 창해지역의 예맥을 회유하여 세력권에 끌어들이기 전에는 불가능했다는 뜻이다.

지도73. 실사상의 조한전

조선의 대신들이 왜 왕을 죽이고 한의 세력권에 편입되기를 원했을까?

조선왕 우거의 조부인 위만은 燕人(연인)이었고 조선의 대신들은 馬韓人(마한인)이었기 때문일 것이다. 위만이 조선을 차지할 때도 조선(마한)의 준왕을 배신한 것이었다. 전국시대 연이 조선의 일부를 병합하기 전에 하북성 중북부에는 낙랑(요서군 중서부)과 진한(우북평군), 마한(요동·낙랑군), 마한의 북에 고리, 천진 남방이자 황하 하류 북방에 예맥(요서군동부)이 있었다. 고로 연인출신 王家를 좋아하지 않았을 것으로 짐작된다. 추측컨대 이들 조선의 대신들 생각은 연인 위만의 왕가가 한과 대립하면 결국은 전쟁이 계속될 것이고 나라가 망하지 않더라도 지속적으로 피폐해질 것이므로 왕실을 폐하고 한과 화친하여 그 세력권에 편입되는 것이 안전하다는 계산이 아니었나 추측된다. 예왕 남려의 경우와 같은 성격이다.

이런 사정들을 보면 진개 동정후에도 연·진·한과 조선의 경계가 패수(천진)였다는 것은 실사가 아닌 것이다. 요동(북경)과 창해(천진~황하하류) 지역은 창해군 설치 이전에는 연·진·한의 땅이 아니었기 때문이다. 전한의 발해군도 남려의 예가 한에 편입된 이후인 것이다. 그 당시 예왕이 거느린 28만이란 인구는 작은 규모가 아니며 군현 중에서도 작지 않은 것이다.

여기서 간과해서는 안 될 것이 원래 하북성 북부가 거의 전부 예맥고지라고 해도 과언이 아닐 정도로 예맥인들이 광범위하게 퍼져 있었고 그 중에는 남려의 경우처럼 정치경제공동체를 이룬 경우도 있고 이리저리 흩어져 다른 공동체에 속한 경우도 많았던 것이다. 예컨대 후대에 고구려도 난하(압록수) 중류 동편 동예에서 건국하였는데 낙랑군 영동칠현 중 화려(졸본)와 불이(국내)가 동예였다. 또 적봉의 북쪽 임서와 파림우기, 파림좌기 등지의 부여고지에서 2세기초에 물길(흑수말갈·숙신)에 밀려난 부여(위구태)도 서남방으로 이동하여 북경 동북의 현도군 인근으로 이주하여 예성에 거하며 예왕인이 있다 하였다. 북경 북의 진한 역시 그 건국지 포구가 예맥고지였으므로 [삼국사기] 남해왕 16년기에 북명인(석탈해)이 예왕인을 바쳤다 할 정도였다는 것이다. 이것은 위구태의 부여에 예왕인이 있었다는 기록과 같은 의미를 가지는 것이다. 석탈해는 가공인물이기는 하지만 [삼국사기]에서 예족대표로 설정된 인물인데 [삼국유사]에서 용성국 출신이라고 하였다. 용성은 흉노가 매년 천제를 지내던 융적지의 어떤 지명이기도 하지만, 선비 모용씨들이 선대의 선비정(융적지)을 떠나 북경 남쪽 요서로 이주하여 이룬 전·후·북연의 수도 용성(유성·영주)이기도 하여 석탈해가 이끌고 진한에 귀복한 집단은 남려가 이끌던 예맥인의 후임을 알려주고 있는 것이다. 유성(대성)은 남려의 예맥지에 포함되는 지역이었다(지도57,71).

[통전] 주군전 古기주 유성군조[103] 『영주는 유성현을 치소로 하는데 은대에는 고죽국의 땅이었고 한대에는 도하현이 군성 동쪽 190리에 있었다. 극성은 전욱의 고허인데 군성 동남 170리에 있다. 춘추시대에는 땅이 산융에 속했다. 전국시대에는 연에 속했고 진이 천하를 아울렀을 때 요서군에 속했다. 두 한과 진은 모두 물려받았다. 모용황이 유성의 북, 용산의 남쪽을 소위 복덕지라 하여 궁묘를 조성하고 유성을 용성으로 고치고 마침내 도읍을 용성으로 옮기고 새 궁을 화룡궁이라 불렀다』

여기서 보면 <영주(전한 요서군 유성현)가 은대에는 고죽국이었고 춘추시대에는 산융의 땅이었다....창려 극성은 전욱의 고허였다>고 증언하고 있다는 점이다. 춘추시대 산융은 하북성 북부의 산지에 주로 거하던 예맥인 것이다. [삼국유사]에서 예인인 석탈해(북명인)의 출신지를 용성국이라 한 기록은 정확한 것이다.

한에 귀복한 예왕 남려는 BC128년이며 [삼국유사] 기이2 가락국기조에 석탈해는 44년에 진한에 귀복하여 남려와는 약 170년 정도의 시차가 있지만 where가 동일하다. 또한 [사기] 조세가 무령왕 19년기(BC308)의 동호(예맥)와 예왕 남려 역시 180년의 시차가 난다. 즉 전국시대 「(趙)東有胡」가 180년이 흐른 후에도 그 지역에 그대로 있다가 「예군남려와 28만인」으로 기록에 다시 등장한 것으로 보지 않을 수 없는 것이다. 그 전에는 타국이므로 기록에 오르지 않았을 것이다.

▶ 춘추시대 산동을 근거로 한 齊(제)의 桓公(환공;BC685~643)이, 연을 침공한 산융을 쳤다 했는데 이 산융이 예왕 남려의 선으

---

103) [통전] 주군전 古기주 유성군조 『營州今理柳城縣 殷時為孤竹國地 漢徒河縣之青山 在郡城東百九十里 棘城即顓頊之墟 在郡城東南一百七十里 春秋時 地屬山戎 戰國時屬燕 秦并天下 屬遼西郡 二漢及晉皆因之 慕容皝以柳城之北 龍山之南 所謂福德之地也 乃營制宮廟 改柳城為龍城 遂遷都龍城 號新宮曰和龍宮』

로 추정된다. 예맥은 이때부터 이미 하북성 중부로 남하했던 것으로 보인다. 연이 그 전부터 하북성 중북부에 있었던 것처럼 되어 있기 때문이다.

시차 대략 250년 정도

▶ BC4세기말 조나라의 동(천진 서남방 유성을 포함한 발해만서안의 창해지역)에 거했던 호는 산융(예맥)의 후예이자 남려의 선이다. [통전] 주군전 유성군조에도 이 지역을 춘추시대에는 산융지라 했는데 후대 2세기에 이곳으로 들어오기 시작한 선비족으로 who를 치환하여 기술함으로써 한인조상들의 기록을 증발시킨 것이다. 전국시대 조의 동에 있던 호를 두고 역사개작세력이 복건의 이름을 빌려 선비의 선이라 했지만 사실은 산융의 후예인 예맥이었다.

시차 180년

▶ BC128년 예왕 남려와 28만 인이 창해(발해)지역에서 한의 세력권으로 들어갔다.

시차 170여 년

▶ 서기 44년 석탈해가 예족(신화에서 노비)을 이끌고 진한에 귀복했는데 [삼국유사]에 용성국 출신이라 하였다. 용성은 전한 요서군 유성이고 진한은 당시 북경 북 포구에 있었다.

이 네 사건은 시대[when]만 다를 뿐 지역[where]이 같거나 인접지역이고 인적 성분[who]도 예맥인으로 같은 것이다.

예맥은 하북성 북부 연산산지에 주로 거하던 춘추시대의 산융에 해당하고 이들이 남으로 많이 내려왔을 때는 하북성 중부 황하 하류까지 왔었다. 산융은, 유목을 하던 내몽고의 흉노 중 좌방(동방)과 하북성 서북부(요수상류)에서 접하고 있었다. 하북성 중서부 영수를 수도로 하던 중산국도 北狄(북적)의 일파로 白狄(백적)이라 한다. 전국시대만 해도 하북성 중북부는 조선이었다.

이런 사실들을 보면 자연스럽게 아래와 같은 추론을 하지 않을 수 없는 것이다.

▶ 진시황이 BC3세기 초에 난하 하류 동편 창려 갈석산에 왔다는 것은 허무맹랑한 허위기록이다.

▶ "조선은 반도서북부에 있었고 한무제의 수륙군이 평안도까지 와서 전쟁을 벌였다"는 한일양국 사학계의 통설은 where가 전적으로 틀린 것이다,

2) 고리국

[후한서] 구려전[40] 『구려는 일명 맥이라 한다. 별종이 있는데 소수에 의지하여 거하기 때문에 소수맥이라 한다. 좋은 활이 나는데 소위 맥궁이 그것이다[1]. [1] '위씨춘추'에 요동군 서안평현의 북으로 소수가 있어 남으로 흘러 바다로 들어간다. 구려 별종인데 그로 해서 소수맥이라 한다』

또 같은 내용이 [삼국지] 고구려전[21]에도 실려 있는데 동이전에서 句驪(구려)라고 기술된 이들은 [요사] 지리지에는 槁離國(고리국)으로도 불리고 있다. 부족은 貊(맥)의 일파로서 요동 서안평의 북을 흐르는 소수일대에 거한다 하여 小水貊(소수맥)이라 불렸다 한다. 이들이 바로 [삼국사기] (신라) 유리왕 17년기(40년)에

(동예의) 華麗(화려)와 不耐(불내)가 초기신라를 공격할 때 도와주었던 貊國(맥국)인 것이다(지도4,68).

3) 동예(한사군 참조)

5. 옥저(한사군 참조)

지금의 요서지역 전역이 옥저고지인데 남·북옥저는 지역명이고 북옥저는 동예의 동북으로 적봉이남, 남옥저는 난하 하류 동편이다. '동옥저'라는 이름은 옥저의 동부라는 의미가 아니고 대륙세력과 직접 접촉이 가능한 동이계 국가중 가장 동쪽에 있는 나라라는 의미로 보인다(동북만주의 읍루 제외. 동만주의 동부여는 기록에 오르지 않았음).

6. 마한

[사기]나 [한서]의 '조선'이 곧 '(준·위만의)마한'이다.

7. 진한

진한은 북경 북 鮑丘(포구)에 있었다. [삼국유사]의 신라건국신화 중 하나인 '선도성모수희불사'에 <연산에서 건국하여 300년 존속했다>고 되어 있는데 그 위치는 흑하와 조하로 둘러싸인 전복 같은 모양의 포구였다. 경북 경주의 鮑石祠(포석사)라는 제사터 이름의 '鮑'자도 '鮑丘'에서 비롯된 것이다. 포석사의 포석은 신라 초기 국토 모양을 본떠 만든 제사터였다. 연산의 포구는 [삼국유

사]의 '석탈해신화'에서는 예족 출신인 석탈해의 선조가 살던 집터
로 꾸며져 있어 연산이 원래 예지였음을 알 수 있다. 이것은 다시
2세기에 북부여고지로부터 요동지역으로 이주한 위구태부여가 현
도군 북(진한의 동)에 있었는데 역시 그곳이 예지였다고 하는 것
으로 확인된다.

진한은 최초 북경 서쪽 탁수일대에 있었는데 연 진개 동정시 연
에 편입돼 있다가 진이 연을 치는 전쟁[秦役:진역]에서 연왕 喜
(희)를 따라 요동(북경)으로 갔다가 다시 희왕이 진에 잡혀가고 연
이 최후로 망할 때 북경 북 포구로 갔던 것으로 추정된다.

1) 탁수진한

진한인의 선주지는 탁수일대

[삼국유사] 기이1 진한조[104]에 『辰韓[秦韓이라고도 쓴다] '후한
서'에 이르기를, "진한의 노인이 스스로 말하기를 '진의 망명인이
한국으로 오자 마한이 동쪽땅을 베어주었다. 서로 부르기를 '徒
(도)'라 하고 말이 秦語와 비슷했다. 고로 혹 '秦韓'이라고도 한다'
하고, 열두 나라가 있는데 각 만 호 정도 되고 '國'을 칭했다"고
한다. 또 최치원이 이르기를 "진한은 본래 연인이 피란한 곳이다.
고로 사는 곳의 읍리를 일러 사탁, 점탁 등으로 불렀다[신라방언
으로 '涿'음을 '道'로 읽는다. 고로 지금은 혹 '沙梁'이라 쓰고
'道'로도 읽는다]"』

[삼국사기] 신라본기에는 「조선유민[朝鮮遺民]」이니 「중국인이

---

104) [삼국유사] 기이1 진한조 『辰韓[亦作秦韓] 後漢書云 辰韓者老自言 秦之
　　　亡人 來適韓國 而馬韓割東界地以與之 相呼爲徒 有似秦語 故或名之爲
　　　秦韓 有十二小國 各萬戶 稱國 又崔致遠云 辰韓本燕人避之者 故取涿水
　　　之名 稱所居之邑里 云沙涿 漸涿等[羅人方言 讀涿音爲道 故 今或作沙
　　　梁 亦讀道]』

진란에 시달려 동쪽으로 오는 사람들이 많았다[中國之人 苦秦亂 東來者衆]」등의 내용 외에 선주지에 대한 기록은 보이지 않는다. 그런데 [삼국유사]에는 진한인의 선주지에 대해 최치원의 증언을 남겨주고 있다.

진한인들은 탁수 일대에서 오랜 기간 정주하던 중 진의 통일에 즈음하여 전란을 피해 동으로 이주한 집단이라 한다. 이 진한은 고조선의 일부였으며 바로 이들 진한의 인근 서쪽에 燕(연)이 있었다. 전국시대 초기에 연은 처음 산서성 동북부와 하북성 서북부 일부를 근거로 하다가 진개 동정후 조선의 일부를 병합하여 강역이 크게 확장된 것으로 되어 있다.

이 경우 진한인의 선주지를 알려면 최치원의 증언을 따라 탁수를 찾아야 하는데 淸代의 [대청광여도]에는 북경 순천부 서쪽 탁록에서 발원하여 동남으로 흘러 거마하와 합류하는 강을 탁수라고 바로 표기하고 있다(지도72-1). 또 탁수에서 북으로 보면 김씨집단이 진한으로 흘러들기 직전의 선주지 雞鳴(계명)이 보인다(지도 31).

탁수를 현대지도에서 보면 북경시 서쪽인데 소오대산의 북에서 발원하는 것 같다.

지도74. 현대의 탁수

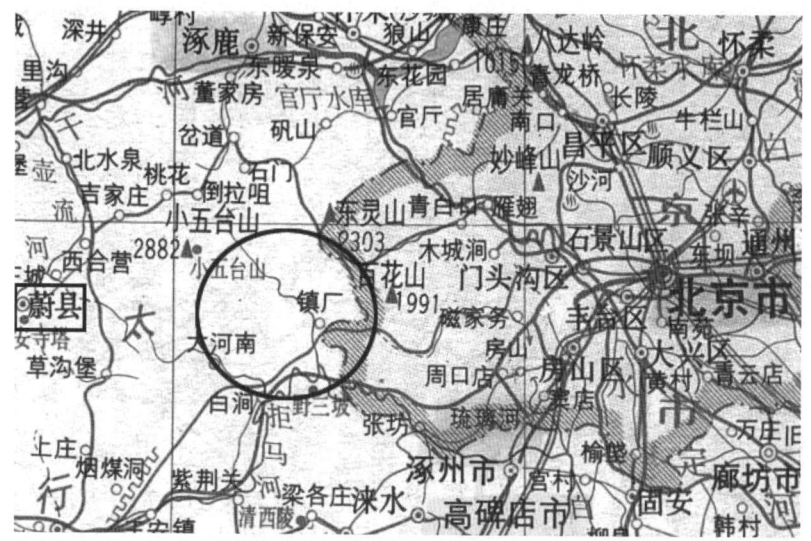

※ 탁수의 서쪽에 울주(울현)가 있는데 경주의 서남에 있는 울주라는 지명이 우연히 생겨난 것일까?

탁수와 관련한 기록을 찾아보면, [한서] 지리지의 탁군은 대체로 북경 남쪽인데 탁현에 桃水(도수)와 淶水(내수)가 있고 주에서 應劭(응소)는 탁수가 상곡군 탁록현에서 나온다고 한다. [수경주] 권12 성수조에는 「聖水自涿縣東與桃水合 水首受淶水」라는 구절이 있는데 [한서] 지리지 탁군 탁현의 내용[涿 桃水(受首)[首受]淶水]과 같다. 또 성수조에는 桃水(도수)를 탁수의 별칭이라 하였다[世以爲涿水 又亦謂之桃水].

[삼국유사] 기이1 진한조[104] 주의 내용[羅人方言 讀涿音爲道 故 今或作沙梁 亦讀道]과 [수경주] 권12 성수조 내용이 같아 보인다. '涿(탁)'을 각각 '道'와 '桃'로 읽었다는 것인데 道(도)와 桃(도)는 현대한어에서 음가가 같다.

알려진 진한인의 최초 선주지는 지금의 북경시 서쪽 바로 바깥에 해당된다. 진한은 탁수일대에서 선주하다가 연의 진개 동진 이

후 연에 편입되고, 연이 망할 때 요동(북경)으로 이주하였다가 다시 북경 북 포구일대로 이주하였다.

2) 포구 정착과 건국

진한인의 선주지는 요동

다시 [삼국유사] 진한조에 기술되어 있는 최치원의 또 하나의 증언을 [사기]의 전국시대 기록과 잘 대조해보면 진한인들의 선주지가 요동이라는 것을 알 수 있게 되어 있다. 탁수 일대는 영정하의 서쪽이므로 요동이 아니고 실사상의 전한 우북평군지에 해당된다. 그러면 우북평의 탁수 일대에서 요동으로 이주한 것으로 보아야 하는데 그 과정은 다음과 같다.

[삼국유사] 진한조 기사는 [후한서] 한전 진한조를 인용한 것이다.

[후한서] 한전 진한조[105]『진한은 그 노인들이 스스로 이르기를 "진의 망명인이 고역을 피해 한국에 오자 마한이 동계지를 베어주었다"고 한다. 그들은 '國(국)'을 '邦(방)', '弓(궁)'을 '弧(호)', '賊(적)'을 '寇(구)', '行酒(행주)'를 '行觴(행상)'이라 하고 서로 부르기를 '徒(도)'라 하며 말이 진어와 비슷하므로 혹 秦韓이라고도 한다』

여기서 최초 진한인들은 진의 망명인이라 하고 말이 진어와 비슷했다는데 이들이 秦人(진인)인지 아니면 진의 인근에 있다가 진의 고역을 피했다는 것인지 알 수 없다. 고역이란 것을 흔히 진의 가혹한 장성부역으로 보는데 진의 장성은 [사기] 흉노전에 의하면 소왕

---

105) [후한서] 한전 진한조『辰韓 耆老自言秦之亡人 避苦役 適韓國 馬韓割 東界地與之 其名國為邦 弓為弧 賊為寇 行酒為行觴 相呼為徒 有似秦語 故或名之為秦韓』

시와 시황시 두 차례에 걸쳐 쌓은 것으로 되어 있다. 두 시기 중 소 왕시인 기원전 四末三初에 진한인들의 선주지로 알려진 북경 서쪽 탁수 일대는 고조선의 영역이었고 진한은 늦어도 이 시기에 이 지역 으로 이주한 것이 아닌가 생각된다. 이 시기는 진개의 동정 직전으 로 보이고 이때 장성부역을 피한 진의 망명인이 고조선의 영역인 탁 수일대로 이주했다고 볼 수도 있을 것이다. 아니면 원래 우북평지역 의 선주집단인 북융 무종자국의 후예일 수도 있을 것이다.

연인의 피란

그런데 최치원은 「진한은 본래 연인들이 피란한 곳이다[辰韓本 燕人避之者]」 하였다. 이 말은 연인들이 피란한 곳에 있던 진한과 그 후 언젠가 다른 지역에 진한이 있었다는 것을 의미하고 있다. '연인의 피란'이라는 것은 〈어떤 전쟁에서 연인들이 피란한 적이 있 다〉는 뜻인데 기록에 선명히 드러나 있는 사건으로 전국시대 말기 진이 통일전쟁에 나섰을 때 연을 친 전쟁으로 보아야할 것이다. 이 사건 외에 연인들이 대거 피란한 사건은 찾아보기 어렵다.

연왕 희와 요동

전국시대 말기에 진이 6국을 차례로 멸하는 가운데 막바지에 연을 쳐서 멸하는 사건을 보면 BC226년에 연의 수도 계성이 함락 되자 연왕 희가 요동으로 도망을 갔다고 한다.

[사기] 연소공세가 희왕(BC255~222) 29년기에 「29년(BC226) 진이 계성을 쳐서 함락시켰다. 연왕은 도망하여 요동으로 옮겨 거 하며 단을 참수하여 진에 바쳤다[二十九年 秦攻拔我薊 燕王亡 徙 居遼東 斬丹以獻秦]」고 하고 33년기에는 「33년(BC222) 진이 요동 을 함락시키고 연왕 희를 사로잡아 마침내 연을 멸했다[三十三年

秦拔遼東 虜燕王喜 卒滅燕]」고 했다.

　　古요수는 今영정하이므로 원래 연은 수도가 요서인 지금의 북경 남쪽 탁주 계성이었다. 즉 요서에서 진에 패하여 요수 건너 요동으로 도망한 것이다. 그리고 다시 4년 후인 BC222년에 진군이 요동으로 가 희왕을 잡아 갔다 한다.

　　진이 연을 친 것은 연 태자 단이 자객 형가를 보내 진왕을 암살하려다 실패하자 진왕이 노하여 연을 치게 하였고, 열 달 만에 연도 계성이 떨어지자 연왕 희는 태자와 함께 요동으로 도망을 간 것이다. 진장 이신이 태자를 잡으려고 추격하자 태자는 衍水(연수) 중에 숨었는데, 진의 노여움을 풀려고 단의 목을 쳐 진에 바쳤다고 한다. 단이 숨었다던 연수가 今요동의 태자하라는데 원래의 요동이 북경이므로 지금의 북경 시내를 흐르는 강으로 보아야 한다. 今요동의 태자하라는 강이름은 북경에 있던 것을 옮겨 붙인 것이든지 아니면 진황도처럼 있지도 않았던 것을 위사구도에 따라 새로 지어 붙였을 것이다.

　　[사기] 진시황 21년기[106] 『21년(BC226) 왕분이 (계)[형]를 쳤다. 왕전군에 군사를 더 보내 마침내 연 태자의 군을 깨뜨려 연의 계성을 취하고 태자 단의 목을 얻었다. 연왕은 동으로 요동을 취하여 왕노릇을 했다. 왕전을 늙고 병든 것을 핑계로 직을 사임하고 귀향하였다』

▷ 「연왕은 동으로 요동을 취하여 왕노릇을 했다[燕王東收遼東而王之]」

▶ 「연왕이 동쪽으로 요동을 점령하고 그곳의 왕이 되었다[燕王東收遼東而王之]<사기본기/정범진외(역)/까치/1999/p157>」

---

106) [사기] 진시황 21년기 『二十一年 王賁攻(薊)[荊]. 乃益發卒詣王翦軍 遂破燕太子軍 取燕薊城 得太子丹之首. 燕王東收遼東而王之. 王翦謝病老歸』

위의 문장을 보면 당시 요동이 연지가 아니었음을 나타내고 있다. 연지가 아닌 요동을 취하여 거기서 왕을 했다는 뜻이기 때문이다. 그렇지 않고 그 전부터 요동이 연의 영지였다면 단순히 "요동으로 피했다(물러났다)"고만 하였을 것이다. 요동이 원래 연지였다면 「점령하고 왕이 되었다」는 말 자체가 성립되지 않는다.

[사기] 진시황 25년기에 「25년(BC222) 군사를 크게 일으켜 왕분에게 주고 연의 요동을 치게 하여 연왕 희를 사로잡아 돌아오는 길에 대를 쳐 대왕 가를 포로로 했다[二十五年 大興兵 使王賁將 攻燕遼東 得燕王喜 還攻代 虜代王嘉]」고 한다.

지도75. 연왕 희와 진한의 이동(요수=영정하)

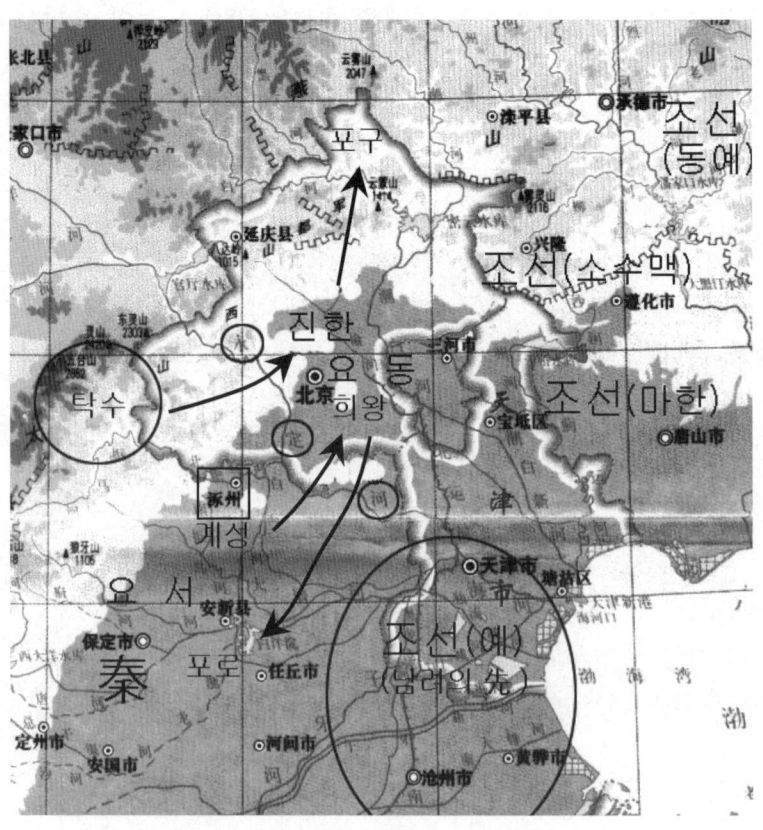

한중사서에 실린 한국고대사의 비밀

※ [삼국지]와 [삼국사기]에 의하면 진한은 낙랑·대방과 접촉 가능한 범위 내에 있어야 한다(지도4,9).

※ 북경 서남을 흐르는 永定河(영정하)가 보이는데 古요수이며 오른쪽의 薊運河(계운하)가 [수경주] 권14의 패수 하류에 해당되고 그 동으로 조선(마한)이 있었다. 이 패수의 동으로는 마한이 있어 연왕이 가고 싶어도 갈 수 없었다. 연왕은 요수(영정하) 건너 요동(북경)으로 도망간 것이다. 요동조차도 연지가 아니었던 것처럼 기술되어 있어 이것이 실사인 것이다.

※ 북경 북의 포구는 동쪽의 潮河(조하;포구수)와 그 서쪽 장성 바깥의 黑河(흑하)가 만들고 있는 전복처럼 생긴 땅이다.

※ 진한인들이 BC57에 국가체제를 갖춘 곳이 바로 여기 연산의 포구였다. 사서기록들을 몇 가지 조합하여 보면 이 지역에 진한이 460년 정도 있었던 것으로 나타난다. BC222에 이곳으로 이동하여 거하다가 BC57년에 국가체제를 갖추고도 무려 3세기 동안 유지하였고, [삼국지] 한전에 낙랑·대방 두 군에 의해 조위 경초중(238)에 망했다고 되어 있다. 그 후 반도에 정착하는 것은 [삼국사기] 기림기에 암시적으로 집중기술되어 있다. [사기]와 [삼국지], [삼국사기], [삼국유사] 등 4종의 사서기록을 연결하여 해석해보면 다 알 수 있게 되어 있다.

※ 조하를 끼고 있는 도시가 하나 있는데 雲霧山(운무산;2047m)의 서북으로 보이는 豊寧(풍녕)이다. 이 풍녕이 기원전부터 내려오는 유서 깊은 도시라면 포구진한의 수도 금성일 가능성이 있다. 지금의 경북 경주는 12세기 무렵에 이름이 반도로 옮겨진 것이고 원래는 천진 동북 당산 인근의 지명이며 금성과는 다른 곳이다.

이것은 전국시대에 연의 진개가 조선을 동으로 천여 리 밀어냈다고 한 지 60년쯤 지난 뒤의 상황인데 [삼국유사] 진한조에서 최치원이 말한 연인의 피란을 초래한 원인이 된 전쟁은 BC226년 진군이 열 달 만에 연도 계성을 함락시킨 전역을 가리키고 그 결과 "연왕 희가 요동으로 도망을 갔다"고 한 사건이다.

바로 이 사건을 두고 최치원은 "진한은 본래 연인들이 피란한 곳"이라는 증언을 남겨놓은 것이다. 연왕 희는 요동으로 피란을 갔다 하였다. 고로 최치원의 말을 빌리면 진한은 요동에 있었다는 뜻이 되는 것이다. 그 요동은 협의로는 요동군(북경)이고 광의로는 바로 지금의 영정하(요수)와 난하(압록수) 사이의 영역인 것이다.

진한이 요동에 있었다 하였는데 그 전에는 어디에 있었나? 그곳이 [삼국유사] 진한조 최치원의 전언에 있다시피 탁수일대로서 지금의 북경시 서쪽이다.

이것을 보면 진한인들도 진이 연을 공격하여 연의 잔존세력이 요동으로 도망갈 때 같이 요동으로 건너갔던 것으로 보이는데 [삼국유사]에는 진한인들이 연을 따라 이주했다는 기록이 암호문으로 실려 있다.

진한인들은 연 진개의 동정 후에도 그대로 탁수 일대에서 연의 일부로 있다가, 다시 진이 연을 쳐 무너뜨린 BC226년에 연인들과 함께 요동으로 이주했다는 뜻이다.

그 후 BC222년에 진군이 요동에 있던 연왕 희를 잡아가면서 연은 완전히 망했고, 다시 세월이 흘러 BC57년에는 진한이 바로 이곳 2차이주지인 요동지역에서 국가체제를 갖추고 건국을 했다는 사실이 [삼국유사]에 신라건국신화의 하나인 선도성모신화로 꾸며져 있는 것이다.

진한이 요동의 예맥고지인 연산 포구에서 건국했다는 기록은 [삼국유사]에 남아 있고, 이 사실을 뒷받침하는 기록이 [삼국사기] 신라본기와 [삼국지] 한전 등에 여러 가지 다양한 내용으로 실려 있으며, 진한인의 선주지가 요동 포구였다는 사실을 뒷받침하는 유적이 바로 경북 경주의 포석사인 것이다.

또 연왕 희가 요동으로 피란할 때 북경(요동군)으로 갔다가, 희가 포로가 될 때 다시 그 북쪽의 포구로 갔는지 아니면 탁수에서 포구로 바로 이주한 것인지는 정확히는 알 수 없다. 탁수 일대에서 요동지역으로 이주한 것은 연왕 희의 피란과 같은 BC226년으로 추정된다.

진한이 요동의 연산 포구에 있었다는 것은, [삼국사기] 혁거세기와 남해기에 천진~난하의 전한 낙랑군과 여러 차례 접촉을 하고 있고 건국 후 1세기 정도 지나 44년에 이 근방의 예인들까지 흡수한 것으로 충분히 뒷받침된다(북명인과 석탈해).

진한은 북경 북 포구에서 적어도 BC222년부터 238년까지 460년간 거했다. 국가체제를 갖추고도 295년간 있었던 것이다. [삼국지] 한전에 의하면 진한은 조위 명제 경초중(237~239) 낙랑·대방 두 군과의 전쟁에 져서 망했는데 이 시기는 위의 사마의가 요동의 공손연을 쳐서 멸한 경초2년(238)과 같다.

진한이 경주로 이주하는 경로와 과정은 사료에 전혀 나타나지 않으나, 정착하는 것은 [삼국사기] 기림기에 암시적으로 기술돼 있는데 기림기에는 경주에 정착하는 내용만 집중적으로 실려 있다.

포구로 이주하기 전에 탁수일대에서도 오래도록 거했을 것이므로 진한은 북경 근방에서 무려 520년 이상을 있었다는 뜻이다. 경상방언이 북경보통어와 특징적인 발음이 같고 유전자검사(2004년/단국대 김욱 교수)에서도 북경 漢族(한족)이 韓人(한인)들과 아주 가까운 것으로 나왔다. 하북성 중북부는 기원전 4말3초까지도 고조선이었으므로 북경 漢族이 아니라 韓族인 것이다.

신라는 요동 연산에서 건국

선도성모신화

[삼국사기]와 [삼국유사]에 신라시조 혁거세를 낳았다 하는 선도성모(동신성모·서술성모)는 신라의 국토신(지기)을 의인화한 인물인데 중국제실의 딸이라 하였다. 이것은 12,13세기 고려인들의 기록이므로 당시의 고려땅이 아닌 대륙에서 신라가 건국했다는 것을 알려주는 것이다. 다만 신화설화작법을 이용하여 알아보기 어렵게 해놓았을 뿐이다. 고려인들은 신라가 대륙에서 건국했다는

것을 알고 있었다는 뜻이고, 그러면서도 이런 식으로 숨겨 기술해 놓은 것이다.

신라 건국지

그러면 선도성모로 표현된 신라의 건국지는 실사상 중국땅 어디인지 찾아보아야 할 것이다. 이것은 여러 가지 스타일로 다양하게 표현되어 있는데 [삼국유사] 진한조에는 「진한은 본래 연인이 피란한 곳[辰韓本燕人避之者]」이라 하였다. 통상 하북성 중북부를 燕地(연지)라고 부르고 있다.

그런데 초기신라의 강역이 연나라가 있던 곳임을 알려주는 것으로, [삼국유사] 감통제7 선도성모수희불사조에는 다음과 같이 나온다.

선도성모수희불사107) 『진평왕세에 비구니가 있어 이름을 지혜

---

107) [삼국유사] 감통제7 仙桃聖母隨喜佛事『眞平王朝 有比丘尼 名智惠 多賢行 住安興寺 擬新修佛殿而力未也 夢一女仙 風儀婥約 珠翠飾鬟 來慰曰 "我是仙桃山神母也 喜汝欲修佛殿 願施金十斤以助之 宜取金於予座下 粧點主尊三像 壁上繪五十三佛 六類聖衆 及諸天神 五岳神君[羅時五岳 謂東吐含山 南智異山 西雞龍 北太伯 中父岳 亦云公山也] 每春秋二季之十日 叢會善男善女 廣爲一切含靈 設占察法會 以爲恒規"[本朝屈弗池龍 託夢於帝 請於靈鷲山 長開藥師道場 平海途 其事亦同] 惠乃驚覺 率徒往神祠座下 堀得黃金一百六十兩 克就乃功 皆依神母所諭 其事唯存 而法事廢矣. 神母本中國帝室之女 名娑蘇 早得神仙之術 歸止海東 久而不還 父皇寄書繫鳶足云 隨鳶所止爲家 蘇得書放鳶 飛到此山而止 遂來宅爲地仙 故名西鳶山 神母久據玆山 鎮祐邦國 靈異甚多 有國已來 常爲三祀之一 秩在群望之上 第五十四景明王好使鷹 嘗登此放鷹而失之 禱於神母曰 若得鷹 當封爵 俄而鷹飛 來止机上 因封爵大王焉 其始到辰韓也 生聖子爲東國始君 蓋赫居閼英二聖之所自也 故稱雞龍鷄林白馬等 屬西故也 嘗使諸天仙織羅緋 染作朝衣 贈其夫 國人因此 始知神驗 又國史 史臣曰 軾政和中 嘗奉使入宋 詣佑神館 有一堂 設女仙像 館伴學士王黼曰 此是貴國之神 公知之乎 遂言曰 古有中國帝室之女 泛海抵辰韓 生子爲海東始祖 女爲地仙 長在仙桃山 此其像也 又大宋國使王襄到我朝 祭東神聖母 文女有娠賢肇邦之句 今能施金奉佛 爲含生 開香火

264 한중사서에 실린 한국고대사의 비밀

라 하였는데 어진 행실이 많았다. 안흥사에 있었는데 불전을 수리하려 했으나 힘이 미치지 못했다. 꿈에, 아름다운 모습에 구슬과 비취로 머리를 장식한 한 여선이 나타나 와서 위로하기를 "나는 선도산의 신모인데 네가 불전을 수리하려는 것을 기쁘게 생각하여 금 열 근을 시주하여 돕고자 하니 네가 앉은 자리 아래에 있는 금을 가져다 주존 3상을 장식하고 벽에는 53불과 6류성중 및 여러 천신, 오악신군[신라에는 5악이 있어 동 토함산, 남 지이산, 서 계룡, 북 태백, 중 부악 또는 공산이라 한다]을 그리고. 매년 봄과 가을 두 계절의 10일 간 선남선녀들을 모두 모아 일체함령을 위해 널리 점찰법회를 베푸는 것을 항규로 삼아라"고 하였다. [본조의 굴불지의 용이 제의 꿈에 나타나 영취산에 약사도량을 길이 열어 해로를 평안히 하라 하였는데 그 일도 같다]. 지혜는 놀라 깨어 무리를 데리고 신사 자리 아래 황금 160냥을 찾아 수리를 완성하였는데 모두 신모가 시킨 대로 한 것이다. 그 사적은 남아 있으나 법사는 폐지되었다』

이 이야기는 단순한 불사가 아니다. 고려인들이 신라사의 개략을 불사로 비유하여 알려주고 있는 것이다. 선도성모는 신라의 국토신이고, 비구니에게 일러주는 내용은 신라사의 개략을 말하는 것인데 신라왕실을 절로 비유한 것이다.

진한인은 연인과 함께 피란

진한인이, 전국시대 말기 진군에 패한 연인이 피란할 때 요동으로 같이 갔다는 기록이 있다. 그 내용은 참으로 교묘하게도 건국신화인 선도성모신화 제목 속에 들어 있다. 선도성모신화의 제목이 「선도성모가 희를 따라가 부처를 섬겼다[仙桃聖母隨喜佛事]」

作津梁 豈徒學長生 而囿於溟濛者哉 讚曰 來宅西鳶幾十霜 招呼帝子織霓裳 長生未必無生異 故謁金仙作玉皇』

고 하는데 「희를 따라갔다[隨喜]」고 하였다.

진한인들은 요동으로 이주

훔(희)가 누구인가? 바로 전국시대 연의 말왕인 희왕인 것이다. 희를 따라갔다는 것은, 연왕 희가 요동으로 도망갔다 하였으므로 진한인들도 연인들과 함께 요동으로 이주했다는 말이다. [삼국사기]에서는 절사되었으므로 일연국사는 이 사실을 직필할 수 없어서 신화로 꾸미면서 암호로 만들어 제목 속에 숨겨놓은 것이다.

진한은 요동에서 건국

선도성모(신라국토신)가 연왕 희를 따라가서 부처를 섬겼다[佛事]는 것은 <희왕이 간 곳에서 왕조를 열고 건국을 했다>는 비유인데 王業(왕업)을 불사로 비유한 것이다.

主尊三像

주존삼상은 박혁거세와 석탈해, 김미추 등의 상인데 신라에서 왕조를 이룬 세 씨족의 시조왕들을 주존불로 비유한 것이다.

五三佛

신라왕조에서 배출된 왕의 수는 모두 56왕인데 위의 주존삼상 세 인물을 제외한 나머지 53왕을 53불로 비유한 것이다.

六類聖衆

6류 성중은 신라의 건국세력인 6부인들을 비유한 것으로 보인다.

金十斤

금 열 근(160냥)은 신라왕조의 존속기간 약 천 년을 가리키는 것이다. 즉 왕조 100년을 황금 한 근으로 비유한 것이다.

其事唯存　而法事廢矣

이 신화를 만들 때인 고려시대에는 「그 사적은 남아 있으나 법사는 폐지되었다」고 하여 신라역사는 남아 있으나 왕조는 없어졌다는 뜻이다.

이런 내용을 바로 신라의 국토신(지기)이 베푼 것으로 꾸민 것은 지극히 자연스러운 비유가 아닐 수 없는 것이다.

위의 개략에 이어서 초기신라의 강역이 연나라가 있던 곳임을 알려주는 것으로 신화 후반부에 다음과 같이 기술되어 있다.

『신모는 본래 중국제실의 딸인데 이름이 娑蘇(사소)이다. 일찍이 신선의 술법을 배워 해동에 와 머물며 오랫동안 돌아가지 않았다. 부황이 편지를 솔개 발에 매달아 보내 말하기를 "솔개가 이르는 곳에 집을 지으라"고 하였다. 사소가 편지를 받고 솔개를 놓으니 날아와 이 산에 이르러 멈추었으므로 드디어 거기서 살다가 지선이 되었다. 고로 이름을 서연산이라 하였다. 신모는 오랫동안 이 산에 살면서 나라를 도와 영이함이 많았다. 나라가 세워진 뒤로 늘 三祀(삼사)의 하나로 삼았는데 그 차례도 여러 망제의 위에 두었다. 제54대 경명왕이 매사냥을 좋아하여 일찍이 이 산에 올라 매를 놓았다가 잃어버렸다. 신모에게 빌기를 "만약에 매를 찾게 되면 봉작하겠습니다" 하자 얼마 안 가 매가 날아와 책상 위에 와서 앉았으므로 이로 해서 대왕에 봉작하였다. 그가 처음에 진한에 이르러 성자를 낳아 동국의 시조가 되었는데 아마도 혁거·알영 두 성인의 출자일 것이다. 계룡·계림·백마 등으로 일컫는 까닭은 닭이 서방에 속하기 때문이다. 성모는 일찍이 諸天女(제천녀)에게 비단을 짜게 하고 붉은 빛깔로 물을 들여 조복을 만들어 남편에게 주었으므로 나라 사람들은 이로 해서 비로소 신의 영험을 알게 되었다. 또 국사에 사신이 이르기를 "軾(식)이 정화 연간에 일찍이 송에 사신으로 들어가 우신관에 갔더니 당이 하나 있어 여선상이 모셔져 있는데 송의 관반학사 왕보가 말하기를 '이는 귀국의 신인데 공은 그것을 아시오?' 라고 하고는 또 말하기를 '옛날에 중국제실의 딸이 있어 바다를 건너 진한에 도착하여 아들을 낳았는데 해동의 시조가 되었소. 그녀는 지선이 되어 선도산에 오래 머물렀는데 이것이 그 상이오' 라고 했다" 한다. 또 대송국 사신 왕양이 우리나라에 와서 동신성모를 제사지냈는데 제문에 "어진 이를 가져 나라를 처음 세웠다"는 구절이 있었다. 지금 성모가 금을 시주하여 부처를 받들고 중생을 위하여 불법을 열어 진량을 만들었으니 어찌 한갖 장생술만 배워 저 아득한 속에만 사로잡힐 뿐이랴! 찬하여 일렀다. "서연에 와 산 지 몇 십 년인가. 천선들을 불러 예상을 짰었네. 장생에도 영이함이 없지 않았는데 금선을 뵙고 옥황이 되었네"』

중국제실지녀

성모가 중국제실지녀라는 것은 [삼국사기] 경순기 말미의 史論 (사론)에도 宋人 왕보가 「帝室之女」라 하여 같은 내용임을 알 수 있는데 실사로는 <12~13세기 고려시대 기준으로 신라건국지가 중국땅의 일부였다>는 뜻이다. <당시 대륙인도 신라가 대륙에 있었다는 것을 인정했다>는 말이다.

연산에서 건국

여기서 선도성모가 정착한 곳을 두고 솔개[鳶;연]가 날아가 이 산에 이르러 멈추었다[飛到此山而止]고 했는데 이 내용은 [삼국유사] 기이1 진한조 최치원의 증언 「진한은 본래 연인이 피란한 곳이다[辰韓本燕人避之者]」라는 구절과 정확히 대응되는 것이다.

이 '솔개 鳶(연)'은 같은 조류로서 한어 음도 같은 '제비 燕(연)' 자를 알아보기 어렵게 바꾼 것이고, '날아가 이른[飛到;비도]'이 선후 관계로 보아 '後(후)'에 대응되는 것이다. 말하자면 선도성모신화에서 '鳶>燕'이 날아가 앉은 곳이 곧 진한조에서 연인이 피란한 곳을 달리 비유한 것이다. 의미가 정확히 일치하기 때문이다.

즉 「鳶飛到此山而止 > 鳶(연)이 날아가 이 산에 이르러 멈추었다」
＝「燕飛到此山而止 > 燕(연)이 날아가 이 산에 이르러 멈추었다」
＝「(辰韓本)燕人避之者 > (진한은 본래) 연인이 피란한 곳이다」

고로 燕이 날아가 앉은 산은 燕山이며 신라의 국토신인 선도성모가 정착한 선도산인 것이다. 그런데 연나라가 전시에 피란을 한 사건은 전국시대 말기 진이 6국을 차례로 멸하고 통일을 시도할 때 진이 연을 공격한 BC226년이고, 진군이 연군을 깨뜨리고 수도 계성을 함락시키자 이때 연왕 희는 요동으로 도망을 갔다 하였다. 이 요동은 지금의 북경이며 북경 북의 연산도 이 요동영역에 포함된다.

신라의 국토신인 선도성모가 '집을 짓는다'는 것은 '나라를 세운다'는 것을 비유한 것인데 where가 요동의 일부인 연산이라는 것이다. 연왕 희가 도망간 요동도 바로 이 요동이므로 [삼국유사] 진한조에 인용된 최치원의 증언은 [삼국유사]의 선도성모신화 및 [사기]의 연진기록과 내용이 일치한다. 고로 진한은 BC57년 요동 연산에서 국가체제를 갖추었다는 결론이 나오는 것이다.

이 선도산을 '西鳶山>西燕山'이라고도 하였는데 글자 뜻을 '옮길 산(西)'으로 보면 〈燕을 옮긴[西] 山〉으로도 풀 수 있다. 이 역시 燕의 영역을 가리키고, 지금의 북경 북쪽의 '燕山'에 바로 해당하는 것이다. '西'자는 '산'으로 읽을 때 '옮길 遷(천)'의 뜻이 있다.

실사상 전국시대 연은 요서(북경 남쪽)에서 패하여 요동(북경)으로 도주한 것이었다.

신라 건국지는 연산

초기신라(포구진한)의 강역이 연산에 있었다는 내용은 은유적이긴 하지만 [삼국유사]의 선도성모수희불사조에서 이렇게 여러 번 거듭 알려주고 있고, 이와 연결되는 기록이 [삼국사기] 남해 16년기 북명인 예왕인 헌납건이 있는데 예왕인이란 예의 통치권을 비유한 것으로 진한이 예지에서 건국했다는 뜻을 나타낸다. 또 탈해설화에서 탈해의 선주지가 용성국이라 한 것이다. 신라석씨는 음독 '예(濊)'를 훈독 '예[昔]'로 치환하여 설정한 것이다. 용성국은

前燕(전연)의 수도 용성에 출신국이라는 의미에서 '國'자만 더 붙인 것이다. 용성은 전한 요서군 유성현이며 이곳은 전한 무제 원삭원년(BC128)에 예왕 남려가 한에 귀복하여 창해군이 설치된 곳으로 유성은 예맥고지였다.

초기신라의 강역이 예맥고지라는 것은 탈해설화에서도 그대로 표현되어 있다. 석씨대표 탈해가 박씨대표 호공(박공)의 집을 빼앗을 때 「이 집은 우리 조상들이 살던 집이오[此是吾祖代家屋]」라고 했다. 이것이 곧 박씨신라가 건국한 곳이 예맥고지라는 뜻으로 해석되는 것이다. 예족대표가 박씨대표에게 자신들의 故地(고지)를 내놓으라고 하는 의미이기 때문이다. 물론 이 이야기 자체는 易姓(역성) 왕조교체 관련한 비유에 해당되는 것이다.

신라 건국지는 예맥고지

예맥고지는 [후한서]와 [삼국지] 예전을 보면 하북성 북부로 나타나는데, 단단대령의 서부(북경 북·동북)와 남부(난하 동편 동예), 발해만 서안(천진~황하하류)에 해당한다. 단단대령은 북경의 동북이자, 적봉의 서쪽에 대체로 서북에서 동남으로 비스듬히 뻗은 지금의 칠로도산이다(지도68).

예맥고지 중 북경 북은 산이 많은 산지인데 그렇다는 것이 [삼국사기] 혁거세전기에도 정확히 표현되어 있다. 「이에 앞서 조선의 유민들이 산곡간에 나누어 살며 6촌을 이루었다[先是 朝鮮遺民 分居山谷之間 爲六村]」고 했는데 이 '山谷之間'의 '山谷(산곡)'이 바로 오늘날의 '연산'인 것이다. 경북 경주는 평야지대이므로 산곡지간에 살았다고 표현할 수 없을 것이다.

초기신라 접촉세력

[삼국사기] 초기기록 중 신라본기 조분기까지 '낙랑·대방·동옥저·예·맥·백제(대방고지)·말갈·고구려'와 접촉한 기록은 포구진한의 기록이다. 이런 초기기록들은 북경 북에 초기신라, 천진 일대에 대방군, 대방의 동북에 낙랑군, 낙랑군의 북에 현도군(소수맥), 현도군의 북에 위구태부여, 현도군의 동쪽이자 낙랑군의 동북 난하 건너에 고구려를 놓고 보면 전부 무리없이 설명되지만, 今요동에서부터 반도로 놓고 기존의 학계 통설대로 해석하면 도무지 부합하지 않는다. 다만 초기신라 남쪽의 요동군과 동남쪽의 현도군과의 기록은 절사되었고, 동쪽에 있던 부여는 말갈로 기술되어 있다. 이것으로 알 수 있는 것은, [삼국사기] 초기기록은 하북성 동북부의 낙랑군을 중심한 그 일대에서 있었던 사건기록들이라는 것이다. 학계의 통설로는 초기신라와 낙랑, 대방, 말갈, 동옥저, 고구려 등과의 접촉이 설명이 안 될 것이다.

통일신라는 초기건국지를 수복했다

「제54대 경명왕이 매사냥을 좋아하여 일찍이 이 산에 올라 매를 놓았다가 잃어버렸다. 신모에게 빌기를 "만약에 매를 찾게 되면 봉작하겠습니다" 하자 얼마 안 가 매가 날아와 책상 위에 와서 앉으므로 이로 해서 대왕에 봉작하였다」

이 구절은 후기신라 강역이 북경까지였다는 것을 암시해주는 것이다. 후기신라 경명왕(917~923)이 선도산(연산·건국지)에 올라 매사냥을 했다는 것은 후기신라 강역이 초기신라 강역을 포함하고 있다는 뜻이다. 왜냐하면 남의 나라에 가서 사냥을 할 수는 없기 때문이다. 그것도 고려가 일어난 시기(918년)에 정확히 해당되는 왕을 들어 일화로 꾸며 후기신라의 강역이 북경까지였고 고려도 그것을 물려받았다는 단서를 슬쩍 흘려놓은 것이다.

이것은 [삼국사기] 지리2 신라 명주조108)에 「명주는 본래 고구려 하서량[일명하슬라]인데 후에 신라에 속했다. 가탐은 '고금군국지'에서 지금 신라의 북계는 명주인데 대개 예의 고국이다」라고 하였다. 명주 즉 예맥고지는 고구려의 하서량이라 하는데 신라가 통일전쟁을 벌이기 직전의 고구려 영토가 난하(압록수) 서쪽의 예맥고지를 포함한 요동(북경)까지였으므로 정확한 기록인 것이다. 그 땅이 후에 신라에 귀속되었다는 사실을 8세기의 당인 가탐도 거듭 확인해주고 있지 않은가.

여기 신라의 북계 명주를 반도사관에 따라 강원도 강릉일대로 본다면 그 전 진흥왕세에 확보한 함경남도는 언제 누구에게 빼앗겼다는 말일까?

이것으로 알 수 있는 것은 이뿐만이 아니다. <7세기 신라의 통일전쟁은 고토회복을 위해 벌인 전쟁이었다>는 것이다. 신라의 대당전 전장지명에는 포구진한의 수도 金城(금성)과 柳城(유성), 平壤(평양), 帶方(천진) 등이 나타나고 있다. 북경 일대에 대한 신라의 연고는 전국시대부터 조위시까지 최소 520년이 넘는다.

초기신라 존속기간

신화 맨 끝의 성모 찬가에 「서연산에 와서 산지 몇 십 년이던가....[來宅西鳶幾十霜....]」라고 하였다.

예맥고지에서 초기신라가 국가체제를 갖춘 후 존속한 기간은, BC57년부터 [삼국지] 한전의 「魏 (明帝) 景初中.....二郡遂滅韓」가

---

108) [삼국사기] 지리2 신라 명주조 『溟州 本高句麗河西良[一作何瑟羅] 後屬新羅. 賈耽 古今郡國志云 今新羅北界溟州 蓋濊之古國]』

지로 3백년(295년) 가까이 된다(景初:237~239). 신라의 국토신인 선도성모가 서연산에서 거한 '幾十霜(기십상)'은 하북성 북부에서의 진한사 '삼백년'을 십분의 일 정도로 축소비유한 것이다. 고대인의 신화설화구성기법 중에는 시간의 흐름을 1/10, 1/12, 1/100, 1/365로 축소비유한 경우가 흔히 있다.

신화의 대의

고대인의 천신지기사상을 바탕으로 신라의 국토신을 의인화하여 꾸민 선도성모신화에는 아래와 같은 대의가 담겨있다.

1) 신라의 세 성씨의 왕조와 그 왕들 재위수, 신라왕조 존속기간
2) 진한인들이 전국시대 말기 연인들과 함께 古요동(今북경)으로 피란한 사실
3) 진한이 하북성 북부 古요동의 연산 포구에서 건국하여 근 300년 유지한 사실
4) 통일신라는 초기건국지를 수복하여 고려에 물려주기까지 했다는 사실

위와 같은 내용을 실사로 직필하지 못하고 신화로 꾸며 알려주고 있는데 반은 숨기고 반만 알려주고 있다. 왜냐하면 12,13세기 고려인들은 신라가 물려준 영토의 상당부분을 상실했기 때문에 상실한 영토에서 있었던 역사는 직필할 수 없었던 것이다. 이럴 경우 상실한 영토에서 있었던 사건들은 신화설화로 변형하여 사서에 싣거나 아예 절사하는 것이다. 史書라는 것 자체가 이렇다는 것을 사학자나 신화학자들은 알아야 한다.

선도성모신화는 신라의 건국신화로서 [삼국유사]의 많은 신화와 설화 중에서 가장 중요한 신화에 해당되는데도 그 실사적인 의미가 학계에 전혀 알려져 있지 않다.

혁거세신화

[삼국유사] 기이1 신라시조혁거세왕조[109]에 『(전략)...이에 그들이 높은 곳에 올라 남녘을 바라보니 양산 밑 나정 옆에 번갯빛 같은 이상한 기운이 땅에 드리우고 백마가 한 필 무릎을 꿇고 절을 하는 모습을 하고 있었다. 그래서 찾아가 보았더니 자주색 알이 하나 있었다[청대란이라고도 한다]. 그런데 말은 사람을 보자 길게 울고는 하늘로 올라가버렸다. 알을 깨고 아이를 얻었는데 모습이 단정하고 아름다웠다. 놀라고 이상히 여겨 동천[동천사는 사뇌야 북에 있다]에서 씻겼더니 몸에서 광채가 나고 새와 짐승이 따라 춤을 추고 하늘과 땅이 울리고 해와 달이 청명해졌다. 그래서 이름을 혁거세[아마도 향언일 것이다. 혹은 弗矩內王(불구내왕)이라고도 하는데 밝게 세상을 다스린다는 말이다. 설자가 이르기를 "이는 서술성모가 난 일이다. 고로 중화인이 선도성모를 찬양하여 어진 이를 가져 나라를 처음 세웠다는 말이 있는 것이다"라고 하였다. 그리고 계룡이 상서로움을 나타내 알영을 낳기에 이르렀으니 또 어찌 서술성모의 현신이 아니라 할 수 있겠는가]라 하고 위

---

109) [삼국유사] 기이1 신라시조혁거세왕조 『(전략)...於是乘高南望 楊山下蘿井傍 異氣如電光垂地 有一白馬跪拜之狀 尋檢之 有一紫卵[一云靑大卵] 馬見人長嘶上天 剖其卵得童男 形儀端美 驚異之 浴於東泉[東泉寺在詞腦野北] 身生光彩 鳥獸率舞 天地振動 日月淸明 因名赫居世王[蓋鄕言也 或作弗矩內王 言光明理世也 說者云 是西述聖母之所誕生 故中華人讚仙桃聖母 有娠賢肇邦之語是也 乃至雞龍現瑞産閼英 又焉知非西述聖母之所現耶] 位號曰居瑟邯[或作居西干 初開口之時 自稱云 閼智居西干一起 因其稱之 自後爲王者之尊稱]...(중략)...國號徐羅伐 又徐伐[今俗訓京字云徐伐 以此故也] 或云斯羅 又斯盧 初王生於雞井 故 或云雞林國 以其雞龍現瑞也 一說 脫解王時 得金閼智 而雞鳴於林中 乃改國號爲雞林 後世遂定新羅之號...(후략)』

호를 거슬감이라 했다[혹은 거서간이라 한다. 처음 입을 열 때 자칭 "알지거서간이 비로소 일어났다"고 하여 그로 인해 부른 것인데 그 후로 王者의 존칭이 되었다]...(중략)...국호를 서라벌 또는 서벌[지금 속훈에 京(경)자를 徐伐(서벌)이라 하는 것은 이 때문이다]이라 하고 혹 사라 또는 사로라고도 했다. 처음 왕이 계정에서 태어났으므로 혹은 계림국이라고도 하는데 그 계룡이 상서로움을 나타냈기 때문이다. 일설에 "탈해왕세에 김알지를 얻었을 때 닭이 숲 속에서 울었으므로 국호를 바꾸어 계림으로 했다"고 한다. 후세에 신라라는 이름을 정했다고 한다....(후략)』

천신지기사상

「양산 아래 나정 옆에 번갯빛 같은 이상한 기운이 땅에 드리우고 백마가 한 필 무릎을 꿇고 절을 하는 모습을 하고 있었다. 그래서 찾아가 보았더니 자주색 알이 하나 있었다[청대란이라고도 한다]. 그런데 말은 사람을 보자 길게 울고는 하늘로 올라가버렸다」는 것은 음양사상에서 파생된 천신과 지기의 결합을 상징한 것이다.

이런 것이 비교적 사실적으로 표현된 경우가 [고사기] 응신기 천지일모설화에서 「한 천녀가 낮잠을 자는데 이때 무지개 같은 햇빛이 그녀의 음상을 가리키자[一賤女晝寢 於是 日耀如虹 指其陰上]」라고 하였다.

「天馬(천마)」는 천신의 사자로서 등장하고 「전광 같은 이기[異氣如電光]」는 천신의 精氣(정기)인데 천신은 日神(일신;태양신)이기 때문에 '빛줄기·빛기둥[光柱;광주]'인 것이다.

양산의 '버들 楊'은 속성이 수양버들 가지처럼 부드럽게 늘어진 流線型(유선형)을 연상시키고, 나정의 蘿(나)는 莪蘿(아라;쑥) 또는 蘿蔔(나복;무우) 등 여러 가지 뜻이 있는데 특이하게도 '女'자가 들어간 '여라(女蘿;소나무겨우살이)'라는 뜻도 있다. [삼국사기] 혁거세전기의 「양산기슭 나정 옆 숲 사이[楊山麓 蘿井傍林

間]」라는 구절과 조합하여 해석해보면 결국 〈둥그스럼한 산기슭 숲 사이 女蘿井(여라정)〉이란 의미가 되는데 이것은 여성의 陰部(음부)를 완곡하게 비유적으로 표현한 것이고, 陰(음)·陰氣(음기)를 상징하므로 곧 地祇(지기)를 의인화하여 여체의 일부로 묘사하고 있는 것이다. 이런 여음을 상징한 곳에 천신의 정령인 이기가 뻗쳐 드리운 것은 곧 천신(양)과 지기(음)의 결합이고 그 결과 '알(자란·청대란)'을 낳았다는 뜻이다. 우물이름에 풀이름인 '蘿(나)'자를 쓴 것도 우연이 아니고 자전에 있는 '女蘿'라는 字解(자해)를 넣어 '女蘿井'으로 이해하라는 뜻이다. 그러면 '女(蘿)井'이 되고 이 '女井'이 곧 '女陰'이기 때문이다. '楊'자는 곡선미 좋은 여체를 암시하고 있고 고구려의 경우도 이름을 '柳花(유화)'라 하여 역시 같은 의미로 볼 수 있는데 말하자면 美人이라는 뜻이다.

알은 왕국을 상징

고대인들은 건국(왕조수립)을, 우주의 음양의 이치에 따라 천신과 지기가 결합하여 알을 낳는 것으로 비유하였다. 인간의 존재를 좌우하는 우주에서 가장 중요한 천체인 태양과 지구를 신격화하여 각각 일신과 지신으로 보고 그 두 신이 결합하여 새로운 작은 우주를 만들었다고 본 것이 곧 알인 것이다. 즉 알은 천신지기가 만든 하나의 새로운 세계[소우주]로서 왕국인 것이다.

그렇게 낳은 알에서 나라를 처음 세운 건국시조가 태어나는 것으로 설정하여 만든 것이 건국신화라는 것이다. 즉 '(천신+지기>알)=왕조수립(건국)'의 구도로 표현한 것이므로 〈알=왕국, 알에서 난 아이=왕국의 시조〉라는 표현기법이다. 이때 '건국(왕조수립)'에는 필수요소가 세 가지가 있다. 그것이 〈건국(왕조수립)=치자(지배계급)+피치자(백성)+지배영역(국토)〉인 것이다. 이것은 <우주=태양(일신)+인류+지구(지신)>의 닮은꼴 축소판으로 <소우주(알)=왕국=(왕+백성+영토)인 것이다.

선도성모

신라건국신화의 선도성모(서술성모)는 지기를 의인화한 인물이지 실존인물이 아니다. [삼국유사] 선도성모수희불사조에는 바로 「仙桃山地仙(선도산지선)」이라고 표현하고 있고, [삼국사기] 경순기의 사론에도 동신성모와 선도산지선 이야기가 나온다.

나정은 지기를 의인화한 선도성모의 '陰(음)'을 상징하므로 실재하는 우물이 아니고 관념적인 것이다. 따라서 실재하는 우물이 있다면 이것은 후세인들이 만든 위작품이라는 뜻이다. 경주의 나정이라는 유적은 아마도 고려인들이 신라건국지를 상실한 이후에 건국지를 경주로 인식시키기 위해 만든 작품일 것이다. 천진 동쪽에 있던 경주라는 지명을 옮겨붙인 것도 같은 맥락이다.

여성은 영토

「덕 있는 여인을 찾아 군의 짝을 지워야 할 것이다[宜覓有德女君配之]」라는 것은 〈나라를 세우기에 적합하고 좋은 땅을 물색하여 통치영역을 확정짓고 통치권을 확립해야 할 것이다〉라는 의미를 비유한 것이다.

미혼여성은 신천지를 의인화한 것인데 미개척지를 개척, 정복하여 영역을 정하고 나라를 세우게 되면 통치권이 확립되고 이것을 통치권자가 여성을 취해 혼인하는 것으로 표현하는 기법이다. 왕비를 얻었다는 것은 통치영역확정을 의미한다.

시조가 나라를 세웠다는 것은 그가 다스리는 통치영역이 확정된다는 말과도 같다. 그것을 달리 표현하여 「이는 서술성모가 낳은 바이다[是西述聖母之所誕也]」라고 하고 있다. 이것을 달리 표현하여 「계룡이 상서를 나타내 알영을 낳기에 이른 것도 어찌 서술성모의 현신이 아니라 할 수 있겠는가[至鷄龍現瑞産閼英 又焉知非西述聖母之所現耶]」라고 하고 있다. 「계룡이 상서로움을 나타내 알영을 낳기에 이른」 것은 '통치영역을 확정했다'는 뜻인데 말을 바꾸어 「서술성모의 현신」이라고 했다. 즉 신격화된 국토신인 지기가 現身(현신)하였다는 것은 신이 인격화했다는 뜻이고 그 인격화한 인물이 알영인 것이다. 시조의 출현과 동시에 〈서술성모의 현신=알영의 탄생〉이 있었다는 뜻이다. 시조가 처음으로 나라를 세웠다[肇邦之]는 것은 '시조출현'과 그가 다스리는 '통치영역확정'이 동시에 이루어지는 것을 의미할 수밖에 없는 것이다.

알영은 의인화한 인물

따라서 알영은 실존인물이 아니고 영토를 의인화한 인물이다. 혁거세가 알영이란 여성으로 의인화된 영토와 혼인을 한다는 것은 영토통치권을 가진다는 의미로 정확히 해석된다. 그런 알영을 역시 신성한 방식으로 태어나게 한 것은, 천자가 하늘에서 내려와 지상을 다스리게 될 때 그에 합당한 통치영역을 주는 것으로 풀이할 수 있는 것이다. 말하자면 천신이 아들인 천자를 지상에 강림시키고 일정한 영역을 설정하여 그곳을 천자가 다스리는 것으로 규정함으로써 역시 통치권의 신성성을 극대화하게 되는 것이고, 그렇게 천신이 천자에게 내린 神土(신토)를 의인화하여 천자의 배필로 설정한 인물이 알영인 것이다.

양신인 천신에 대응되는 음신인 지기를 의인화한 인물이 '선도성모=서술성모'로 표현되고 이가 현신 즉 인격화하면 천자에 대응되는 배필이 되는 구도인 것이다.

「처음 왕이 계정에서 태어났다. 고로 혹 '계림국'이라고도 하는데 그 계룡이 상서로움을 나타냈기 때문이다[初王生於雞井 故或云雞林國 以其雞龍現瑞也]」라고 하고 있다. 계정은 계림 숲 속의 우물이므로 김알지에도 해당되겠지만 진한이 최초 요동 포구에서 국가체제를 갖춘 것과도 관련된다. 경주에서 개평까지 천리송림 또는 송막으로도 표현되는 울창한 소나무숲 별칭이 雞林(계림)이기 때문이다(그 중에서도 특히 포구의 서쪽 숲을 계림이라고 한 듯하다). [삼국사기] 탈해기의 알지설화에는 「金城西」라 하였고

[삼국유사]의 알지설화에는 「月城西里」라 하였다.

　신라왕조를 상징하는 우물이 셋 있는데 혁거세의 나정과 탈해의 遙乃井(요내정;遙井), 알지의 계정이다.

초기신라 멸망

　[삼국지] 한전[12]에는 포구진한이 낙랑·대방 두 군과의 전쟁에 져서 망했다는 기록이 있다.

　『환제.영제 말기에는 한과 예가 강성하여 군현이 제어하지 못하여 민이 한국으로 많이 흘러들어갔다. 건안중 공손강이 둔유현 이남 황지를 분할하여 대방군으로 삼고 공손모와 장창 등을 보내 유민을 수습하며 군사를 일으켜 한과 예를 치자 옛 백성들이 차츰 돌아오고 이후 왜와 한이 드디어 대방에 속하게 되었다. 경초중 명제가 대방태수 유흔과 낙랑태수 선우사를 몰래 보내 바다 건너 두 군을 평정했다....(중략)....부종사 오림은 낙랑이 본래 한국을 통치했다는 이유로 진한 8국을 분할하여 낙랑에 주려 하였는데 그때 통역관이 달리 옮기는 부분이 있어 신지와 한인들이 격분하여 대방군 기리영을 공격하였다. 이때 태수 궁준과 낙랑태수 유무가 군사를 일으켜 쳤는데 준은 전사하고 두 군을 마침내 한을 멸했다』

　여기서 한예가 강성했다는 것은 북경 북 포구에 있던 진한이 예를 흡수하고 점차 힘을 길러 영토가 크게 늘어난 것을 알려주고 있는 것이다.

　왜와 한이 대방에 속하게 되었다는 것은 정치적인 예속이 아니고 외교창구를 대방군으로 했다는 뜻이다. 그 전에는 창구가 낙랑군이었는데 낙랑군 남쪽에 항구(천진)가 있어서 남부를 분할하여 대방군을 설치하자 창구가 자연히 대방으로 바뀌게 된 것이다.

　명제가 두 군의 태수를 몰래 보내야 할 정도로 낙랑군 자체가 한예에 거의 넘어갔던 것이 아닐까 생각된다.

　여기 두 태수가 건넌 바다[越海]를 거의 모든 연구가들이 대방을 황해도로 보다보니 서해를 건넌 것으로 오인하고 있지만 이 바다는 지금의 발해만이고 남에서 북으로 건넜다는 뜻이다. 이 바다와 위군 진로는 [삼국사기] 대무신 27년기에 (고구려에 흡수된) 낙랑군을 친 광무제의 후한군과 같고[漢光武帝 遣兵渡海 伐樂浪]. 한무제시의 조한전에도 수군이 齊(제)에서 발진했다 하였다. 아마도 濟南(제남) 정도에서 발진하였을 것이다.

　진한 12국 중 8국을 분할하여 낙랑에 주려하자 진한인들이 격분하여 대방군을 쳤다는 뜻이다. 이에 대방과 낙랑 두 군이 합세하여 진한과 전쟁을 한 결과 대방태수가 전사할 정도로 치열했다는 뜻인데 결국은 진한을 멸했다는 것이다. 이것이 바로 포구진한이 망한 기록인 것이다. 국가체제를 갖춘 지 295년 만에 소멸된 것이다.

포구진한의 기록들

　이렇게 대륙에서 건국한 신라가 바로 [삼국지] 한전에 「(桓靈之末)韓濊彊盛」,「韓國」,「韓濊」,「倭韓」,「辰韓八國」,「二郡遂滅韓」 등으로 기록되어 있는 진한인 것이다. 이들은 진란을 피해 하북성의 북부 요동 연산으로 이주한 포구진한이고, 후에 이곳에서 예(석씨집단)를 흡수함으로써 한 때 강성해지기도 했다(한예강성)고 기록되어 있는 것이다.

경주정착

　경주 정착은 기림왕세로 보이는데 조위 경초(237~239)와 기림기(298) 경주정착과의 사이에 정확히 60년의 공백이 있는데 '이동기록'이 아무 데도 안 보인다(고려인들이 절사한 것으로 본다).

기림기를 보면 유난히도 새로운 터전에 정착한 것을 암시하는 듯한 기사가 집중돼 있다.

『基臨[一云 基立] > 기림[기립이라고도 한다]』

시호 基臨(기림)은 〈(새로운) 터전[基]에 임(臨)하다〉는 뜻이고, 이칭 基立(기립)은 〈(새로운) 터전[基]에서 (나라를 새로) 세우다[立]〉라는 뜻이다. 포구진한이 망한 후 경주로 이주하여 나라를 새로 세운 것을 암시해주는 내용을 암호화하여 왕의 시호로 만든 것이다. 기림왕 원년이 298년으로 3세기말이다.

2년 정월조에 『시조묘에 제사지냈다[祀始祖廟]』

이주한 후 경주에 새로 조성한 시조묘에 첫 제사를 지낸 것으로 볼 수 있다.

3년기 『(정월) 왜국과 사절을 교환하였다. (3월) 우두주에 이르러 태백산을 바라보고 제사지냈다. 낙랑·대방 두 나라가 귀복했다[(正月) 與倭國交聘 (三月) 至牛頭州 望祭太白山 樂浪帶方兩國歸服]』

정월조에는 열도의 왜를 등장시켜 외교사절을 교환함으로써 반도의 경북지역 정착을 암시해주고 있다. 그 전에 등장하는 왜나 변한(가야)은 포구진한을 겉보기로 경북진한으로 인식시키기 위한 짜깁기식 기술로 보아야 한다.

3월조에 우두주에 이르러 태백산 망제를 지냈다는 것은 포구진한이 망하여 반도로 이주하기 전에, 그곳 단단대령 서쪽의 우두주에서 태백산을 바라보고 地祇(지기)에 하직을 고하는 제를 올린 것으로 보아야 할 것이다(지도68). 원래는 이주하기 시작한 시점에 기술해야 하는 것인데, 마치 경주에서 북으로 순수 도중 강원도에 이르러 태백산에 제를 올린 것처럼 기술해둔 것이다.

3월조에 낙랑과 대방이 귀복하였다는 것은 [삼국지] 한전의 「二郡遂滅韓」이란 구절과 관련된 내용인데 어찌 보면 정반대로 기술한 것 같지만 사실은 진한이 망하여 낙랑과 대방 등으로 분할되었을 것이므로 뒤집어 생각하면 귀복한 낙랑·대방인들이 곧 진한인일 수도 있고 또 낙랑·대방인들은 원래가 마한인들이므로 그들 중에서 漢을 싫어하는 사람들은 이주하는 진한인들에 합류할 수도 있었을 것이다([삼국사기] 태조기에 고구려와 연합작전을 하는 마한인들도 바로 그런 사람들일 것이다).

이 기림 3년기의 3월조에 '태백산망제'와 '낙랑·대방귀복'이 같이 실려 있다는 것은 초기신라와 인접해 있었던 하북성 동북부 조위의 낙랑·대방군이 아니라면 상상하기조차 어려운 일이다.

학계의 통설대로 삼국을 요동 이남으로 볼 경우 두 군이 망하는 상황도 아닌데 평안·황해도에서 경주까지 와서 귀복할 일은 없을 것이다.

10년기에 『다시 국호를 신라라 했다[復國號新羅]』

(새로운 터전에 임한 후에도) 국호를 다시 신라로 불렀다는 의미로 해석되지만 이것은 삼국사기집필자들이 포구진한이 망하고 그들 주력이 반도로 이주하여 <새로 나라를 세운 것>을 알려주기 위해 '復'자를 이용하여 완곡하게 기술해둔 것으로 판단된다.

경주시대 이전에는 국호가 '신라'가 아니고 '진한'이었을 것이다. '신라'라는 국호가 [삼국사기]에 최초로 등장하는 것은 기림왕 10년인 307년이다.

경주에서 3세기 이전에는 변변한 유적유물이 발견되지 않고 4세기부터 흉노계 유적유물이 돌출한다 하는데 너무나 당연하게도 바로 위와 같은 연유가 있었기 때문이다.

진한

- 진개 동정(BC285) 이전; 진이나 그 인근에 있다가 북경 서쪽 탁수 일대로 이주하였거나 원래 그곳 무종자국의 후예였을 것이다.
- 진개 동정 이후 BC226년까지; 북경 서쪽 탁수 일대에서 연의 일부로 있었다.
- BC226; 연왕이 진에 패해 요동으로 피란할 때 진한도 요동으로 갔다.
- BC222 이후; 연왕 희는 진군에 잡혀가고 진한은 북경 북 포구로 이동하여 거했다.
- BC57; 포구에서 국가체제를 갖추었다.
- 238년(조위 경초중); 포구에 거하다가 낙랑·대방과의 전쟁에서 져서 반도로 이주하였다.

진한은 古요동인 북경 북 연산 포구에서 460년 동안 있었다. 그 전 탁수 일대에 거하던 기간을 포함하면 520년이 넘는다. 북경 漢族(한족)과 韓人(한인)들의 유전자가 가깝고, 북경보통어와 경상방언의 특징적인 발음들이 같은 것이 결코 우연이 아닌 것이다. 북경보통어와 경상방언은 모태가 진한어로 보인다.

포석사

진한이 포구에서 있었다는 사실을 뒷받침하는 유적이 경북 경주에 지금도 남아 있다.

경주 포석사는 <초기신라 국토의 모형을 만들어놓고 지기제를 지내면서 고토회복을 다짐하던 제사시설>이었던 것으로 추정된다.

돌로 만든 물길의 가운데 전복[鮑] 모양은 초기신라의 국토 포구의 모형이며 물길은 포구를 형성하는 두 강의 모형인 것이다. 두 강의 현대이름은 서쪽것이 흑하이고, 동쪽것이 조하인데 古名이 [수경주] 권14의 포구수이다.

8. 고구려

건국신화

[삼국사기] 동명전기(BC1세기)[110] 『이에 앞서 부여왕 해부루가

---

110) [삼국사기] 동명전기 『先是 扶餘王解夫婁 老無子 祭山川求嗣 其所御馬 至鯤淵 見大石 相對流淚. 王怪之 使人轉其石 有小兒 金色蛙形[蛙 一作 蝸]. 王喜曰 此乃天賚我令胤乎 乃收而養之. 名曰金蛙 及其長 立爲太子. 後 其相阿蘭弗曰 日者 天降我曰 將使吾子孫立國於此 汝其避之 東 海之濱有地 號曰迦葉原 土壤膏腴宜五穀 可都也. 阿蘭弗遂勸王 移都於 彼 國號東扶餘. 其舊都有人 不知所從來 自稱天帝子解慕漱 來都焉. 及 解夫婁薨 金蛙嗣位 於是時 得女子於太白山南優渤水 問之. 曰 我是河 伯之女 名柳花 與諸弟出遊 時有一男子 自言天帝子解慕漱 誘我於熊心 山下鴨淥邊室中私之 卽往不返. 父母責我無媒而從人, 遂謫居優渤水. 金 蛙異之, 幽閉於室中 爲日所炤 引身避之, 日影又逐而炤之. 因而有孕 生 一卵 大如五升許 王棄之 與犬豕 皆不食 又棄之路中 牛馬避之. 後棄之 野 鳥覆翼之. 王欲剖之 不能破 遂還其母 其母以物裹之 置於暖處 有一 男兒 破殼而出 骨表英奇 年甫七歲 嶷然異常 自作弓矢 射之 百發百中 扶餘俗語 善射爲朱蒙 故以名云』

나이 들어도 자식이 없어 후사를 얻으려고 산천에 제사를 지내는데 말이 곤연에 이르자 큰 돌을 보고 눈물을 흘렸다. 왕이 이상히 여겨 사람을 시켜 돌을 굴리자 어린 아이가 있어 황금빛 개구리 모습이었다. 왕이 기뻐하며 "이는 하늘이 내게 주신 자식이로다" 하고는 거두어 길렀다. 이름을 금와라 부르고 장성하자 태자로 삼았다. 후에 재상 아란불이 이르기를, "일전에 천제가 제게 내려와 '장차 내 아이로 하여금 이곳에 나라를 세우고자 하니 너희는 이곳을 피해라. 동해 바닷가에 가섭원이란 곳이 토양이 기름지고 오곡에 좋으니 도읍을 할 만하다'고 하였습니다"라고 했다. 아란불이 드디어 왕에게 권하여 도읍을 그곳으로 옮기고 동부여라 하였다. 그 구도에는 어디서 온지 모르는 사람이 나타나 자칭 천제의 아들 해모수 하면서 와서 도읍을 했다. 해부루가 훙하자 금와가 위를 이었는데 이때 태백산 남쪽 우발수에서 한 여자를 만나 내력을 물었다. 답하기를 "나는 하백의 딸로 이름은 유화라 합니다. 여러 동생들과 나가 놀고 있을 때 한 남자가 나타나 스스로 천제의 아들 해모수라 하면서 나를 웅심산 아래 압록변 방 안으로 꾀어 사통을 하고는 가더니 돌아오지 않았습니다. 부모는 중매 없이 남자를 따른 것을 나무라며 우발수로 귀양을 보냈습니다"라고 했다. 금와가 이상히 여겨 방에 가두었더니 햇빛이 비추므로 몸을 피하면 쫓아다니며 비추었다. 그러더니 임신을 하여 알을 하나 낳았는데 크기가 닷되는 되었다. 왕이 버려 개·돼지에게 주었더니 먹지 않아 다시 길에다 버렸더니 소와 말이 피해갔다. 후에 들에다 버렸더니 새가 날개로 덮어주었다. 왕이 알을 가르려 했으나 깨뜨릴 수가 없어 드디어 그 모에게 돌려주었다. 모가 알을 덮어 따뜻한 곳에 두었더니 한 남아가 껍질을 깨고 나왔다. 아이는 골격과 외모가 아름답기 짝이 없고 나이 7세가 되자 숙성하고 비범했다. 스스로 활과 화살을 만들고 쏘는데 백발백중이었다. 부여말로 활 잘 쏘는 것을 주몽이라 하므로 이름으로 불렀다』

부여왕 해부루가 후사가 없다가 우연히 금와를 얻어 태자로 삼앉는데 국상 아란불의 꿈에 나타난 천신의 계시대로 나라의 중심을 동해변 가섭원으로 옮겼다고 한다. 이때부터 국호를 동부여라 하였고 원래의 구도에는 자칭 천제의 아들 해모수가 나타나 도읍을 했다고 하는데 이곳은 북부여이다. 동부여 왕실계보는 '해부루〉금와〉대소'로 이어진다.

그런데 후에 금와가 왕이 된 후 태백산 남쪽 우발수에서 하백의 딸 유화를 만나 내력을 물으니, 해모수가 사통을 하여 부모가 우발수에 귀양을 보냈다 하므로 집에 가두었더니, 일광을 쬐고 태기가 있다가 닷되 크기의 알을 낳았는데 그 알에서 시조 주몽이 태어났다 하였다.

주몽의 재주를 시기한 대소를 비롯한 금와왕의 왕자들이 죽이려 하자 오이·마리·협보 등 3인과 더불어 동부여를 탈출하여 모둔곡[혹 보술수]에 이르러 다시 재사·무골·묵거 등 3인을 만난 후, 졸본천[혹 졸본부여]으로 가서 비류수 가에 거하면서 나라를 세워 고구려라 했다 한다.

동부여를 탈출하여 도중에 엄사수(淹㴲水, 一名盖斯水 在今鴨綠東北)에 이르렀을 때 「물에 고하기를 "나는 천제의 아들이요, 하백의 외손이다"라고 했다」고 한다.

북부여는 적봉의 북쪽 부여고지에 해당한다. [삼국유사] 고구려조에 「고구려는 졸본부여이다. 혹 지금의 화주라고도 하고 성주 등이라고도 하는데 모두 잘못이다. 졸본주는 요동의 계에 있다[高句麗卽卒本扶餘也. 或云今和州 又成州等 皆誤矣. 卒本州在遼東界也]」고 한다. '요동의 계'라는데 낙랑의 북에 있던 현도도 요동영역이므로 그 경계라면 현도의 동쪽, 낙랑의 동북쪽 외곽에 있었다는 뜻이다.

[삼국사기] 권37 잡지6 지리4[111]에 『상고해보면 '통전'에 이

---

111) [삼국사기] 권37 잡지6 지리4 『按通典云 朱蒙以漢建昭二年 自北扶餘東

르기를 "주몽이 한 건소2년 북부여에서 동남으로 가 흘승골성에 가서 거하며, 나라이름을 구려라 하고 고를 성씨로 삼았다 한다." '고기'에 이르기를 "주몽이 부여로부터 난을 피해 졸본에 이르렀다 한다." 즉 흘승골성과 졸본은 같은 곳인 듯하다. '(후)한서'志(지)에 이르기를 "요동군은 낙양에서 3,600리 떨어져 있고, 속현에 무려가 있다." 한다. 즉 '주례'의 '북진 의무려산'이다. 대요가 그 아래에 의주를 두었다. "현도군은 낙양에서 4,000리 떨어져 있고. 속현이 세 개인데 고구려도 그 중의 하나이다."라고 했다. 즉 이른바 주몽이 도읍을 했다는 흘승골성과 졸본은 아마도 한 현도군의 界(계)로서 대요국의 동경 서쪽인 듯하여 '漢志(한지)'에서 말하는 '현도군 고구려현'이 바로 이것인가 한다. 옛날 대요가 망하기 전에 요의 帝(제)가 연경에 있었는데 입조하는 사신들이 동경을 지나 요수를 건너 하루 이틀 만에 의주에 이르러 연의 薊(계)로 향했으므로 그런 줄을 알겠다』

[후한서] 군국지의 거리를 인용하고 있는데 앞서 보았다시피 근 두 배로 늘린 수치이다. 북경~천진의 요동 1,800리와 요동의 북 2백 리에 있다던 현도는 2,000리 정도이다(낙양에서 2천 리라는 어양군이 원래의 현도군 위치임). 요동에 있다던 무려현의 북진 의무려산은 지금의 무령산으로 추정된다.

주몽이 도읍한 흘승골성(졸본)은 바로 이런 현도군의 계에 있다는 뜻이다. 界(계)는 境界(경계)를 뜻하므로 졸본은 현도군에 인접한 동쪽으로 볼 수 있다. 현도와 고구려의 경계는 대략 난하(압록수) 중류에 해당하므로 그 동에 있는 졸본은 곧 지금의 承德(승

南行 渡普述水 至紇升骨城居焉. 號曰句麗 以高爲氏. 古記云 朱蒙自扶餘逃難 至卒本 則紇升骨城.卒本 似一處也. 漢書志云 遼東郡距洛陽三千六百里 屬縣有無慮 則周禮北鎮醫巫閭山也 大遼於其下置醫州. 玄菟郡距洛陽東北四千里 所屬三縣 高句麗是其一焉. 則所謂朱蒙所都紇升骨城. 卒本者 蓋漢玄菟郡之界. 大遼國東京之西 漢志所謂玄菟屬縣 高句麗是歟. 昔大遼未亡時 遼帝在燕京 則吾人朝聘者 過東京涉遼水 一兩日行至醫州 以向燕薊 故知其然也』

덕)으로 볼 수 있을 것이다. 현재 지도상에서 보면 承德市(승덕시)가 있고 承德(승덕)이 있어 두 군데이다. 승덕시에는 武烈河(무열하)가 흐르고 있어 전에는 熱河(열하)로 불렸고 승덕시는 열하시로 불린 적이 있다. 승덕시의 동남 승덕에는 老牛河(노우하)가 흐르고 있는데 이 강이 바로 졸본천으로 추정된다. 이 승덕의 동남에는 비류수로 추정되는 폭하를 끼고 있는 寬城(관성)이 있는데 국내성으로 본다(지도47,66).

최초 북부여(부여고지)로부터 동부여가 옮겨간 곳도 거기서 그리 멀지 않은 지금의 적봉 정도로 추정되고 태백산으로 비정되는 칠로도산의 대광정자산 남쪽 우발수 일대도 처음에는 북부여였지만(해모수) 당시에는 동부여영역이었던 것으로 보인다. 왜냐하면 위의 신화에서도 금와왕이 태백산 남쪽까지 행차하기도 하고 후에 대소왕이 난하 중하류 동편이자 적봉 남쪽의 고구려를 치기도 했기 때문이다. 주몽은 동부여영역인 우발수일대에서 '동남으로' 피하여 졸본으로 갔던 것이다. 이때 이들이 [후한서] 동옥저전에서 현도를 침공했다 하던 夷貊(이맥)인 것이다.

고구려건국신화도 천손신화이다. '천제(일신)〉천자(해모수)〉천손(고주몽)'으로 이어지고, 이때 등장하는 여인들도 실존인물이 아니고 영토를 의인화한 인물들로 보아야 한다.

천신 일신; 지기 하백
천자 해모수; 지녀 유화
천손 고주몽; 지손녀 예씨

주몽이 비류수 인근에서 건국하면서 자칭 천자라고도 한다[我是天帝子 來都於某所]. 이 경우는 해모수가 천제(천신·일신)라는 뜻이다. [북사] 고구려전에도 주몽이 자칭 '日子'라 하고 [수서] 고려전에도 '日之子'라 한 경우가 있다. 日은 곧 天이므로 天子인 것이다.

[호태왕비문]에도 「천제의 아들[天帝之子]」이라 하고, 「황천의 아들[皇天之子]」이라 자칭했다 한다.

비문이나 사서의 신화에서 주몽이 자칭 天帝子(천제자)라고 하면서 모가 하백의 딸(주몽이 하백의 외손)이라 했다는 것은 사실은 신화의 인적 구도가 잘못된 것이다. 모(유화)가 지기(하백)의 딸이므로 천자가 아니고 천손이라 해야 하는 것이다. 고구려건국신화에서 인적 구도가 바른 것은 해모수가 천자로, 주몽이 천손으로 꾸며진 경우이다. 이것은 나라도 그대로 대응되는 것이다. 즉 「其舊都有人 不知所從來 自稱天帝子解慕漱 來都焉 〉 그 구도에는 어디서 온지 모르는 사람이 나타나 자칭 천제의 아들 해모수라 하면서 와서 도읍을 했다」고 하는 '不知所'가 신화상에서 천제가 있는 天에 해당하고, 해모수가 도읍한 구도(동부여로서는 선주지가 됨)는 부여고지인데 이때부터 이곳을 동부여와 구분하여 북부여로 부른 것으로 보아야 한다. 해모수의 선주지는 '不知所'인 것이다.

'이설'에는 졸본부여로 가서 왕녀를 취했다가 왕이 죽자 거기서 왕이 되었다고도 한다. 이 경우는 졸본부여로 가서 그 땅의 일부를 다스리다가 후에 졸본부여 전체를 차지한 것으로 해석된다.

최대판도

산서와 하북의 경계(양원, 평강, 유림관, 배산)에서 연해주까지 동서 6천 리[통전], 북부여에서 반도 중부까지, 하북성 중부 요서 지역까지(평주/노룡·비여, 영주/유성), 송화강, 흑룡강유역을 포함한다. 서방영역은 왕들의 관작명에 들어있는 영주, 평주, 요해 등으로 추정 가능하다.

지도76. 고구려 전성기 최대판도

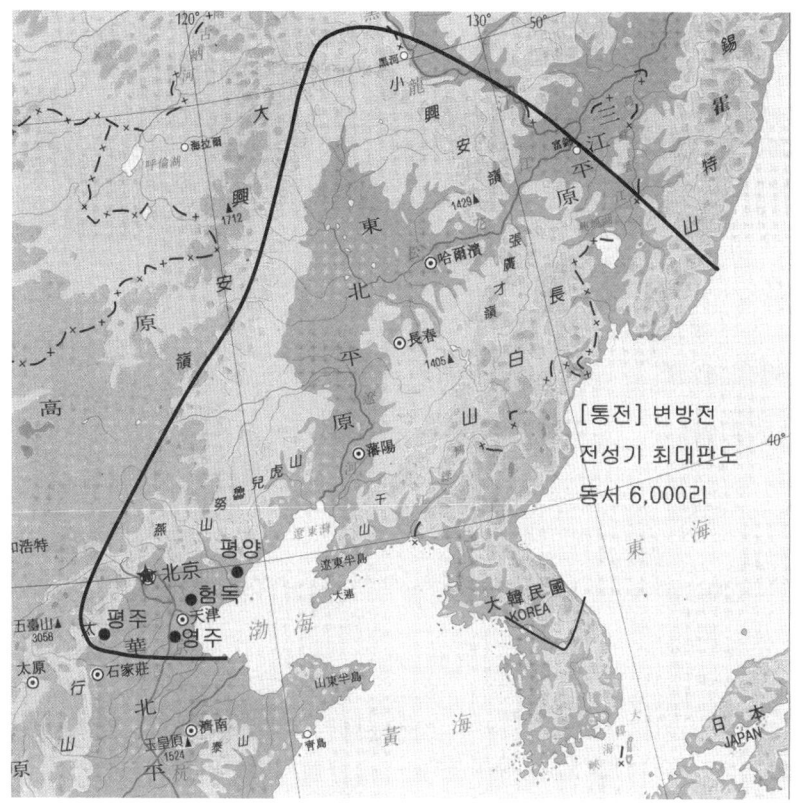

수도이전

1. 동명왕 원년(BC37); 졸본에 도읍하였다. 졸본은 영동칠현 중 華麗로 보며 舊승덕으로 추정된다.

2. 유리왕 22년(3); 국내성으로 천도하였다. 국내는 영동칠현 중 不而에 해당하고 위나암성을 축조했다는데 국내성의 별칭으로 보아야 할 것이다. 국내는 今관성으로 추정되고 관성을 흐르는 濴河

(폭하)의 '瀑'자는 '沸流'라는 의미와 통하는 자해를 두 가지 가지고 있다.

▶ 산상왕 2년(198); 환도성을 축조했다.

3. 산상왕 13년(209); 환도성으로 천도하였다. 지금의 都山이 丸都山이다.

4. 동천왕 21년(247); 평양으로 천도하였다. 남옥저로 가서 평양에 도읍하였으므로 평양은 남옥저에 있다고 보아야 하는데 창려로 추정된다.

▶ 고국원왕 4년(334); 평양성을 증축했다.

5. 고국원왕 12년(342); 환도성을 수리하고 국내성을 쌓은 후 환도성으로 옮겨 거했다 한다.

▶ [삼국사기] 고국원기 12년 10월조에는 「北都(북도)」라고 기술되어 있고 [북사] 고구려전에는 「其外復有國內城及漢城 亦別都也 其國中呼爲三京」이라 하고, [주서] 고려전에도 「其外有國內城及漢城 亦別都也」라고 하며, [수서] 고려전에도 「都於平壤城 亦曰長安城 東西六裏 隨山屈曲 南臨浿水 複有國內城漢城 並其都會之所 其國中呼爲三京」이라 하였다. 평양과 국내성, 한성을 三京이라 한다.

고국원왕은 평양과 환도 두 곳을 수도로 하려고 한 것 같다. 여기서 알 수 있는 것은 환도성을 북도라 하였으므로 평양은 환도성의 남쪽에 있었다는 사실이다. 도산과 창려에 해당한다. 이 해 모용황이 침공하여 환도성을 허물었다 하고 [수서]에는 평양성의 별칭이 장안성이라 한다.

6. 고국원왕 13년(343); 평양의 동황성으로 옮겨 거했다. 동황성은 고려 서경 동쪽 목멱산 가운데 있다 하였다. 이곳은 동천왕의 평양인 창려에 해당하는데 고조선 평양이고 고려의 서경이었다. 장안성(평양성)이 있고 동황성이 있었다고 한다.

7. 장수왕 15년(427); 평양으로 천도하였다. 이 평양은 전한 요동군 험독이자 그 전 마한수도 韓城으로 추정되는데 패수의 동쪽에 있다(지도12).

▶ 양원왕 8년(552); 장안성을 축조하였다. 남옥저의 평양성이다.

8. 평원왕 28년(586); 장안성으로 옮겼는데 남옥저의 평양성이다.

※ 수도를 자주 옮겨다닌 편이다. 1, 2, 3을 보면 현도에서 압록수만 건너면 바로 수도로 들이치게 되어 있어 縱深(종심)이 짧아 압록수로부터 점차 멀어지고 있음을 볼 수 있다.

今요동의 고구려유적 성격

원래는 동부여유적이며 관구검기공비나 호태왕비는 今요서의 고구려 중심부에 있던 것인데 청인들이 위사구도에 따라 일부 유물들을 적당히 옮겨놓은 것이다(낙랑군의 점제현신사비를 옮겨놓은 것과 꼭 같은 경우이다). 고구려와 동부여는 원래 출자가 같아 무덤조성 양식이 같았을 것이기 때문이다.

'願太王陵安如山固如岳(원태왕릉안여산고여악)'이라는 문구가 새겨진 벽돌이 고구려 진품이라면 옮겨진 것이고 모조품일 수도 있는 것이다.

■ 17세기 청인들은 무게 65톤의 공자기념비를 북경에서 산동성 곡부까지 1년 걸려 옮길 수 있었다 한다(조선일보/조선칼럼/2016.10. 22/공자를 극복해야 동아시아가 화목하다/김태효 교수). 이 정도 기술이라면 무게 40톤 안쪽의 호태왕비는 지금의 요서 창려(평양) 근방에서 동부여유적이 밀집된 지금의 위치(집안)로 능히 옮길 수 있었을 것이다.

9. 백제

건국

대방고지에서 건국한 것이기도 하고 이는 곧 마한고지에서 건국한 것이기도 하다.

출자

고리국 소수맥 출신으로 보인다. 왜냐하면 현도군 고구려현에서 직남행하면 정확히 패수와 대수 두 강을 건너 전한 낙랑군 대방현(대방고지)에 도착할 수 있기 때문이다. 그래서 [삼국사기] 온조전기에서 고구려 주몽의 서자라고 표현한 것으로 보인다. 동명은 주몽과는 다른 인물이고 소수맥의 고리국시조로 보인다.

요서백제의 위치

유성과 북평 사이라 하는데 유성은 지금의 大城으로 비정되고 北平은 지금의 阜平(부평;전한 中山國 北平縣)이므로 유성과 북평 사이는 정확히 전한 요서군에 해당된다.

제6장

൙

대륙사서의 위사

제6장 _ 대륙사서의 위사

1. 연오군

요동은 연지가 아니었다

진개 동정전 연지에 대해 [사기] 소진전에서 「(燕)東有朝鮮遼東」이라 하였는데 요동이 연지가 아니라는 뜻이다.

[사기] 진시황 21년기[106)]에는 「연왕이 동쪽으로 요동을 점령하고 그곳의 왕이 되었다[燕王東收遼東而王之]<사기본기/정범진외(역)/까치/1999/p157>」고 한다. 이것을 보면 당시 요동이 연지가 아니었음을 알 수 있다. 연지가 아닌 요동을 취하여 거기서 왕을 했다는 뜻이기 때문이다. 요동이 원래 연지였다면 「점령하고 왕이 되었다」는 말 자체가 성립되지 않는다.

[한서] 지리지 군현 건치연혁에는 상곡과 어양, 우북평, 요서, 요동 등 소위 연오군조차도 「秦置(진치)」로 기술되어 있다. 이 5군을 연이 최초에 설치했다면 '燕置(연치)'로 기술되어야 하는 것이다.

요동(북경)이 연지가 아니었으므로 [한서] 지리지에 겉보기로 북경 동쪽에 설치된 듯이 기술된 어양 역시 위사인 것이다. 어양은 우북평지역의 지명이었다.

따라서 요동·어양 두 군이 위사이므로 나머지 세 군도 있었다고 보기 어려운 것이다. 이것은 연오군이라는 것 자체가 위사라는 뜻이다.

남려의 예맥을 보면 요동과 발해만 서안은 秦時에도 秦地가 아니었고 한무제시에 처음으로 漢地가 된 것으로 나타난다.

제1장 한사군의 위치에서 [후한서] 군국지의 낙양에서의 각군들 거리를 볼 때 상곡군이 3,200리라고 했는데 이것을 낙랑이나 현도처럼 반으로 잘라보면 1,600리가 되어 발해군의 거리와 비슷해진다. [사기] 저리자감무전에 「조가 연을 쳐서 상곡의 30성을 얻었다[趙攻燕 得上谷三十城]」고 하였는데 조가 중산을 취한 후에 중산지에서 연의 상곡과 접경을 했으므로 연을 칠 때 상곡을 취하게 된 것이다. 낙양에서 1,600리 되는 지역은 대략 산서성 오대산을 포함하여 그 동으로 하북성 중서부 阜平(부평)을 중심한 지역으로 보이는데 바로 이 지역이 중산의 북으로 접하던 본래의 상곡군 위치인 것이다. 또 우북평은 북경의 서쪽이고 어양은 춘추시대 우북평의 현이었다고 한다. 이런 사실들을 종합해보면 요수(영정하)를 요하로 치환하면서 영역(where)은, ① 북경 서쪽의 우북평은 천진 동쪽으로 돌려서 낙랑군을 덮으면서 낙랑군은 반도 서북부로 보내고, ② 우북평과 요동군 일부(북경서북부)에는 오대산의 동쪽 하북성 중서부에 있던 상곡군을 밀어올려서 덮은 것이다. ③ 또 선대 춘추시대 우북평의 현이름 어양을 군으로 만들어 동으로 돌려서 요동군과 현도군을 덮으면서 두 군은 요하의 동으로 보내버린 것이다. ④ 또 탁군을 만들어 우북평군의 일부와 요서군을 덮으면서 요서군은 요하의 서쪽으로 보내버렸다. ⑤ 탁군의 동쪽에는 요서군의 일부(유성을 중심한 지역)와 황하 하류일대에 발해군을 두었는데 이 지역은 정확히 춘추시대부터 예(남려의 선)에 해당되는 지역이었다(황하이북). ⑥ 시대(when)도 한 무제 이후에 설치된 것을 소급하여 연 또는 진부터 있었다는 듯이 기술해놓은 것이다. 발해만 서안의 예는 한 무제 원삭원년(BC128)에 처음으로 한의 세력권으로 넘어갔고, 북경일대의 요동은 남려의 창해군 개설(BC128)과 원봉3년 위만조선 멸망(BC108)사이에 넘어갔을 것으로 보인다. 남려의 예가 한의 세력권에 넘어가기 전에는 한이 요동과 조선(마한·고리)을 넘어다볼 수도 없었다는 뜻이다.

2. 진개 동정전후의 연지

연오군이 있었다고 가정할 경우의 실사위치를 찾아보면 상곡군은 산서성 오대산의 동쪽 하북성 부평을 중심한 일대로 비정되고, 우북평군은 북경의 서쪽으로 비정되며, 요동군은 지금의 북경으로, 요서군은 북경의 남쪽으로 비정된다. 요동군의 동으로는 후대에 전한 현도군이 된 고리국이 있었고 그 남으로는 낙랑군이 된 마한이 있었다. 진한은 진개 동정후 연의 일부였던 것으로 보이고, 발해만 서안에는 예맥이 있었다.

지도78. 진개 동정후 하북성 중북부

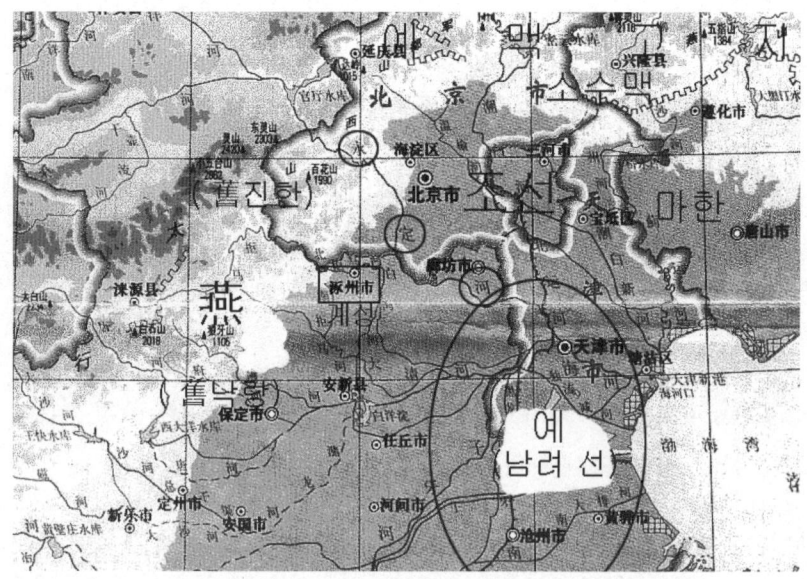

※ 위의 내용은 지도71에서 낙랑과 진한이 연에 병합된 결과이다.

여기서 어양군조차도 원래는 존재하지 않았던 군임을 알 수 있다. 왜냐하면 [한서] 지리지 겉보기로 북경 동쪽으로 설정된 어양군은 실사상의 요동군, 현도군의 위치와 중복되기 때문이다. 즉 춘추시대 무종자국의 현이름을 가지고 군으로 키워서 요동군과 현도군을 덮어버렸다는 것을 알 수 있다.

이러한 군현의 위치이동은 기본적으로 고대의 요수를 영정하에서 요하로 바꾸고, 고대의 압록수를 난하에서 압록강으로 바꾸고, 고대의 요수와 압록수 사이에 있던 패수를 대동강으로 바꾸면서 이 세 강들 주변의 모든 나라와 군현을 강 따라 이동시켜 옮겨붙이는 위사구도대로 기술해놓은 것이다.

또 황하 하류 북방, 천진 남방의 발해만 서안은 춘추시대 제 환공과의 충돌 이후로 대대로 예맥지로서 전한 무제 원삭원년(BC128)에 이르러서야 비로소 대륙세력에 편입된 것으로 되어 있어, 그 전 전국시대 연뿐만 아니라 진이 통일한 후에도 진의 영역이 아니고 조선의 일부로 남아 있었다는 사실이다.

그러면 연오군 중에서 어양군은 없었던 것이고 요동군은 연지가 아니었으므로 나머지는 상곡군과 우북평군, 요서군 등 세 군만 남는데 5군이 있었다는 기록 중에 두 군이 위사라면 나머지 세 군이 있었다는 것도 믿기 어려운 것이다.

진개 동정후 낙랑은 완전히 없어져 연에 편입되어 한무제시부터 요서군이 되었고, 진한은 연의 일부가 되었다가 연이 진에 망할 때 요동으로 피란하였고, 그 후 연왕 희가 진에 잡혀가고 연이 완전히 망할 때 북경 북 포구로 다시 이동하여 거하다가 BC57년에 포구에서 국가체제를 갖춘 것이다. 진한이 있던 탁수일대는 연지가 되었다가 후에 진·한의 우북평지역의 일부가 된 것이다.

전국시대의 연이 戰國七雄(전국칠웅)이라면서 대단했던 것처럼 알려져 왔으나 실상은 그리 대단한 것이 아니고 영토가 후대 전한의 3개 군 정도에 불과했던 것이다. 역으로 생각해보면 연은 진개 동정 전에는 그 동에 있던 낙랑에 나라 제일의 장수 진개를 인질로 잡히고 있었을 정도 아닌가. 그런데 어떻게 그렇게 대단했던 것처럼 알려져 왔는가? 그것은 위사구도상 요수와 압록수를 영정하와 난하에서 지금의 요하와 압록강으로 치환하여 사서를 개작하면서 자연스럽게 조선계 동이국가와 접경했던 국가는 전국시대 연나라뿐만 아니고 모두가 대단했던 것처럼 과장되게 기술된 것이다. 동이국가와 접경했던 나라들은 모두 동으로 2천 리 이상 판도가 확대되고 동이국가는 꼭 그만큼 판도가 축소기술되었기 때문이다. 사서에서 영토를 이런 식으로 조작하는 것은 제로섬게임인 것이다.

진이 통일하는 과정에서 연을 공격하는 순서가 가장 늦었던 것은 연이 강국이어서가 아니고 진에서 가장 먼 곳에 위치해 있었기 때문이다.

1) 동정전; 산서성 동북부

[사기] 소진전[112)에서 진개 동정전 연지를 설명할 때 「燕東有朝鮮遼東」이라 했는데 조선은 국명이지만 요동은 지역명이다. 이것은 요동이 연지가 아니라는 뜻이고 당연히 조선의 영역으로 보아야 한다.

또 「北有林胡樓煩」과 「西有雲中九原」은 조선인 요동을 분리기술한 것처럼 이중기술한 것인데 운중에 임호가 있고 구원에 누번이 있다는 뜻이다. 이 중에서 동쪽은 운중이므로 연은 운중의 동에 있다는 말인데 이마저도 허기인 것이 조가 연에 앞서 흉노를 몰아내고 산서성 서북의 정양(대동·삭주)을 차지하였으므로 결국은 조지인 정양의 동에 연지가 있었다는 말이 된다.

남으로 호타·역수가 있다는데 호타하는 지금도 그대로 이름이 남아 있고 易州(역주) 남쪽을 서에서 동으로 흐르는 易水(역수)가 있기는 하지만 강이 작아 나라의 영역을 나타내는 지표지명으로는

---

112) [사기] 소진전 『去遊燕 歲餘而後得見. 說燕文侯曰 燕東有朝鮮遼東 北有林胡樓煩 西有雲中九原 南有滹沱易水. 地方二千餘里 帶甲數十萬 車六百乘 騎六千匹粟支數年. 南有碣石鴈門之饒 北有棗栗之利...(후략)』

쓸 수 없어 보인다. 그래서 지금의 保定(보정) 남쪽을 동으로 흐르는 唐河(당하)가 고대의 역수로 보인다(진이 연을 침공할 때 방어적인 측면에서 호타·역수가 거론되므로 진이 조나라 방면에서 북으로 침공할 경우 연을 방어하는데 의미가 있는 큰 강은 먼저 남쪽의 호타하가 있고 다음으로 그 북에 당하가 있으므로 당하가 고대 역수로 보인다는 것이다). 그런데 두 강 모두 대체로 서에서 동으로 흐르므로 영역을 설명할 때 역수를 남방한계로 설명할 경우 그 남에 있는 호타하의 의미가 없어지고, 호타하를 남방한계로 설명할 경우 그 북에 있는 역수의 의미가 없어진다. 이처럼 어느 하나를 기준으로 삼을 수 없다는 말은 둘을 동시에 만족시키는 조건을 찾아야 한다는 점이다. 그래서 보면 이 두 강의 발원지가 산서성 오대산 북으로 같은 지역이다.

지도79. 호타 역수

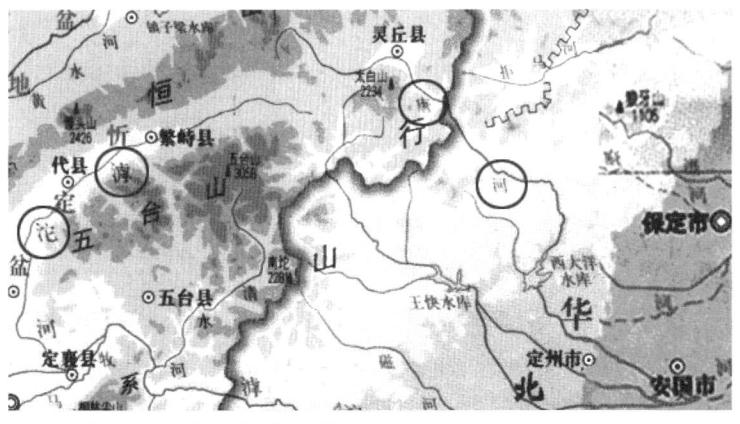

※ 서쪽에 호타하와 동쪽에 당하가 보인다.

이것은 원래 연지의 동남방한계가 산서성 대의 동쪽 오대산 일대라는 것을 의미하는 것이다. 그래서 「남으로 갈석·안문의 풍요함이 있고[南有碣石鴈門之饒]」라는 말을 하고 있는 것이다. 여기서 갈석은 산서성 영구 근방의 우갈석을 가리키고(지도56) 안문은 산서성 代의 인근 서북의 안문을 말하는 것이다.

진개 동정전 연지는 조지인 정양(대동·삭주)의 동으로 소오대산까지 요수의 상류일대, 남으로는 오대산까지, 서남으로는 안문·대까지, 동남으로는 영구·내원까지 산서성 동북부 일부와 하북성 서북부 일부로 크기가 중산국 수준에 지나지 않았던 것이다.

2) 동정후

동정전 연지에 탁수일대의 진한과 하북성 중서부의 낙랑이 병합된 정도였다.

3) 명도전

동이계 국가 중에서 가장 부유했던 낙랑의 화폐로 추정된다. 주로 동이계국가에서 발견되었고 가장 많이 발견된 곳이 낙랑국 영역(역,탁)이었기 때문이다.

3. 각종 장성들

[사기] 흉노전113)에 『그로부터 100여 년 뒤에 진 도공이 위강

---

113) [사기] 흉노전 『自是之後百有餘年 晉悼公使魏絳和戎翟 戎翟朝晉 後百有餘年 趙襄子踰句注 而破並代以臨胡貉[1] 其後既與韓魏共滅智伯 分晉地而有之 則趙有代句注之北 魏有河西上郡 以與戎界邊. 其後義渠之戎築城郭以自守 而秦稍蠶食 至於惠王 遂拔義渠二十五城. 惠王擊魏 魏盡入西河及上郡於秦. 秦昭王時 義渠戎王與宣太後亂 有二子 宣太後詐而殺義渠戎王於甘泉 遂起兵伐殘義渠. 於是秦有隴西北地上郡 築長城以拒胡. 而趙武靈王亦変俗胡服 習騎射 北破林胡樓煩. 築長城[2] 自代並陰山下 至高闕為塞[3] 而置雲中鴈門代郡. 其後燕有賢將秦開 為質於胡胡甚信之. 帰而襲破走東胡 東胡卻千餘里. 與荊軻刺秦王秦舞陽者 開之孫也. 燕亦築長城 自造陽[4]至襄平[5] 置上谷漁陽右北平遼西遼東郡以

을 시켜 융적과 화친하게 하여 융적이 진에 조회할 수 있게 되었다. 후에 100여 년 뒤 조 양자가 구주를 넘어 대를 깨뜨려 병합하고 호와 맥까지 공격하였다. 그 후 한, 위와 더불어 지백을 멸하고 진의 영토를 분할하여 가졌다. 즉 조나라는 대와 구주산 북쪽을 차지하고 위나라는 하서와 상군을 가져 융과 경계를 같이했다. 그 후 의거의 융이 성곽을 쌓아 지키고 있었으나 진이 점차 잠식하여 혜왕에 이르러서는 마침내 의거의 성 25개를 차지하였다. 혜왕이 위를 치자 위는 서하와 상군 전부를 진에 바쳤다. 진 소왕 때 의거의 융왕이 (소왕의 모) 선태후와 밀통하여 두 아들을 낳았다. 그러나 선태후는 의거의 융왕을 속여 감천에서 죽이고 마침내 군사를 일으켜 의거를 쳐서 멸망시켰다. 이리하여 진은 농서, 북지, 상군을 차지하고 장성을 쌓아 호를 막았다. 또 조 무령왕은 조의 풍습을 바꾸어 호복을 하고 말타고 활을 쏘는 것을 익혀 북으로 임호와 누번을 깨뜨리고 대로부터 음산기슭을 따라 고궐까지 장성을 쌓아 새로 삼고 운중, 안문, 대군을 설치하였다. 그 후 연에는 현장 진개가 있어 호에 인질로 가 있었는데 호가 그를 심히 신뢰하였다. 그가 돌아와 군사를 이끌고 동호를 쳐서 패주시켰는데 동호는 천여 리 물러났다. 형가와 함께 진왕을 찌른 진무양은 진개의 손자이다. 연 역시 조양에서 양평까지 장성을 쌓고 상곡, 어양, 우북평, 요서, 요동군을 두고 호를 막았다. 당시 전국 7웅이 있었는데 세 나라가 흉노와 국경을 접했다. 그 후 조나라

拒胡. 當是之時 冠帶戰國七 而三國邊於匈奴. 其後趙將李牧時 匈奴不敢入趙邊. 後秦滅六國 而始皇帝使蒙恬將十萬之衆北擊胡 悉收河南地. 因河爲塞 築四十四県城臨河 徙適戍以充之. 而通直道 自九原至雲陽 因邊山險塹谿谷可繕者治之 起臨洮至遼東萬餘里[6]. [1]索隱案 貉即濊也. 音亡格反. [2]正義括地志云 趙武靈王長城在朔州善陽県北 案水経雲白道長城北山上有長垣 若穨毀焉 沿谿亙嶺 東西無極 蓋趙武靈王所築也. [3]集解徐広曰 在朔方 正義地理志云朔方臨戎県北有連山 険於長城 其山中斷 両峰倶峻 土俗名爲高闕也. [4]集解韋昭曰 地名 在上谷 正義按 上谷郡今嬀州. [5]索隱韋昭云 今遼東所理也. [6]索隱案 太康地記 秦塞自五原北九百里 謂之造陽. 東行終利貢山南 漢陽西也 漢 一作 漁. 索隱韋昭云 臨洮 隴西県 正義括地志云 秦隴西郡臨洮県 即今岷州城. 本秦長城首 起岷州西十二里 延袤萬餘里 東入遼水』

장수 이목이 있을 때는 감히 흉노가 조나라 변경을 침입하지 못했다. 후에 진이 6국을 멸하고 진시황이 몽념을 시켜 10만 대군을 거느리고 북으로 호를 치게 하여 하남지를 모두 거두었다. 황하를 따라 새로 삼고 44현성을 쌓아 죄수로 충원된 병사로 지키게 하였다. 그리고 구원에서 운양까지 직도를 개통하였다. 산맥, 구릉, 계곡 등을 따라 손볼 곳은 보완하여 임조에서 요동까지 만여 리나 되었다』

[한서] 흉노전에도 위와 같은 내용이 있다.

여기서 보면 진이 소왕시에 농서, 북지, 상군을 확보하고 장성을 쌓아 호를 막았다 하고, 조 무령왕도 임호와 누번을 격파하고 대부터 음산기슭을 따라 고궐까지 장성을 쌓았다 하며, 연도 진개의 동정후에 (상곡) 조양에서 (요동) 양평까지 장성을 쌓았다 한다. 그리고는 후에 진이 6국을 멸한 뒤 몽념을 시켜 10만 군으로 북의 호를 쳐서 하남지를 모두 거두고 임조(감숙성 민현)에서 요동까지 만여 리 새를 구축했다 한다.

1) 조 장성

조나라는 무령왕 때 운중과 구원의 임호와 누번을 밀어내고 산서성 代부터 내몽고의 음산기슭을 따라 고궐까지 장성을 쌓았다 한다.

2) 연 장성

연의 진개가 동으로 호를 천 리 밀어내고 조양(상곡)에서 양평(요동)까지 장성을 쌓았다 하는데 앞서 본 바 요동은 연지가 아니었으므로 연이 장성을 쌓았다는 것 자체가 위사에 해당된다. 후대에 쌓은 장성을 소급하여 아득한 옛날부터 그들 땅이었다는 듯이 보이기 위해서이다.

3) 진 장성

진은 소왕시(BC306~251)에 장성을 쌓았다 하는데 다시 통일후 시황시에 감숙성 임조에서 요동까지 만 리를 쌓았다 한다. 그러나 이 역시 위사에 해당된다.

진의 장성과 관련하여 이를 수록한 사서의 기록들을 그 시대에 가장 가까운 [사기]와 [한서]에만 한정해서 발췌해 보면 다음과 같다.

① [사기] 흉노전에 「진 소왕시...(중략)...이리하여 진은 농서·북지·상군을 차지하고 장성을 쌓아 호를 막았다[秦昭王時...(중략)...於是秦有隴西北地上郡 築長城以拒胡]」고 한다.

이것이 진 소왕시의 장성이며 호를 밀어낸 후 그 땅에 쌓았을 것이다. 농서·북지·상군 지역으로 보이는데 양단간 거리가 없다.

② [사기] 흉노전에 「후에 진이 6국을 멸하고 시황제가 몽념을 시켜 10만 대군으로 북으로 호를 치고 하남지를 모두 거두었다. 하에 의지하여 새를 만들고 44현성을 쌓아 하를 지키는데 죄수를 옮겨 병으로 충당했다. 구원에서 운양까지 직도를 내고 산과 계곡을 따라 수리할 것은 수리하여 임조에서 요동까지 만여 리에 이르렀다」

이 기사는 진시황시(BC247~210) 10만의 군을 동원해 황하에 의지하여 새를 만들고 44현성을 쌓았다 하는데 '繕(선)'이라는 말을 보면 소왕시의 장성을 수리했다는 뜻으로 이해되고 새를 만여 리 구축했다 할 수 있다.

③ [사기] 진시황본기 진시황 32년기[114]에 시황이 몽념을 시켜 30 만 대군을 동원하여 북으로 호를 치고 하남지를 취했다고 한다

④ [사기] 진시황본기, 2세황제 3년기[115]에 「몽념을 시켜 북에 장성을 쌓아 변방을 지키게 하고 흉노를 700여 리 밀어내자 호인이 감히 남하하여 말을 기르지 못했다」고 한다.

장성을 쌓은 목적을 볼 수 있는 구절이다. 섬서성 북으로 하남지를 거두고 흉노를 몰아낸 것이 (남북) 700리 정도라는데 장성의 양단간 거리는 없다. 이것을 보면 진의 장성은 산서·하북성과는 무관하고 섬서성 지키기가 그 목적임을 짐작할 수 있다.

⑤ [사기] 몽념전[116]에 「진이 천하를 통일한 후 몽념을 시켜 30만 대군을 거느리고 북의 융적을 구축하게 하고 하남을 거두었다. 장성을 쌓았는데 지형에 따라 험한 새를 만들고 임조에서 요동까지 만여 리에 이어졌다」고 한다. 30만 대군을 거느리고 만여 리를 쌓았고 상군에 주둔했다 한다[居上郡](지도14).

---

114) [사기] 진시황본기 진시황 32년기 『因使韓終 侯公 石生求仙人不死之藥. 始皇巡北邊 從上郡入. 燕人盧生使入海還 以鬼神事 因奏錄圖書 曰亡秦者胡也. 始皇乃使將軍蒙恬發兵三十萬人北擊胡 略取河南地』

115) [사기] 진시황본기, 2세황제 3년기 『及至秦王 續六世之餘烈[1] 振長策而御宇內 呑二周而亡諸侯 履至尊而制六合 執棰拊以鞭笞天下 威振四海. 南取百越之地 以爲桂林象郡 百越之君俛首係頸 委命下吏. 乃使蒙恬北築長城而守藩籬 卻匈奴七百餘里 胡人不敢南下而牧馬...(후략)...[1] 集解張晏曰 孝公 惠文王 武王 昭王 孝文王 莊襄王』

116) [사기] 몽념전 『始皇二十六年 蒙恬因家世得為秦將 攻齊 大破之 拜為內史. 秦已並天下 乃使蒙恬將三十萬衆北逐戎狄 收河南. 築長城因地形用制險塞 起臨洮至遼東[1] 延袤萬餘里. 於是渡河拠陽山[四] 逶蛇而北. 暴師於外十餘年 居上郡. 是時蒙恬威振匈奴. [1]正義遼東郡在遼水東 始皇築長城東至遼水 西南至海(之上)』

⑥ [사기] 회남형산전117)에 「몽념을 보내 장성을 쌓았는데 동서 수천 리였다」고 한다.

⑦ [한서] 오행지118)에 「북으로 장성을 쌓고 호가 넘어오는 데 대비하였다. 산을 파고 계곡을 메워 서쪽 임조에서부터 동으로 요동에 이르렀다. 길이 수천 리였다」고 한다. 동단이 요동이라 하였지만 역시 만 리가 아니고 "수천 리"라 한다.

⑧ [한서] 괴오강식부전119)에 「몽념을 보내 장성을 쌓았는데 동서 수천 리였다」고 한다.

진이 장성을 쌓았던 시기에 가장 가까운 [사기]와 [한서]의 기록만 볼 때 양단간 거리가 기록된 것이 ②, ⑤, ⑥, ⑦, ⑧ 등 다섯 건인데 그 중 "만여 리"가 ②와 ⑤ 두 건이고 ⑥, ⑦, ⑧ 세 건의 경우 "수천 리"라고 한다. 단순히 기록의 건수만 보더라도 수천 리가 더 많다. 이 내용은 중인학자의 연구결과로도 뒷받침되고 있다(지도80). 지도14에서도 상군방면의 일부를 볼 수 있다.

---

117) [사기] 회남형산전 『昔秦絕聖人之道 殺術士 燔詩書 棄禮義 尙詐力 任刑罰 転負海之粟致之西河. 當是之時 男子疾耕不足於糟糠 女子紡績不足於蓋形. 遣蒙恬築長城 東西數千里 暴兵露師常數十萬 死者不可勝數 僵屍千里 流血頃畝 百姓力竭 欲為亂者十家而五』

118) [한서] 오행지 『史記秦始皇帝二十六年 有大人長五丈 足履六尺 皆夷狄服 凡十二人 見于臨洮[1] 天戒若曰 勿大爲夷狄之行 將受其禍. 是歲始皇初并六國 反喜以爲瑞 銷天下兵器 作金人十二以象之. 逐自賢聖 燔詩書 阬儒士 奢淫暴虐 務欲廣地 南戍五嶺 北築長城以備胡越[2] 塹山塡谷 西起臨洮 東至遼東 徑數千里. 故大人見於臨洮 明禍亂之起. 後十四年而秦亡 亡自戍卒陳勝發. [1]師古曰 隴西之縣也. 音吐高反. [2]師古曰 五嶺, 解在張耳陳餘傳』

119) [한서] 괴오강식부전 『遣蒙恬築長城 東西數千里. 暴兵露師 常數十萬 死者不可勝數 僵尸滿野 流血千里. 於是百姓力屈 欲爲亂者十室而五』

지도80. 진장성도(中國長城建置考;저자 張○華)

※ 감숙성 민현에서 섬서성 동북 수덕까지로 되어 있다.

지도81. [사기] 흉노전의 연조진장성

대륙사서에는 의도적인 위사와 관련하여 과장된 기록이 많다. 특히 장성 같은 것은 영토에 대한 역사적 연고권을 주장하기 딱 좋은 것이므로 더욱 그러한 것이다. 진 장성은 만 리가 아니고 동서 수천 리에 불과한 것이었다. 몽념에게 준 군사도 10만이라 했다가 30만이라 했다가 일정하지 않다. 같은 내용의 기사인데 인원과 길이가 세 배나 된다. 진 장성은 감숙성 임조(민현)에서 섬서성 동북(상군)의 황하연변(수덕)까지 수천 리에 불과한 것을 만 리로 부풀려 과장한 것이다.

진의 장성은 진의 중심지인 섬서성을 지키기 위한 목적이었기 때문에 통일후 장성을 산서성이나 하북성에 새로 쌓을 필요는 없었던 것이다. 융적지도 지금의 산서성 서북부와 내몽고 중서부였기 때문이다. 「河에 의지하여 새를 만들고 44현성을 쌓아 河를 지키는데 죄수를 옮겨 병으로 충당했다」고 할 정도로 섬서성 북의 황하를 지키는 것이 무엇보다 중요했던 것이다. 몽념이 흉노를 몰아내고 장성을 구축한 후 주둔한 곳도 섬서성 동북방 상군이었다[116](지도14).

흉노가 진과 한을 침공한 경로를 보면 주로 황하 북지와 동으로는 섬서성 동북의 상군으로 침공하였고, 상군 이남으로는 산서성에서 황하를 건너 섬서성으로 침공하는 경우는 없었다. 아마도 상군을 지나 남쪽으로는 황하의 폭이 넓고 깊어 흉노기병들이 쉽게 건너지 못했을 것이다. 장성을 쌓은 목적 자체가 기동성이 뛰어난 흉노 기병을 차단하는 것이었다.

「동으로 요동까지[東至遼東]」라고 하였는데 원래의 진장성에 산서성의 조장성 일부와 연장성을 더하여 연장성의 동단(요동양평)이라고 한 것을 진장성의 동단이라는 듯이 위사를 쓴 것이다. 그러나 요동조차도 연지가 아니었으므로 연장성 역시 위사였다.

4. 갈석산

일반적으로 고대에 두 나라 이상의 국경을 나타내는 비석이 있는 산으로 알려져 있는 '碣石(갈석)'이란 이름을 가진 산이 지금은 난하 동편 창려에 하나 있어 이 산이 고대에 조선과 대륙세력 간의 경계였던 것으로 인식되고 있다. 그러나 기록을 살펴보면 갈석이란 이름을 가진 산이 여러 곳에 있었다는 것을 알 수 있다. 그래서 갈석산과 관련한 기록들을 대조하여 여러 곳의 갈석산의 위치를 명확히 밝히는 것이 각 시대별 고대국가의 강역비정에 대단히 중요한 지표지물 구실을 하게 되는 것이다.

1) 하북성 창려 갈석산

지금도 이름이 지도에서 보이는 창려에 갈석산이 있는데 한일중 3개국의 많은 학자들이 이 산을 사서에 자주 등장하는 갈석산으로 인식하고 있다. 그러나 이 산이야말로 의도적인 위사에서 비롯되어 지금도 그런 위사를 뒷받침하는 전형적인 위증물로 이용되고 있는 불행한 이름이다. 그것은 본래의 요서군인 북경의 서남·남에 있었던 지명 창려와 노룡(비여), 유관(임려관·임유관), 해양 등과 속북경으로 비정되는 요동군의 무려현에 있다던 의무려산 등이 요서로 옮겨지면서 팩키지로 옮겨진 지명 중의 하나이기 때문이다. 이 산이 사서상의 갈석산이 아니라는 근거는 사서를 조금만 주의깊게 읽으면 쉽게 알 수 있다.

지도33에서 난하 하류 동편에 창려가 보이는데 그 바로 북에 갈석산(695m)이 있다. 이 산 이름은 원래 요서군(우북평군)의 서북(서남) 비여(여성)에 있던 것인데, 요수를 요하로 치환하면서 위사를 뒷받침하기 위해 옮겨 붙인 것이다. 같이 옮겨 붙인 지명으로 서북 인근에 노룡이 보이는데 전한 요서군 비여라 하고, 동북으로 楡關(유관)과 海陽(해양)도 보이는데 전한 요서군 臨渝(임유)

와 해양을 옮겨놓은 것이다. 명대에 완성된 장성의 동단은 산해관의 老龍頭(노룡두)에 있다. 진황도는 [사기]에 진의 시황과 2세가 갈석산까지 순행했다는 거짓기록을 근거로 완전히 새로 지어 붙인 이름인데 역시 위사를 뒷받침하기 위해 붙여놓은 것이다.

창려 갈석산의 원래이름은 나당연합군이 평양을 공략하던 [삼국사기] 신라 문무왕 8년기[120]에 나오는데 「(6월) 29일 여러 도총관들이 출발하고 왕이 유신은 풍병이라고 서울에 머물게 하였다. 인문 등이 영공을 만나 영류산 아래로 진군하였다[영류산은 지금 서경 북 20리에 있다]」고 한다. 지금의 요서 창려는 고구려수도(고조선수도) 평양이자 고려 서경이었으므로 그 북에 있는 갈석산이 곧 서경 북 20리에 있던 '嬰留山(영류산)'인 것이다. 그 이름도 고려인들이 고구려가 망해가던 시기의 왕 둘 이름을 합성하여 창려가 고구려수도 평양이었음을 암시해주고 있는 것이다. 곧 <嬰陽(영양)+榮留(영류) = 嬰留(영류)>로 만든 것이다.

2) 산서성 영구 갈석산

[사기] 화식전[121]에 「무릇 연 또한 발해와 갈석 사이의 한 도회이다」라고 하는데 같은 내용이 [한서] 지리지 연지조에도 나온다.

[한서] 지리지 연지조[122]에 「계는 남으로 제·조와 통하며 발해와

---

120) [삼국사기] 신라 문무왕 8년기 『(六月)二十九日 諸道摠管發行 王以庾信病風留京. 仁問等遇英公 進軍於嬰留山下[嬰留山在今西京北二十里]』

121) [사기] 화식전 『夫燕亦勃碣之間一都會也. 南通齊趙 東北邊胡. 上谷至遼東 地踔遠 人民希 數被寇 大與趙代俗相類 而民雕捍少慮 有魚塩棗栗之饒. 北鄰烏桓夫餘 東綰穢貉朝鮮真番之利』

122) [한서] 지리지 연지조 『薊 南通齊趙 勃碣之間一都會也[1]. 初太子丹賓養勇士 不愛後宮美女 民化以爲俗 至今猶然. 賓客相過 以婦侍宿 嫁取之夕 男女無別 反以爲榮. 後稍頗止 然終未改. 其俗愚悍少慮 輕薄無威 亦有所長 敢於急人 燕丹遺風也. [1]師古曰 薊縣 燕之所都也. 勃 勃海也. 碣 碣石也』

갈석 사이의 한 도회이다」라고 하는데, 당인 안사고의 주에 「계현은 연의 도읍이다. 발은 발해이며, 갈은 갈석이다」라고 한다.

전국시대 연도 계는 북경 남쪽 탁주이며 수의 양제가 고구려 원정시 군을 집결시키고 馬祖祭(마조제)를 지냈다던 탁군의 薊城(계성)이 바로 이곳이다. 이 계가 발해와 갈석 사이에 있다는데 발해는 지금의 발해 그대로이므로 이 계를 가운데 두고 발해의 반대편에 갈석이 있다는 뜻이다. 지금의 탁주를 가운데 두고 천진앞바다의 반대편을 대략 보면 산서성 靈丘(영구) 정도로 볼 수 있다. 이곳은 본래 西북평인 右북평과 북경 서남·남에 해당하는 요서군과의 접경이 되는 지역인데 이곳에 갈석산이 또 하나 있다는 뜻이다. 이 탁주 계는 후대에 연국 계현, 유주 계현 등으로도 불렸고, 지금의 천진시 북단 계현은 탁주의 계를 가져다 유명한 양평(요동성)을 덮어버린 것이다. 결과적으로 탁주의 계는 없어지고 양평도 증발해버렸는데 이런 것도 모두 위사수법인 것이다.

원래의 요서 갈석산(지도56)은 기록에 다양하게 나타나는데 요서군의 임유, 해양, 비여, 유현 등지와 관련이 있다 하다가 우북평 여성현 서남에 있다고도 하다가 후에 북평군 노룡현에 있다 하면서 노룡은 전한 요서군 비여현의 이름이 바뀐 것이라 하였다.

[한서] 지리지 요서군조[50]에 "絫縣(유현)에 揭石水(갈석수)가 있다" 한다.

[후한서] 군국지 요서군조[123]의 주[2]에는 임유현에 갈석산이 있다 하는데 곽박이 말한 우북평 여성은 본래 북경 서남이므로 해변

---

123) [후한서] 군국지 요서군조 『遼西郡秦置 雒陽東北三千三百里 五城 戶萬四千一百五十 口八萬一千七百一十四 陽樂 海陽 令支有孤竹城[1] 肥如 臨渝[2]. [1]伯夷叔齊本國 [2]山海經曰 碣石之山 (綱)[繩]水出焉 其上有玉 其下多青碧 水經曰在縣南 郭璞曰 或曰在右北平驪(城)[成]縣海邊山也』

산이 아니다. 다만 옮겨진 창려 갈석을 보면 해변에서 가깝다.

[통전] 주군전 북평군조에 노룡은 전한의 비여현으로 갈석산이 있다 한다[盧龍漢肥如縣 有碣石山 碣然而立在海旁 故名之].

사실은 이 요서(비여·임유) 갈석산을 우북평 여성의 갈석산이라고도 하다가 후대에는 북평군 노룡의 갈석산이라고 한 것이 바로 지금 보는 창려 갈석산인 것이다. 이렇게 노룡을 지금은 난하 하류 동편에 붙여놓고 한대의 비여현이라고 함으로써, 본래는 요수(영정하) 서남의 요서에 있던 비여가 지금은 요하 서쪽의 今요서 노룡으로 바뀌게 된 것이다.

3) 산동성 무체 갈석산

[사기] 夏本紀(하본기)[124]에 「夾右碣石[2] 入于海[3] 〉 우갈석을 끼고 바다로 들어간다」고 한다.

주[2]에 인용된 [집해]에서 공안국이 「갈석은 바닷가의 산이다 [碣石 海畔之山也]」라고 하는데 창려 갈석도 바다에서 가깝기는 하다.

---

124) [사기] 夏本紀『禹行自冀州始 冀州 旣載壺口 治梁及岐 旣脩太原 至于
嶽陽 覃懷致功 至於衡漳 其土白壤 賦上上錯 田中中 常衛旣從 大陸旣
爲 鳥夷皮服[1] 夾右碣石[2] 入于海[3]. [1]集解鄭玄曰 鳥夷 東(北)[方]
之民(賦)[搏] 食鳥獸者 孔安國曰 服其皮 明水害除 正義括地志云 "靺鞨
國 古肅愼也 在京東北萬里已下 東及北各抵大海 其國南有白山...(후
략).." [2]集解孔安國曰 碣石 海畔之山也 [3]集解徐廣曰 海一作河 索隱
地理志云 碣石山在北平驪城縣西南 太康地理志云 樂浪遂城縣有碣石山
長城所起 又水經云 在遼西臨渝縣南水中 蓋碣石山有二 此云 夾右碣石
入于海 當是北平之碣石』

주[3]에 인용된 [집해]에서 서광은 '海'를 '河'로도 쓴다 하므로 '入于河'로 보면 어떤 강이 황하로 들어가는 어귀에 있다고도 이해할 수 있다.

[색은]에는 지리지를 인용하여 「갈석산은 북평 여성현 서남에 있다[碣石山在北平驪城縣西南]」고 하는데 여성은 전한 우북평군의 속현이고 이 갈석산은 앞서 본 2번 경우에 해당한다.

[태강지리지](=[진서] 지리지) 평주조에서는 「낙랑 수성현에 갈석산이 있어 장성이 일어나는 곳[樂浪遂城縣有碣石山 長城所起]」이라 하는데 이것은 지금의 난하 하류 동편 창려 일대를 낙랑군 수성현이라 하는 것이다. 이것은 앞서 본 1번으로 돌아가는데 명대에 완성된 산해관까지의 장성을 진장성이라고 부회하고 있어 위사이다.

「또 '수경'에서는 요서 임유현 남쪽 강 가운데 있다 하는데 아마도 갈석산이 두 곳이 있다는 것은 이를 두고 하는 말인 것 같다. '우갈석을 끼고 바다로 들어간다'는 것은 북평의 갈석에 해당하는 것이다[又水經云 在遼西臨渝縣南水中 蓋碣石山有二 此云 夾右碣石入于海 當是北平之碣石]」라고 한다.

[수경]에서 요서 임유현 남쪽 수중에 있다 한 것은 앞서 본 2번이다. 그래서 갈석산이 두 곳이라고 보고 있는데 '우갈석'을 끼고 바다로 들어가는 것은 북평의 갈석이라 한다. 북평의 갈석이란 노룡 갈석을 말하고 전한 우북평 여성의 갈석을 가리키는데 앞에 나온 1번을 가리키는 듯하지만 사실 옳지 않다. 왜냐하면 창려 갈석에는 강이 없고 황하가 바다로 들어가는 곳은 북평군이 아니었기 때문이다.

여성의 서남 갈석산은 요서군 임유현 남쪽의 수중 갈석산과 동일한 것이다. 이 갈석산은 북경 서쪽 우북평군의 서남이자, 북경 남쪽 요서군의 서북 경계 근방에 있는 산으로 산서성 영구 근방으로 추정되는데 영구 바로 남의 태백산이 아닐까 생각되기도 한다. 「강 가운데 있다」는 것은, 영구 남쪽의 태백산을 가운데 두고 영구를 관류하는 唐河(당하)와 태백산 남쪽에서 발원하여 王快水庫(왕쾌수고)로 흘러드는 沙河(사하)와의 사이에 있다는 뜻으로 이해되기도 한다.

지도79에서 태백산을 가운데 두고 북의 唐河(당하)와 남의 沙河(사하)가 감싸고 흐르는 형국인데 이 상황이 '水中(수중)'이란 말과 의미가 통할 수 있다(강과 강사이). 이 지역은 갈석산이 있는 것으로 추정되는 우북평 여성의 서남이자 요서 해양, 임유, 비여 등지에 가까운 것으로 이해된다. 이 갈석산과 관련하여 조조 북정기에서는 노룡새라는 지명과 함께 「傍海道不通」이란 구절이 있고, 갈석산이 '海旁(해방)'에 있다고 한 기록과도 관련되며, 곽박이 「右北平驪成縣海邊山」이라 주석하였고, 공안국이 「海畔之山」이라 한 것으로도 이어지는데 '傍海(방해)·海旁(해방)·海邊(해변)·海畔(해반)' 등의 말들은 전부 요서군 해양현의 '海陽'이란 이름을 변형하여 완곡하게 표현한 것으로 보인다. 글자만 다를 뿐 뜻이 전부 비슷하기 때문이다. 이것을 보면 「河가 우갈석을 끼고 바다[海]로 들어간다」는 말은 사실은 「(唐)河가 우갈석을 끼고 海(陽縣)으로 들어간다」는 말을 변형한 것으로 보이기도 한다. [요사] 지리지에는 望都(망도)가 한의 (요서군) 해양현이라 하였다.

[한서] 지리지 우북평군조에 「여성(현), 대갈석산이 현의 서남에 있다. (왕)망은 갈석[1]이라 하였다. [1]사고는 揭을 桀이라 한다 [驪成 大揭石山在縣西南 莽曰揭石[1]. [1]師古曰 揭音桀]」고 했다.

[후한서] 군국지 요서군조[123)]에 임유현에 [산해경]에서 말하는 갈석(경계석)의 산이 있다 하고 [수경]에서도 임유현의 남쪽에 있다 한다. [한서] 지리지 우북평군 여성현의 大揭石山(대갈석산)이 글자는 다르지만 곽박이 말하는 우북평 여성의 해변산과 같은 것이다. 원래의 갈석산인 우갈석이 대갈석이라는 것은 옮겨진 좌갈석이 소갈석이라고 이해할 수 있다. 즉 원래의 갈석산은 창려 갈석산보다 크다는 뜻이다.

[통전] 변방전 고구려전[42)]에 「갈석산은 낙랑군 수성현에 있는데 장성이 이 산에서 일어난다. 지금 장성이 동으로 요수를 끊고 고려로 들어가는데 유지가 아직도 남아 있는 것이 그것을 말해준다. 상고해보면 '상서'에서 이르는 '우갈석을 끼고 (황)하로 들어간다'는 것은 우갈석이 (황)하가 바다로 들어가는 곳에 있다는 뜻이며, 지금의 북평군 남 20여 리에 있다. 즉 고려에 있는 것은 좌갈석이다」라고 하는데 [구당서] 지리지 평주조[72)]에, 평주는 북평군으로 바뀌기도 했고 현 두세 개를 복잡하게 개폐하고 했지만 근본은 북경 서남의 전한 요서군 비여·임유이며 그에 인접했던 전한 우북평군의 석성인 것이다. 결국 노룡으로 바뀌었는데 지금은 이것이 撫寧(무녕), 갈석산 등과 함께 난하 동편 창려의 북으로 옮겨져 있다. 역시 1번에 해당하고 지도33에서 갈석산의 인근 동북에 무녕이 있다.

[통전]에서 고려라고 하는 것은 고구려를 말하는 것이고, 이때의 장성은 明代에 완성된 산해관을 동단으로 하는 지금의 장성이며, 이때의 요수는 난하를 가리키는 것이다. 즉 위의 기사는 명대 이후에 가필이나 개작한 것이라는 뜻이다. 고구려는 난하의 동편 전한 낙랑군 영동칠현에서 건국하여 700년 동안 있었다. 즉 난하와 명장성을 가지고 부회하면서도 난하 동편이 고구려였다는 사실은 바로 말하고 있는 것이다.

통상 대륙의 동북 중 하북성 북부는 하늘의 별자리로 비유할 때 미기분야라 하는데 그 동남방한계가 [구당서] 지제16 천문下에는 구하라고 하였다[其分野 自渤海九河之北]. 구하란 황하의 최하류로서, 비가 많이 오면 물이 범람하여 여러 갈래의 강으로 갈라져 발해로 들어간다고 하여 '九河'라는 별칭으로 불리고 있다. 황하는 비가 많이 오면 옛날부터 토사를 많이 머금고 흘러내려 강물도 누렇고, 그 토사가 유속이 느린 하류에 오면 점차 가라앉아 하류로 갈수록 河床(하상)이 높아지게 되고 이 때문에 우기에 비가 많이 오면 하류가 범람하게 된다.

　　[상서]에서는 「夾右碣石入於河」라고 했다는데, 그것을 「右碣石 即河赴海處」라고 하여 "(황)河가 바다로 들어가는 곳"으로 보는 것 같다. 그러나 원래대로 (황)河로 보면 전혀 다른 갈석산이 또 있다는 뜻이 된다.

　　전자로 볼 경우 황하의 하구 근방에서 찾아야 하고 이에 대해 '기주협우갈석도'라는 지도가 있는데, 이때 이 우갈석은 황하 하구에 있는 작은 산으로 산동성 无棣(무체)의 大山(대산;70m)이라 한다. 이렇게 작은 산이 유명해진 것은 황하 하구 근방이기도 하고, 하류 일대는 퇴적평야이므로 높은 산이 없어서이기도 할 것이다. 그 근방이 퇴적평야로 변하기 전에는 마치 독도 같은 섬이었을 것이다.

지도82. 기주협우갈석도

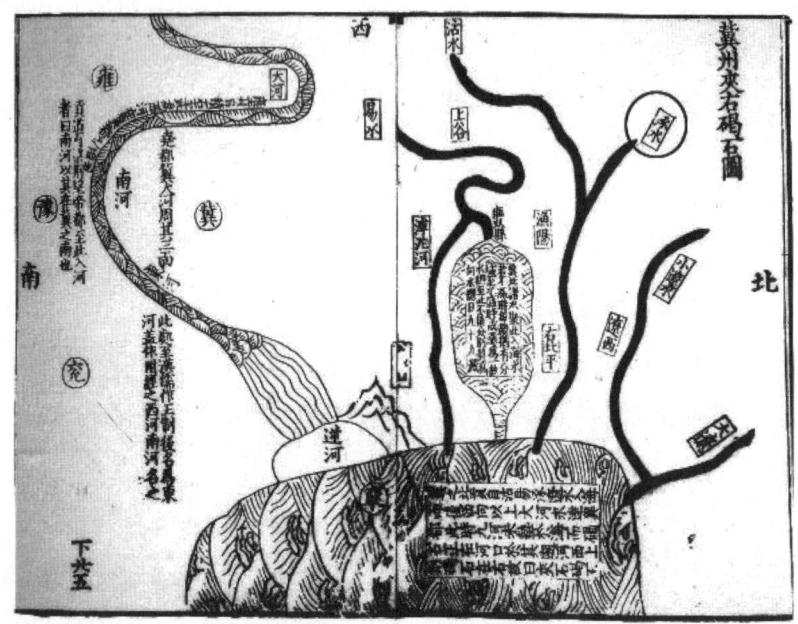

※ 지도상에 황하 하류에 물줄기가 여럿 그려져 있는 것이 九河를 묘사한 것
이다. 지도에서 逆河(역하)의 오른쪽에 산모양이 있는데 황하 하구의 우갈석
산이라는 뜻이다. 이곳은 지금의 산동성 无棣(무체) 大山(대산)이라 한다.

　구하의 북은 滄州(창주)를 중심으로 창해군 또는 발해군이 설치
되기도 했는데 황하 최하류 일대는 전국시대에는 조선과 제의 계
이기도 하여 이 대산의 갈석산이 조선과 제의 경계 구실을 했을
수도 있는 것이다. 진개 동정 후에도 이곳에는 남려의 先에 해당
하는 예맥이 있었다.

4) 常山 九門의 갈석산

　[후한서] 군국지 상산국조[125]의 성이름들을 보면 元氏(원씨),

125) [후한서] 군국지 상산국조 『常山國高帝置 建武十三年省眞定國 以其縣
　　　屬 十三城 戶九萬七千五百 口六十三萬一千一百八十四. 元氏 高邑故鄏

高邑(고읍), 五成陌(오성맥), 都鄉(도향), 房子(방자;贊皇山), 平棘
(평극), 欒城(난성), 九門(구문), 靈壽(영수), 蒲吾(포오), 井陘(정
형), 真定(진정), 上艾(상애) 등 13성인데 이 중에서 지금도 남아
있는 것을 보면 원씨와 고읍, 찬황(방자), 난성, 영수, 정형 등이고
하북성 석가장시 일대에 해당된다.

주에 보면 이 상산국 구문현의 경계에도 갈석산이 하나 있었다
고 한다.

[사기] 진시황본기 진시황 32년기『32년 진시황이 갈석산에 가
서 연인 노생을 시켜 선문과 고서를 찾게 했다. 갈석산의 문에 비
문을 새기도록 했다. 성곽을 허물고 제방을 팠다. 그 글에 이르기
를...[三十二年 始皇之碣石 使燕人盧生求羨門 高誓 刻碣石門 壞城
郭 決通隄防 其辭曰...]』

시황이 갔다는 갈석산은 어디 있는 갈석산인가?

[사기] 진시황본기 2세황제 원년기[126)]『봄에 2세황제는 동으로
군현들을 순행하는데 이사가 따랐다. 갈석에 이르러 바다를 끼고
남으로 회계산에 도착하여 시황제가 세운 비석에 모두 글자를 새
기고 비석의 옆면에는 수행한 신하들의 이름을 새겨넣어 선제가
이루고 쌓은 공과 덕을 밝혀놓았다...(중략)...그리고는 요동으로
갔다가 돌아갔다』

光武更名 刺史治 有千秋亭 五成陌 光武即位於此矣 都鄉侯國 有鐵 南
行唐有石臼谷 房子贊皇山 濟水所出 平棘有塞 欒城 九門[1] 靈壽 衛水
出 蒲吾 井陘 真定 上艾故屬太原. [1]史記趙武靈王出九門 如野臺以望
齊中山之境 碣石山 戰國策云在縣界』
126) [사기] 진시황본기 2세황제 원년기『春 二世東行郡縣 李斯從. 到碣石
並海 南至會稽 而盡刻始皇所立刻石 石旁著[一]大臣從者名 , 以章先帝
成功盛德焉...(증략)...遂至遼東而還』

2세가 갔다는 이 갈석산 역시 시황이 간 갈석산일 것이다.

[사기] 효무본기 무제 원봉원년(BC110)127)에 『천자가 태산에서 봉선제를 마칠 때까지 비와 바람이 없었다. 방사들이 봉래 등의 여러 신산들을 볼 수 있을 것이라고 다시 아뢰자 천자는 기뻐하며 어쩌면 신산을 볼 수 있을 것으로 믿고 다시 동쪽으로 가 바다 위를 바라보면서 봉래를 보기를 바랐다. 그런데 봉거도위 곽자후가 갑자기 병이 나서 하루 만에 죽었으므로 천자는 그곳을 떠나 바다를 끼고 북으로 갈석에 갔다가 돌아서 요서로부터 북변을 거쳐 구원으로 갔다. 5월에는 다시 감천궁으로 돌아왔다. 유사가 보정(寶鼎)이 출토된 해는 연호를 원정이라 하고 금년에는 봉선을 거행했으므로 원봉 원년으로 해야 한다고 말했다』

한의 무제가 간 갈석산은 어느 갈석산일까? 원봉원년(BC110)이면 아직 우거왕의 조선(위만마한)이 천진~난하에 있을 때이며 그 18년 전인 원삭원년(BC128) 발해만 서안의 예맥지에 창해군이 잠간 설치된 적이 있었다.

위의 세 건의 기사는 같은 내용이 [한서]에도 실려 있다.

위에서 시황제와 2세가 간 갈석산은 산서성 동남 상산 구문의 갈석산으로 보아야 할 것이다. 시황은 산동성 낭야, 하북성 남부 한단 근방으로 지나다녔기 때문이다. 또 당시만 해도 조선(준왕마한)이 천진~난하에 있었고 발해만 서안 황하 하류 이북에는 예왕 남려의 先에 해당하는 예맥이 있었기 때문에 동으로는 더 가고 싶어도 갈 수 없었다. 장량과 함께 진시황 격살을 시도한 창해역사는 바로 이곳 예맥출신이었다.

---

127) [사기] 효무본기 무제 원봉원년기 『天子旣已封禪泰山 無風雨菑 而方士更言蓬萊諸神山若將可得 於是上欣然庶幾遇之 乃復東至海上望 冀遇蓬萊焉. 奉霍子侯暴病 一日死. 上乃遂去 並海上 北至碣石 巡自遼西 歷北邊至九原. 五月 返至甘泉. 有司言寶鼎出爲元鼎 以今年爲元封元年』

한무제가 간 갈석산도 (선대 영웅을 따라) 시황이 간 갈석산이 거나 어쩌면 황하 하구의 산동성 무체 대산의 갈석산이 아닐까 추측된다. 한무제의 경우는 남려의 예를 세력권에 끌어들였기 때문에 발해만에는 갈 수 있었다.

■ 이 세 건의 기사 역시 영웅을 이용하여 위사를 뒷받침하고 있는 것이다. 이들 기사들은 갈석산을 창려 갈석산으로 상정하고 쓴 위사에 해당하고 이 위사를 뒷받침하기 위해 '並海(병해)'라는 말을 계속 쓰고 있는데 꾸민 것이다. 그러다보니 금요서 창려 갈석산에 역대 황제가 무려 아홉이나 올랐다는 등의 허황된 기록이 남아 있게 된 것이다.

지도83. 조조북정기 경로; 산서성 영구 방면에서 '東指柳城'

※ 조조가 귀환길에 '관창해'라는 시를 읊었다는 갈석산은 한무제의 경우처럼 무체 대산이었을 것이다. 우갈석에는 바다가 없고 창려 갈석은 당시 고구려였기 때문이다.

※ 지금 겉보기기록대로 무종(옥전)에서 노룡새를 나와 (어양)백단을 거쳐 (우북평)평강을 지나 선비정을 건너 유성으로 가는 것은 불가능한 것이다. 선비정의 가장 동쪽이 산서성 서북부 정양(대동·삭주)이었기 때문이다(지도13,14).

영웅에 의탁한 위사쓰기 사례

▶ [삼국사기] 보장왕 3년 10월조에는 당태종이 「요동은 옛날 중국땅이다[遼東 故中國地]」라고 하는데 한무제시부터 일시적으로 중원땅이었으나 근본적으로 춘추시대 이래로 조선지였다.

▶ [삼국사기] 문무왕 11년 7월조에 당장 설인귀가 백제땅을 차지하려는 신라군을 나무라는 편지를 보내왔는데 이에 대한 문무왕의 답장에 당태종이 신라 무열왕에게 했다는 말이 있다.

「내가 두 나라를 평정하면 평양 이남의 백제땅은 모두 너희 신라에 주어 길이 평안토록 하고자 한다[我平定兩國 平壤己南百濟土地 竝乞你新羅]」

이런 당태종의 말 역시 심각한 문제가 있는 것인데 "통일신라 강역이 대동강원산 이남"이라는 치명적인 착시를 유발하고 있는 것이 아닐까?

위와 같이 위사를 영웅들의 일화로 꾸며 사서 군데군데에 삽입해놓으면 강력한 세뇌기능을 지닌 채 인구에 회자되어 후세인의 머리 속에 각인되게 된다. 무서운 세뇌효과인 것이다.

제7장

ᦉ

누가 역사를
조작하였나?

제7장 _ 누가 역사를 조작하였나?

1. 역사조작 그룹

明代 [천하고금대총편람도]에는 개평(舊개평)이 있고 경주가 있다. 북경 서북에 원래의 '開平'이 있고 당산 근방에 원래의 '慶州'라는 지명이 남아 있었다는 뜻이다. 즉 명인들은 지명조작을 하지 않은 것이다. 명대이후 즉 청대에 지명조작이 있었다는 뜻이다.

1. 역사조작은 근세 청인들(17세기부터)에 의해 저질러졌다. 그 목적은 <영토에 대한 역사적인 연고권을 탈취하는 것>이었고 방법으로는 <선대사서를 일제히 개작하는 것>이었다. 보조수단으로는 고증학과 금석학 등 근대과학을 동원하여 교묘하고 치밀하게 조작하였다.

2. 그 증거로 1,2,3장에서 다룬 내용 외에, [삼국지] 동이전의 각주에 반도나 그 주변의 구체적인 지명을 든 것들이 많이 볼 수 있는데 이러한 각주들이 바로 사서를 읽는 사람들을 상대로 반도사관을 각인시키기 위한 목적으로 쓴 직접적인 위사인 것이다.

2. 동이전 주석

대륙사서의 동이전에는 근세 청인들이 가한 주석이 많이 있는데 이 주석들에는 사서의 위사구도와 직접 관련되는 지명비정에 있어 반도와 요하 동쪽의 구체적인 지명을 찍고 열거한 경우가 많다. <청인들이 마치 돋보기를 대고 본 듯이 조선인들보다 조선의 시골 사정을 더 잘 알고 있다>는 것이다. 이런 것들은 전부 실사가 아니고 그들의 위사구도대로 탁상에 지도를 펴놓고 찍은 것들이다.

몇 가지 예를 들어보면 다음과 같다.

▶ 원문 구절
▷ 주석

[삼국지]

부여전

▶「夫餘在長城之北 去玄菟千里」
▷「沈欽韓曰 一統志 奉天府開原縣 扶餘國地. 丁謙曰 夫餘部地 在今吉林以西 凡長春府雙城五常賓州諸廳 及伯都訥阿勒楚克等城 皆是…(중략)…又曰 史記蒙恬傳 秦築長城 起臨洮 至遼東. 知今奉 天北境之柳條邊 皆秦長城故址 夫餘國 在今吉林長春府地 正古長 城北也」

섬서성 상군에서 끝난 진의 장성이 지금의 요동까지 있었다 하 거나 길림성에도 진장성이 있었다 하면서 부여지를 비정하고 있다. 주석을 가한 沈欽韓(심흠한;1775~1832)과 丁謙(정겸;1843~1919)은 청인이다.

고구려전

▶「고구려」
▷「丁謙曰 高句麗國 有二. 一 古高句麗 在今奉天省城東北 英額

邊門外 渾河發源處. 渾河 卽地理志及水經注 小遼河. 一 新高句麗
在今朝鮮北境 平安道成川郡也」

혼하를 소요수라고 한다. 고구려가 둘 있었는데 하나는 혼하
발원지 일대로 보고 또 하나는 평안도 성천군 일대라 한다. 이것
은 고리와 고구려를 말하는 것 같다.

이런 식으로 고구려전에서 예를 든 지명으로 압록강, 집안현,
안동(단동), 철령(심양北), 대동강, 평양 등이 있다.

패수가 대동강이라는 설도 있고 압록강이라는 설도 있다. 관
구검기공각석이 발견된 집안현 반석령을 환도산이라 하는 설도
있다.

패수가 압록강이라면서 왕험, 홀본, 환도 등 여러 성은 봉천
집안 회인 부근이라 하고 장수왕세에 평양으로 천도했다는 설도
있다.

동옥저전

▶ 「東沃沮在高句麗蓋馬大山之東」

▷ 동옥저전에서 심흠한은 봉천의 해성현을 옥저국지라 하고 고구
려 개모성이었던 봉천의 개평현도 옥저국지라 하였다[沈欽韓曰 明
志 海州衛 本沃沮國地 今奉天海城縣. 又奉天蓋平縣 高麗國蓋牟
城 亦其地].

정겸은 개마대산을 평안도와 함경도를 가르는 산이라 하고(낭
림산맥), 옥저를 함경도 동면 해변일대라 하며 옥저성은 지금의
함흥부 치소라 하였다. 또 불내성은 강원도 강릉부라 하면서 본래
예의 왕도라 하였다[丁謙曰 當時國境 僅有今咸鏡道東面傍海一帶
自小白山以南 皆高句麗地也 故東北狹而西南長 丁謙曰 漢地理志
無沃沮 夫租 卽沃沮之訛 本傳 沃沮城 今咸興府治 丁謙曰 不耐城

今江原道江陵府 本濊王都].

　　王先謙(왕선겸;1842~1917년)과　李兆洛(이조락;1769~1841년)　등은 청인이고 盧弼(노필;1875~1967년)은 1957년 '三國志集解'를 낸 중인이다.

▶「今所謂玄菟故府是也」
▷「丁謙曰 徙治古高句驪西北 在昭帝五年 正朱蒙開國後 攘斥邊境 沃沮與濊貊 爲所役屬時 傳云 爲夷貊所侵 實卽 高句驪也」

　[후한서] 동옥저전에 나오는 내용인데 현도가 이맥의 침입으로 고구려 서북으로 옮겨갈 때 현도를 침공하여 그 일부를 차지한 이맥이 바로 고구려라는 것이다. 이 주는 사실을 바르게 본 것이다. 고구려 초기수도 졸본이 동예의 화려로 추정되기 때문이다.

▶「治不耐城」
▷ [一統志]의「不耐故城 在咸興府北」,「單單大領 後書作單大領 今江原道中間淮陽郡以東 所稱欲嶺朱暉嶺大關嶺 皆古單單大領」

　불내고성이 함흥부 북에 있다는 설이다.

▶「別主嶺東七縣 時沃沮亦皆爲縣」
▷ [滿洲源流考]를 인용하면서 단단대령이 長白山이라고 하는 설도 있다. 정겸은 태백산맥의 일부를 단단대령이라고도 한다[單單大領 後書作單大領 今江原道中間淮陽郡以東 所稱欲嶺朱暉嶺大關嶺 皆古單單大領].

▶「(北沃沮) 去南沃沮八百餘里」

▷ 정겸은 북옥저가 도문강 남북에 해당된다고 한다[丁謙曰 以地望核之 當在圖門江南北].

[삼국지] 예전

▶ 「濊南與辰韓 北與高句麗沃沮接 東窮大海」

▷ 「丁謙曰 濊亦古國. 周書王會篇 有穢人前兒之文. 注穢 東夷別種. 穢 卽濊也. 其舊都 據文獻通考 在朝鮮江原道江陵府東. 沈欽韓曰 一統志 朝鮮江原道治江陵府 在國城東面 本濊貊地 漢爲臨屯境」

'문헌통고'는 宋元代의 학자 馬端臨(마단림;1245~1322년)의 저술이라 하는데 정겸은 '문헌통고'에 근거하여 예의 구도가 강원도 강릉부 동에 있었다 한다.

심흠한은 '일통지'를 인용하여 조선 강원도 강릉부라 하였는데 본래 예맥지로서 한의 임둔이라 한다.

단단대령을 [후한서]에는 단대령이라 하고 정겸은 "단대령은 (조선의 강원도) 강릉 서면 일대인데 남북으로 흐르는 대산이다"라고 한다.

▶ 「自單單大領以西 屬樂浪 自領以東七縣 都尉主之」

▷ 「丁謙曰 (전략)...又武帝紀注 臨屯郡治東暆 知濊地 初立爲蒼海郡 後重立爲臨屯. 而今之江陵府 實漢東暆縣也」〉「무제기 주에 임둔군의 치소가 東暆(동이)라 하였는데 예지에 처음 蒼海郡(창해군)을 세웠다가 뒤에 다시 임둔군을 세웠고 지금의 강릉부가 실로 한대의 동이현임을 알 수 있다」

이 주는 특히 청인들의 저런 주들이 의도적으로 기술한 위사임을 극명하게 드러내고 있는 구절이다. 왜냐하면 「예지에 처음 창해군을 세웠다가 뒤에 다시 임둔군을 세웠다」고 하는 것이 심각한 트릭에 해당되기 때문이다. 창해군은 「연제지간」에 설치되었고 전국시대 하북성 북부의 연과 산동성의 제 사이에 위치한 천진 남방, 황하 하류 북안에 해당된다. 발해만 서안 천진 남방에 위치했던 창해군이 터무니없게도 강원도 북부까지 날아온 셈이 되었다. 실사상의 창해군은 원래의 요서(북경남쪽)와 인접했으므로 위사구도대로 하더라도 今요서의 서남부 원래의 남옥저 정도에 위치하게 된다. 그런데 이곳은 실사상의 원래 임둔군지에 해당되는 지역이므로 바로 여기서 임둔유물이 출토되었던 것이다. 결과적으로 보면 창해군은 이중으로 옮겨 붙인 것이다. 1차로 위사구도대로 옮기게 되면 원래의 임둔군지인 남옥저에 해당되는데 이곳 인근에 있었던 동예와 결합하여 다시 임둔군의 위사구도상의 위치인 강원도 북부로 한 번 더 옮겨 놓은 것이 바로 저 청인의 주석 「初立爲蒼海郡 後重立爲臨屯」이라는 것이다. 사실 창해군 지역에 있던 (남려의) 예와 [후한서]·[삼국지]에서 열전으로 다룬 (동)예는 같은 예족이지만 집단이 다르기 때문에 같이 묶어 기술할 수 없는 것이었다. 난하 중류 동편에 있는 예의 일부와 천진 남방에 있던 예의 일부를 어떻게 같이 놓고 기술할 수 있단 말인가. 양측은 육하원칙상 집단을 구성하는 who가 다르고(부족은 같다) 영토 즉 where도 다르다. 그래서 남려의 예를 난하 중류 동편에 있던 동예에다 엎어서 반도까지 밀어내기 하려고 의도적으로 [후한서] 예전에 끼워 놓은 것이다. 그리하여 천진 남방 발해만 서안에 있었던 창해군을 반도의 강원도 북부로까지 밀어내기를 한 것이다. 동예는 임둔군이 설치되었던 남옥저와 인접한 서북에 있었다.

정겸은 「위의 고구려, 동옥저전에서는 예맥을 병칭하였는데 지금 예는 있고 맥을 빠졌다. '동번기요'에는 "맥의 도읍이 강원도 춘천부 북 13리 소양강 북안"이라 한다」고 하는데 이 역시 위사구도대로 지점을 찍어서 설명하고 있는 것이다. '동번기요'는 일명 '조선지'라고도 하는데 19세기 말 청인 薛培榕(설배용)이 지었다고 한다.

■ 동이전 주석의 문제점

위에 인용한 주석들 중에 구체적인 지명을 언급한 주들이 문제가 되는 것은, 요수를 영정하에서 요하로 치환함으로써 하북성 북의 영정하(요수)와 난하(압록수), 패수 주변의 군현들이 요하 주변과 반도 북부에 있었다는 듯이 인식되게 되고 또 동이전의 한전에는 삼한이 반도 남부에 있었던 것처럼 기술되어 있기 때문에 대략 아귀가 맞아떨어지는 것처럼 보이게 되어 있는 점이다. 부여전과 고구려전, 동옥저전, 예전만 그런 것이 아니고 전부 다 그렇다.

따라서 이런 주석들이 겉보기로는 선대사서의 내용을 상세히 잘 설명하고 고증을 잘 한 것처럼 보이게 되어 있다. 그러다 보니 요수와 압록수 등의 강을 치환하여 위사를 썼다는 사실을 전혀 모르고 있는 전공학자일수록 저런 주석을 더 믿기 쉬운 것이다.

청대에 이르러 서양의 영향을 받아 금석학이니 고증학이니 하는 학문이 발달하고 그에 따라 당시로서는 과학적이고 합리적으로 연구, 비정하여 대단히 정확한 것으로 착각하기 쉽게 되어 있다.

그러나 모든 사서에는 실사와 위사가 섞여 있고 대륙사서도 예외가 아니라는 점이다. 오히려 일반적인 인식과는 정반대로 정치적인 동기에 의한 의도적인 위사가 계획적이고 조직적으로 꾸며져 실려 있다는 것이다. 위에 열거한 상세지명이 언급된 주석들은 전부 이런 정치적 동기에 기인한 의도적인 위사를 뒷받침하기 위해 가해진 위증용 주석들이다.

앞에서 이미 누누이 논한 바 있는 대륙사서의 위사구도는 가장 근간이 되는 것으로 고대 동이족과 대륙세력 사이에 오래도록 경계 구실을 했던 요수를 영정하에서 요하로 치환하고 그와 관련된 주변의 여러 지명들을 의도적으로 옮겨 붙이는 것이었다. 위에 열거한 주석들은 그 의도적인 위사에 못을 박는 결정타라 할 수 있는 것들이다.

이것들이 위사를 뒷받침하는 수단이라고 보는 근거는, 기본적으로 古요수는 今요하가 아니고 今영정하였다는 사실과 동시에 그와 관련된 지명들이 팩키지로 옮겨지고 새로 지어 붙인 것이 많다는 것은 문헌기록의 논리적인 해석만으로도 충분히 증명할 수 있기 때문이다.

삼한삼국의 강역을 今요동에서 반도까지로 한정해 보는 것을 소위 '반도사관'이라 하는데 〈반도사관의 뿌리는 일제 식민사학이 아니고 대륙사서에 실려 있는 의도적인 위사〉이며 해석상의 문제인 것이다.

모든 사서에는 실사와 위사가 섞여 있는데 지금 현재 한일양국의 학계 정설과 통설들은, 古요수를 今요하로 바꾼 줄 모르다 보니 今요하를 古요수로 보고 今요동을 古요동으로 보며 따라서 고조선의 강역을 평안도로 보기 쉽고, [후한서]와 [삼국지] 한전에 삼한이 반도 남부로 그려져 있는 것을 실사처럼 굳게 믿게 되는 것이다.

결과적으로 사서에 실려 있는 실사와 위사 중 주로 겉보기위사만을 추종하게 되어 삼한삼국의 강역은 요하를 넘어서 생각하기 어렵게 된 것이다. 실사기사가 있어도 학자들이 옳다고 믿는 위사와 현저하게 다르므로 설명을 못해 침묵하거나 오기 운운하면서 때우고 넘어가기 일쑤인 것이다.

반도사관의 뿌리는 바로 대륙인들이 정치적인 동기로 조작한 위사에 있는 것이다. 사학을 전공한 한일양국의 학자들이 그것을 몰라보는 것은 순전히 문헌기록의 과학적이고 논리적인 해석에 무능하기 때문이기도 하고, 한편으로는 실증사학 운운하면서 유물유적 핑계대고 문헌사학을 무시하기까지 하기 때문이다. 이것은 학문의 본말이 전도된 것이다. 〈고고학이 문헌사학의 보조학문이 될

수는 있어도 그 역이 될 수는 없는 것〉이기 때문이다. 게다가 90
년 가까이 잘못된 설들을 고수해 오고 있기 때문에 지금에 와서
잘못된 것을 알게 되더라도 스스로는 손을 대기 어려운 지경에 이
른 것으로 보인다.

학계의 유물유적 해석도 최초 강역비정(where)이 잘못되면 육
하원칙상 who가 달라져 터무니없는 결과가 나오기 쉽고 바른 해
석이 결코 될 수 없는 것이다. 예컨대 3세기 이전에 신라와 백제
가 반도에 있지 않았으므로 신라와 백제의 유물이 반도에서 나오
지 않는 것은 당연한 것이다. 그런데 유물·유적이 안 보인다고 나
라가 없었다고 하는 것이 말이나 되는가 하는 것이다. 사료에 다
나와 있는 사실을 해석도 못해내면서 당당히 존재했던 나라를 두
고 없었다고 주장하고 있는 것이다.

[삼국유사]에는 진한이 북경 근방에서 건국하여 300년 가까이
있었다고 기술되어 있고, [삼국지] 한전에는 진한이 조위 경초중
천진~난하의 낙랑·대방군과 전쟁을 한 끝에 망했다고 되어 있으
며, [삼국사기]에는 초기 신라와 백제가 낙랑군과 접촉하는 기록이
다수 실려 있다. 또 신라는 3세기말 기림기에 경주에 정착한 것으
로 되어 있다. 이는 경주에서 三末四初부터 돌출하는 흉노계 유물
유적과 직결된다. 그런데도 학자들은 이런 내용들을 아직도 전혀
모르고 있다는 것이다.

대륙사서를 예로 들면 [한서] 지리지부터가 위사라는 것이다.
이것은 원래 [한서] 집필자가 위사를 쓴 것이냐 하면 전혀 그렇지
않다. 후대의 어느 시점에 확장된 영토에 맞추어 그 영토에 대한
역사적 연고권을 탈취하기 위해 선대로 소급하여 일제히 개작한
것이다.

[한서] 지리지의 위사 사례

전국시대 말기 진군이 조나라 방면에서 북으로 연을 침공할 때 그에 대응하는 연나라와 대왕 가의 연합군 주둔지 상곡의 위치를 [한서] 지리지의 상곡군 위치(今북경 서·서북)로 보면 설명이 전혀 되지 않는다.

지도84. 실사상의 진군과 연군의 대치

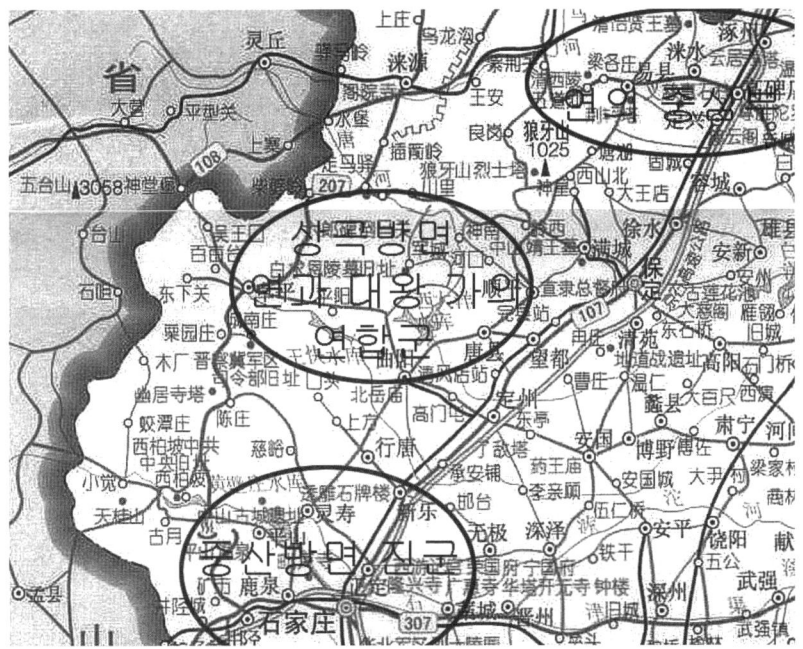

※ [한서] 지리지의 상곡군 위치는 今북경시 서·서북이고 연의 중심지는 涿 (탁;계성)·易(역)이었으므로 연군이 진군에 대응하여 나라의 전방에서 대치한 것이 아니라 나라의 중심을 내놓고 오히려 후방으로 물러난 상태가 된다. 이 것은 [한서] 지리지의 상곡군 위치가 위사이기 때문에 나타나는 현상이다. 실 사상 상곡군은 종전 중산국의 북으로 산서성 오대산 동쪽 하북성 보정의 서 쪽 부평을 중심으로 하는 지역이다. 부평은 [한서] 지리지에 중산국 北平縣 (북평현)으로 되어 있다. 이것은 [사기] 저리자감무전에 조가 연의 상곡 30성 을 빼앗았다 한 기록과도 같은 맥락이다. 상곡과 중산이 인접지역이라는 뜻 이기 때문이다.

※ 비슷한 사례로, 산서성 동북부 방면에서 하북성 서북부방면으로 침공하는 흉노가 [한서] 지리지상 북경 서쪽의 상곡군과 서남의 탁군을 건너뛰어 겉보기로 천진 동쪽으로 되어 있는 우북평으로 바로 침공하고 대응군도 우북평에서 출동하는 기사들이 있다.

삼한삼국의 경우 반도에서 대략 3세기까지는 유물과 유적이 안 보이고, 3세기의 사실을 기록한 [삼국지]의 한전에 '삼한'이 실려 있으니 한일양국 사학계에서는 신라와 백제가 3세기까지도 국가체제를 제대로 갖추지 못했다고 주장하고 있다. 그러다 보니 국가체제를 갖추기 전의 '原三國(원삼국)'이 있었다 하면서 때로는 '邑落國家(읍락국가)'니 뭐니 하는 이상한 용어까지 쓰고 있는 것이다. 실사를 모르기 때문에 허상을 쫓고 있는 것이다.

[후한서]와 [삼국지]의 동옥저전과 예전만 보더라도 전한말 (BC17)에 이미 영동칠현이 구려로 넘어갔다고 분명히 되어 있어 고구려와 분리하여 열전을 구성할 수 없는데도 열전을 따로 만들어 실었는데 이것은 고구려사를 축소한 것이다.

동천왕이 위군에 패해 옥저로 달아났기 때문에 옥저가 다 파괴되었다고 되어 있는데도 옥저가 고구려였다는 사실을 모르고 있다. 고구려왕이 옥저로 도망했다고 위군이 옥저를 파괴했다 하는데 고구려와 옥저가 다른 집단이라면 엉뚱한 데 화풀이를 한 셈이 된다.

동천왕이 결국은 남옥저로 달아나 평양에 도읍했다 하는데 이 때 동천왕이 도읍한 남옥저의 평양(고조선평양)에 대해서도 잘 모르는 것 같다.

동천왕의 사적이 기록된 [고려벽비] 역시 해석을 하지 못할 것이다. 압록강 중류 북안에 있었다고 알고 있는 고구려의 왕이 북경 동남의 「安次三塞(안차삼새)」까지 순행한 것을 설명할 수 있을리가 만무한 것이다. 원래 안차는 「발해의 안차[勃海之安次]」로 알려져 있는데 지금도 북경 남쪽 廊坊市(낭방시) 安次區(안차구)로 남아 있다.

　[후한서]·[삼국지] 동옥저전에 「마침내 구려에 신속하였다[逐臣屬句驪]」고 하는데 고구려는 관리를 두고 조세를 받았다 한다. 이것은 옥저가 고구려에 흡수되었다는 말이다. 고구려에 신속했다는 말도 분리하여 기술한 것이다.

▶ [후한서] 예전 「建武六年 省都尉官 遂棄領東地 悉封其渠帥爲縣侯 皆歲時朝賀」
▷ [삼국지] 동옥저전과 마찬가지로 광무 건무6년에 도위관을 없애고 영동지를 마침내 포기했다 하였다. 사실은 전한말에 이미 고구려로 넘어갔기 때문에 형식상의 직제만 있었고 실질은 전혀 없었다는 것을 알 수 있다. 그러다 파한 것은 사후조치를 한 것으로 이해된다. [삼국지] 예전의 해설에서 보았다시피 관구검의 침공 이후 일시적으로 동예지역이 조위의 영향권으로 넘어간 적이 있었고 그것을 불내예라고 부르고 있다. 이것은 [통전] 변방전 고구려전의 고구려강역 3단계 변천으로 알 수 있다. 후한세 '方二千里'에서 위세에 '方千里'라 하였다.

▶ [삼국지] 예전 「후에 도위를 없애고 거수들을 후로 삼았는데 지금의 불내예가 모두 그 종족이다. 한말에 다시 구려에 속했다[後省都尉 封其渠帥爲侯 今不耐濊皆其種也 漢末更屬句麗]」
▷ 이 기사는 [후한서]와 [삼국지]의 동옥저전과 예전 네 건의 열전 중에서 유일하게 바른 말을 한 것이다. 한말이란 것은 전한말로서 전한은 서기 8년에 망했으므로 그 전에 고구려로 넘어갔다는 뜻이다. 그 후 명목뿐인 도위를 파한 것이 건무6년(30)이란 것이다. 이 기록에서 「한말 다시 구려에 속했다」고 한 것이 바로 [삼국사기] 유리왕 3년(BC17)에 한인지녀 치희를 계실로 들였다고 한 설화체 기사와 대응되는 것이다. 치희가 한인의 딸이라는 것은 천신지기사상에 입각하여 영토를 여성으로 의인화한 것으로 치희는 한의 영토의 일부라는 뜻이다. [삼국사기]에서는 설화체로 변환

하여 실사를 숨긴 것이다. 한인지녀 치희가 바로 한지였던 영동칠현을 의미하는 것이다.

지금의 불내예라는 것은 관구검 침공 직후 동예가 조위로 일시 넘어갔을 때의 일이고 그런 불내예가 전한말 고구려로 넘어간 예인들과 같은 족이란 뜻이다.

이뿐만이 아니고 영동칠현을 흡수한 후 20년 만인 유리왕 22년(3)에는 도읍을 졸본에서 국내성으로 옮기고 있는데 이 국내성이 바로 [삼국지] 동옥저전에 동부도위의 치소라 하던 不耐城(불내성)이자 [삼국유사] 왕력편에 기술된 不而城(불이성)이며 영동칠현의 동예 두 현 화려와 불이 중 不而縣(불이현)에 해당되는 것이다. 이렇게 서기 3년에 고구려가 수도를 한의 동부도위 치소였던 영동칠현의 중심지 불내(불이)로 옮기고 있다는 것이다. 고구려가 영동칠현의 중심부를 수도로 하고 있는데도 영동칠현이 고구려가 아니라면 참으로 곤란한 것이다.

바로 이런 〈동이전의 동옥저전과 예전, 한전 등의 겉보기내용을 믿게 되면 결과적으로 신라, 고구려, 백제 삼국의 건국시점을 3세기 정도 낮춰 보게 되어 있다〉. 한일양국의 사학자들은 이런 위사구도와 분리기술, 지명이동 등의 트릭에 고스란히 빠져 헤어날 줄 모르고 있다.

사료들이 선대로부터 내리내리 대체로 비슷하게 부합한다고 할지 모르지만 전면적으로 개작할 때 시대별로 대체로 부합하는 것처럼 내리내리 꾸민 것이다. 기록의 발생순서를 기준으로 진위를 식별하는 書誌學的(서지학적) 방법도 통하지 않는다. 어차피 그런 상황 다 고려하여 조작하였기 때문이다. 또 그냥 두면 곤란할 정도로 위사와 현저히 다른 것은 당연히 사료 자체를 없애버렸을 것이고, 애매한 것은 저런 식으로 주를 달아 구체적인 지명을 찍어

가면서 동이강역을 명확하게 밀어내기한 것이다.

3. 유물과 유적

물론 이런 위사를 뒷받침하는 것처럼 보이는 유물과 유적도 있다. 그러나 그런 유물과 유적조차도 지금 학계에서 믿고 있는 것과는 전혀 다른 이유와 근거로 생성된 것일 수 있다는 것이다. 유물과 유적은 크게 두 가지가 있는데, 가. 반도 서북부에서 나온 소위 漢系(한계) 유물유적들과, 나. 압록강 중류 북안의 고구려 유물과 유적(고분군)이라는 것들이다.

유물유적과 관련해서 이 역시 역으로 생각해볼 수도 있다. 위의 두 지역의 유물유적 외에 다음과 같은 경우를 들 수 있다.

1) 강원도 동북부에서 예의 유물유적이 단 하나라도 나온 적 있었던가? BC128년에도 인구가 무려 28만이라 하였다. 근래 강릉시와 동해시 인구가 각각 약 22만, 10만 정도 된다. 그런데 유물유적 하나 없었다면 어떻게 거기에 예가 있었다고 말할 수 있단 말인가? 함경도에서는 옥저 유물유적 나온 적이 있었던가? 영동칠현은 동예 2현, 옥저 5현이라 하였다. [사기]와 [한서]에 있는 대로 인구 28만의 창해군의 예족과 [후한서]와 [삼국지]의 동예가 같은 집단인 듯이 하고 그 동예가 2현이라는데 옥저는 5현이라 하여 예보다 훨씬 크다. 당연히 옥저도 유물유적이 있어야 할 것 아닌가?

2) 현도가 요동군의 동북에 수백 년을 있었으니 당연히 유물유적이 있었을 것 아닌가? 지금의 요동반도 북에 현도군의 유물유적이 어디 있나?

3) 요동군은 今요하 동쪽에 낙랑현도보다 더 오랜 기간 있었던 것으로 되어 있다. 당연히 요동군의 유물유적도 있어야 할 것 아닌가? 요동군의 유물유적은 어디 있나? 있다면 그것은 본래의 요동(북경일대)에서 옮겨놓은 것으로 보아야 할 것이다.

유물이동

4) 관구검기공비와 점제현신사비는 절대로 존재할 수 없는 곳에서 발견되었는데 의도적으로 옮겨졌다는 뜻이다.

5) 호태왕비도 원래 있던 곳에서 옮겨진 것으로 보인다.

4. 학계의 이중적인 기준

이렇게 유물유적도 없는 동예와 옥저, 현도군, 요동군이 다 있었다고 믿으면서 신라와 백제는 유물유적이 안 보인다고 3세기까지 나라다운 나라가 없었다고 한다. 또 今요서 금서에서 임둔봉니가 나왔는데도 여전히 임둔군은 강원도 북부라 한다. 학자들은 유물유적과 관련하여 이렇게 이중적이고 모순된 태도를 보이고 있다.

제8장

⊄

삼국시대 이후의
영토변천

제8장 _ 삼국시대 이후의 영토변천

1. 여수전쟁 전장지명

[삼국사기] 영양왕 9년기에 영양왕이 말갈군과 함께 요서를 침공하였는데 수의 대응군 장수가 영주총관 위충이다. 영주는 유성이므로 今대성에 해당된다. 또 6월에 수군은 임유관을 나와 장마를 만났다 하는데 원래의 요서 우갈석 근방의 지명이다(지도56). 수의 주라후가 산동 동래에서 수군으로 평양으로 가다가 풍랑으로 많은 배가 표류하고 침몰하였다 한다. 이때의 평양이 장수왕의 평양(험독/韓城)인지 평원왕이 옮긴 (장안성) 원래의 평양(창려)인지 불명이다.

[삼국사기] 영양왕 22년기에는 탁군의 계성에 대대적으로 집결하였고 23년기에는 수나라 군이 좌우 각각 12개 군단으로 나누어 출전하는 진격로가 열거되고 있다. 이 지명들이 분포된 영역을 전한대의 군현으로 치환해 보면 다음과 같은데 실제로 저 길로 진격한 것은 아니고 고구려를 뒤엎겠다는 결의를 상징적으로 나타내고 있는 것에 불과하다.

전한 낙랑군 속현으로 「누방, 장잠, 해명, 조선, 함자, 혼미, 제해, 답돈, 동이, 대방」
전한 요동군 관련지명으로 「요동, 후성, 답돈(답씨), 양평」
전한 현도군 관련지명으로 「현도, 남소, 개마(서개마)」

건안은 북경 동쪽의 고구려 성이고 부여는 현도군 인근 북에 자리 잡았던 위구태의 부여에서 비롯된 것이다.

갈석은 고구려수도가 있던 창려 인근의 갈석산을 의식하고 쓴 것이다.

옥저도 전한 낙랑군 25현 중 난하 동편에 위치한 고구려의 중심부가 된 영동칠현 중에 옥저 5현이 있었다.

숙신은 적봉 이북의 부여고지에서 부여를 밀어낸 물길(말갈)의 이칭이었다.

이렇게 보면 이들 진격로라는 것이 전부 북경(요동)부터 난하 동편(개마,옥저,숙신,동이,갈석)까지라는 것을 알 수 있다. 이것은 고구려 중심부가 난하의 동편 전한 낙랑군의 영동칠현에 있었기 때문에 나타나는 현상인 것이다.

처음 요동으로 건너가는 요수(영정하)가 있고 후퇴과정에서 살수를 건넌 후에 건너는 요수(소요수)가 있다. 살수는 압록수 중류의 서쪽 지류 중의 하나이며 통정진은 소요수를 서쪽으로 건넌 후 설치한 것이다. 기록에는 압록수를 건넌 후 살수를 건너 평양 근방에 당도한 듯이 되어 있고 후퇴과정에서도 살수를 먼저 건넌 후에 압록수를 건넌 듯이 되어 있으나 이것은 where를 반도 서북부로 설정하여 썼기 때문이고 그래서 살수가 청천강으로 인식되게 된 것이다. 그러나 실사는 살수가 압록수의 서쪽 지류로서 압록수를 서쪽으로 건넌 후 살수를 건너 소요수를 만나게 되어 있었던 것이다.

기타 지명으로 요동성(천진시 계현)과 비사성(창려 인근) 등이 있다.

지도85. 여수전쟁 전장도(한군현으로 치환한 수군 진격로 지명 분포영역)

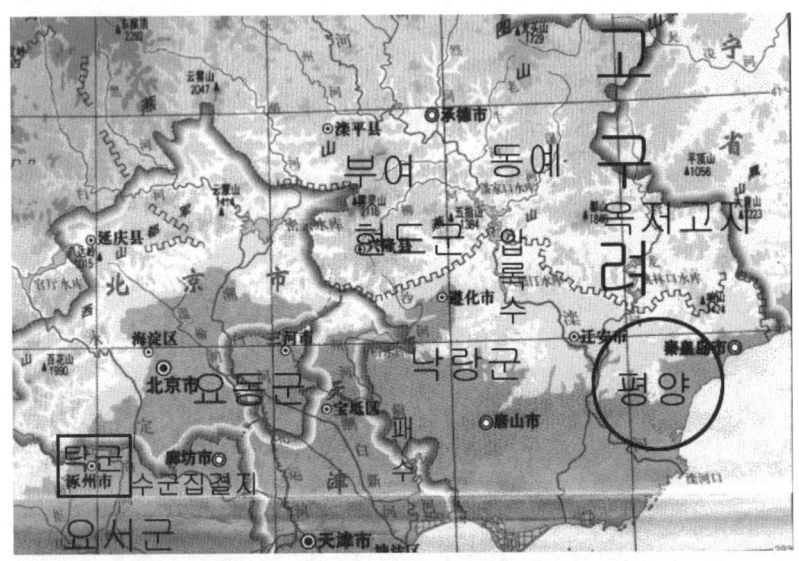

※ 원래의 요서군이 [한서] 지리지 겉보기로는 탁군과 발해군 일부로 되어 있다.

2. 여당전쟁 전장지명

신성과 백암성, 은산성, 남소성, 요동성, 건안성, 안시성, 통정진 (북경통주) 등이 있다(지도29).

기타 석성은 난하 하류 서쪽에 있고(지도72-2) 비사성은 난하 하류 창려 근방의 해안가 또는 강가의 성으로 추정되며 국내성은 지금의 관성으로 추정된다.

당태종시는 주로 북경 동쪽에서 난하까지였고 당고종시 난하 중 하류 동편 고구려 중심부도 나타난다.

3. 나당전쟁 전장지명

여러 지명들이 있지만 중요한 지명으로 대방(천진)과 석문(유성; 대성), 매소성(금성;포구), 호로하(난하하류 동쪽지류) 등이 있다.

지도86. 나당전쟁 전장도

※ 대방은 지금의 천진이고 석문은 유성(대성)의 서남 石門橋(석문교)가 있는 지역이다. 매소성은 포구진한의 수도 금성을 변조한 이름이다. 매소성에서는 당장 이근행이 이끄는 20만 대군(기병 3만여 포함)을 격파하였다. 瓠瀘河(호로하)는, [삼국사기] 문무왕 11년기에 당장 설인귀의 서신에 대한 답장에, 신라장 양하도총관 김유신이 당장 함자도총관 유덕민과 함께 군량을 수송하는 도중에 언급되는 지명으로서 난하 최하류에 있는 두 줄기 지류 중 동쪽지류이고 서쪽것은 지금의 定流河(정류하)이다. 문무왕 13년 9월조에도 호로와

王逢(왕봉) 두 강이 기술되어 있다. 김유신의 직책명에 든 '兩河(양하)'가 바로 이 두 지류를 가리키는 것인데 당시 나당연합군은 고구려수도 평양(창려)을 압박하고 있는 상황이었다. 지금은 葫蘆河(호로하)로 표기되고 있는데(지도51) [삼국사기] 집필자들이 '호로하'는 음은 그대로 둔 채 글자를 바꾸었고 '정류하'는 이름을 왕봉으로 바꾸었을 것이다. 왕봉은 문무왕이 나중에 전장으로 가서 먼저 출정한 신라군과 만난 곳이라는 의미로 보인다. 창려(평양)의 갈석산을 고구려말기 두 왕의 이름으로 합성하여 嬰留山(영류산)이라고 알려주고 있는 것도 비슷한 사례에 해당된다.

신라는 古요수인 永定河(영정하)까지 고구려영토를 거의 차지하였다. 이런 것을 대동강원산 이남으로 여태 알아왔으니 이 얼마나 어이없는 현실인가.

지도87. 통일신라 강역

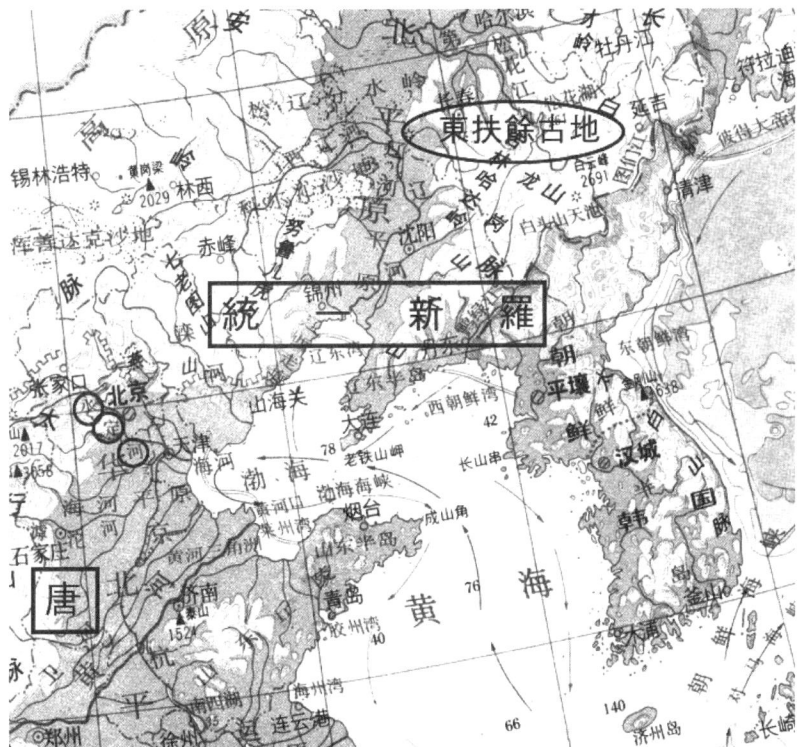

※ 양자강 남쪽에도 넓은 영토가 있었는데 사료부족으로 강남은 제외하고도
이렇다. 강남에는 원래 가야땅이 있었는데 백제로 넘어갔다가 통일전쟁 이후
신라가 차지하였다.

4. 동서분립(신라,발해)

발해는 흑룡강성과 연해주 정도를 차지하였는데 위의 지도87에
서 대략 동부여고지 중 동쪽에 해당되고 그래서 그 기층민이 속말
말갈이라는 것이다.

5. 고려초기

지도87 통일신라강역에서 발해지(동부여고지)를 제외하고 영정하까지 다 차지하였다.

6. 요대

고려가 요에 밀려 영정하(요수)에서 난하(압록수)까지 물러났다. 서희의 강동육주는 고구려중심부인 낙랑영동칠현 정도에 해당될 것이다. 지금은 압록강 동남으로 알고 있는데 위사구도를 감안하여 古압록수인 난하의 동남으로 보아야 할 것이다. 고려의 서경이 바로 고조선수도이자 고구려수도였던 평양(창려)이었다.

7. 금대

서방은 요대와 같고 동방은 고려가 발해지 중에서 서쪽 대략 지금의 흑룡강·길림성을 흡수하였던 것으로 보인다.

8. 원대

난하(압록수)에서 지금의 요하까지 물러나 고려 서경(창려)이 원의 동녕로가 되었다.

9. 만주의 고려지명

만주에는 지금도 유명한 고려지명들이 여럿 있는데 鐵嶺(철령)

과 摩天嶺(마천령), 雙城(쌍성;和州 중심지) 등이다. 이 지명들을 보면 늦어도 요나라 이후 금대에 발해구지를 고려가 흡수한 것으로 보인다.

지도88. 만주의 고려지명

※ 요녕성 심양의 동북에 학계에서 강원도 어느 산이라고 하는 鐵嶺(철령)이 있고 심양의 남쪽 요동반도 한가운데에는 학교에서 함경도에 있다고 배워온 摩天嶺(마천령:969m)이 지금도 있다.

또 흑룡강성 합이빈 서남에는, 고려 화주가 조·탁씨 두 집안의 반역으로 원에 넘어갔을 때 원이 총관부를 설치했다 하던 雙城(쌍성)이 지금도 있다. 화주의 중심지로서 조선 태조 이성계의 고향으로 추정된다. 이런 사정을 모르면 이성계가 여진족이라는 설도 나오게 되는 것이다.

고려시대 公嶮鎭(공험진)이라는 군사거점이 설치되었다 하던 先春嶺(선춘령)이 두만강 넘어 700리에 있다는 조선시대 기록도 있는데 이 선춘령의 위치를 대략 보아도 쌍성과 흥개호의 중간쯤, 지금의 목단강시보다는 북으로 추정해볼 수 있다.

원과의 오랜 전쟁 끝에 철령 이북이 원의 땅이 되었다 했는데 이 지명들을 보면 철령 이북이 곧 고려의 화주임을 알 수 있다. 대략 지금의 흑룡강성과 길림성에 해당되는 영역이다. 화주는 전쟁에서 빼앗겼던 것이 아니고 조·탁씨 두 집안의 반역으로 두 번이나 원에 넘어갔으나 두 번 다 이성계 집안의 활약으로 되찾았다 한다. 전쟁으로 빼앗긴 것은 지금의 요서지역이었다.

태조 이성계는 조선을 건국하면서 그렇게 되찾은 자신의 고향 화주를 버리고 건국하였을까? 아닐 것이다.

참고서적

- 삼국사기/이강래역주/한길사/1998년/전3권
- 삼국사기/이병도역주/을유문화사/1997년/전2권
- 삼국사기/최호역해/홍신문화사/2003년/전2권
- 삼국유사/이민수역주/을유문화사/2001년
- 삼국유사/김원중역주/을유문화사/2003년
- 삼국유사/최호역해/홍신문화사/2004년

- 사기(본기)/정범진외/도서출판까치/1999년
- 사기(열전)/정범진외/도서출판까치/2003년/전3권
- 사기(세가)/정범진외/도서출판까치/2010년/전2권
- 사기(표서·서)/정범진외/도서출판까치/2010년
- 중국정사조선전/국사편찬위원회/2004년/전4권
- 이야기중국사/김희영/청아출판사/2005년/전2권
- 중국신화전설/袁珂저/전인초·김선자역/민음사/2002년/전2권
- 산해경/민음사/정재서역주/2004년

- 한국신화의 연구/서대석/집문당/2002년
- 한국의 신화/황패강/단국대학교출판부/2005년
- 부여·고구려 건국신화 연구/이복규/집문당/1998년
- 단군과 고조선사/노태돈/사계절/2001년
- 고구려의 발견/김용만/바다출판사/1998년
- 단군문화기행/박성수/서원/2000년

- 한단고기/임승국역주/정신세계사/1986년
- 실증한단고기/이일봉/정신세계사/2004년
- (정본)[한단고기]/호 뿌리/계연수/2005년
- 부도지/한문화멀티미디어/김은수역주/2004년
- 시경과 성/원형갑/한림원/1994년/전2권
- 하늘에 새긴 우리역사/박창범/김영사/2003년

- 화랑세기, 또 하나의 신라/김태식/김영사/2002년
- 日本書紀/岩波文庫/坂本太郎외3人/2000년/전5권
- 古事記/講談社學術文庫/次田眞幸/2000년/전3권
- 古事記/岩波書店/倉野憲司校注/2005년
- 風土記集/春陽堂/昭和10년
- 新撰姓氏錄/吉川弘文館/佐伯有淸/昭和56년/전5권
- 日本地名學硏究/中島利一郎/日本地名學硏究所
- 日本地圖帳/平凡社/1999년
- 古語辭典/岩波書店/2000년
- 일본서기/전용신역주/일지사/2000년
- 고사기/노성환역주/예전사/1999년/전3권

- 백제에 의한 왜국통치 삼백년사/윤영식/하나출판사/1987년
- 향가와 만엽집의 비교연구/송석래/을유문화사/1991년
- 신비왕국 가야/고준환/우리출판사/1996년
- 다시 쓰는 한일고대사/최진/대한교과서/1996년
- 새로 쓰는 백제사/이도학/푸른역사/1997년
- 비류백제와 일본국가기원/김성호/지문사/1982년
- 춤추는 신녀/이종기/동아일보사/1997년
- 김수로왕비의 혼인길/김병모/푸른숲/1999년
- 중국진출백제인의 해상활동 천오백년/김성호/맑은소리/1996년/전 2권
- 왕인박사는 가짜다/죽오재/곽경/2014년
- 오사까의 여인/어문학사/곽경/2015년